CB069670

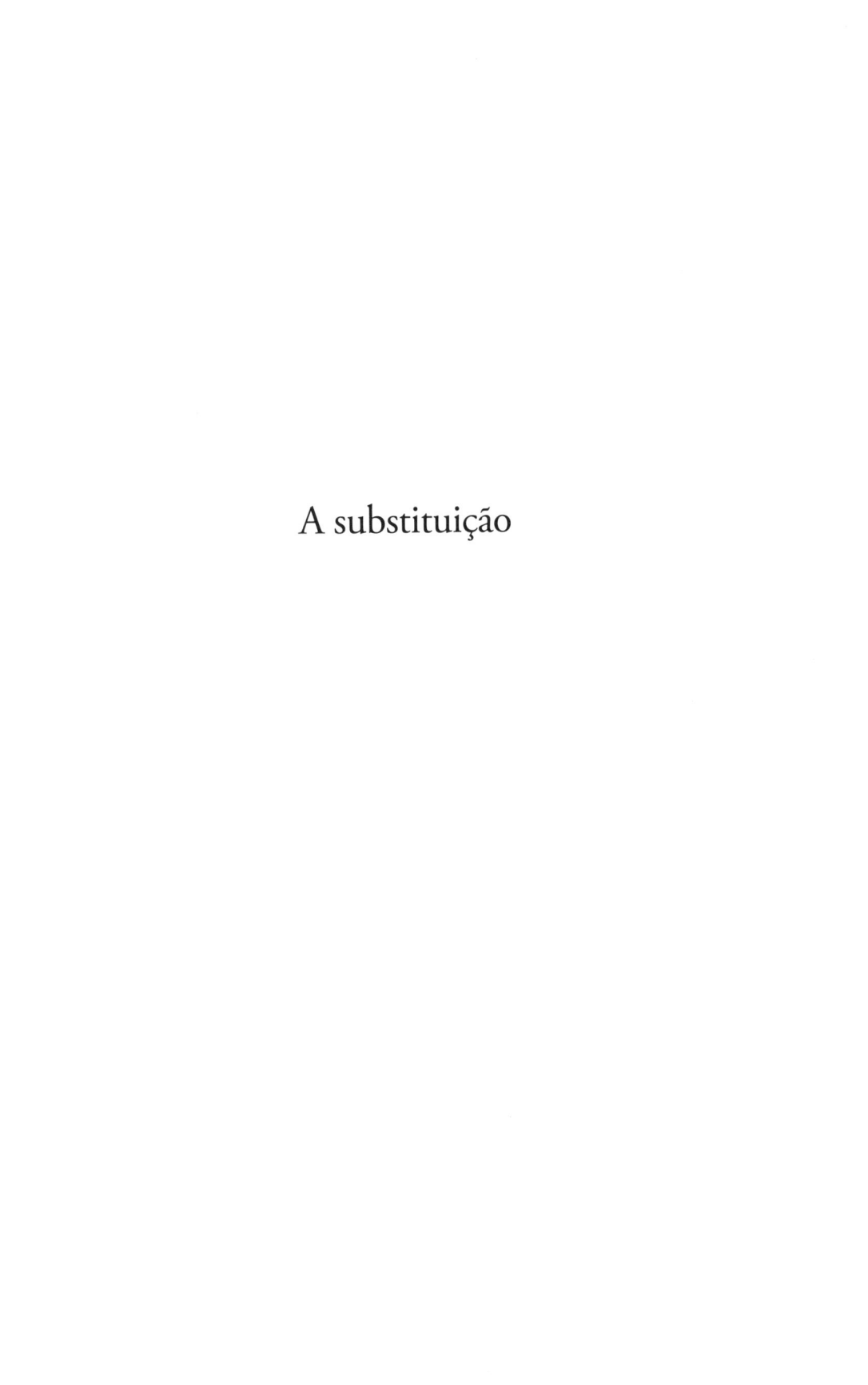

A substituição

KENZABURO OE

A substituição
ou As regras do Tagame

Tradução do japonês
Jefferson José Teixeira

Estação Liberdade

Título original: *Torikaeko* (取り替え子)
© Kenzaburo Oe, 2000
© Editora Estação Liberdade, 2022, para esta tradução
Todos os direitos reservados.

Preparação Eda Nagayama
Revisão Fábio Fujita
Editor assistente Luis Campagnoli
Supervisão editorial Letícia Howes
Capa Ciro Girard
Edição de arte Miguel Simon
Editor Angel Bojadsen

JAPANFOUNDATION

A EDIÇÃO DESTA OBRA CONTOU COM SUBSÍDIO DO PROGRAMA
DE APOIO À TRADUÇÃO E PUBLICAÇÃO DA FUNDAÇÃO JAPÃO

CIP-BRASIL. CATALOGAÇÃO NA PUBLICAÇÃO
SINDICATO NACIONAL DOS EDITORES DE LIVROS, RJ

O24s

    Oe, Kenzaburo, 1935-
        A substituição ou As regras do Tagame / Kenzaburo Oe ; tradução Jefferson José Teixeira. - 1. ed. - São Paulo : Estação Liberdade, 2022.
        352 p. ; 23 cm.

    Tradução de: Torikaeko
    ISBN 978-65-86068-56-6

        1. Romance japonês. I. Teixeira, Jefferson José. II. Título.

22-75576
                                    CDD: 895.63
                                    CDU: 82-31(52)

Camila Donis Hartmann - Bibliotecária - CRB-7/6472
17/01/2022   18/01/2022

Todos os direitos reservados à Editora Estação Liberdade. Nenhuma parte da obra pode ser reproduzida, adaptada, multiplicada ou divulgada de nenhuma forma (em particular por meios de reprografia ou processos digitais) sem autorização expressa da editora, e em virtude da legislação em vigor.

Esta publicação segue as normas do Acordo Ortográfico da Língua Portuguesa, Decreto nº 6.583, de 29 de setembro de 2008.

Editora Estação Liberdade Ltda.
Rua Dona Elisa, 116 | Barra Funda
01155-030 São Paulo – SP | Tel.: (11) 3660 3180
www.estacaoliberdade.com.br

取り替え子

SUMÁRIO

Prólogo
As regras do Tagame 11

Capítulo I
Cem dias de *quarantine* (Parte I) 55

Capítulo II
Essa coisa frágil denominada ser humano 91

Capítulo III
Terrorismo e gota 133

Capítulo IV
Cem dias de *quarantine* (Parte 2) 171

Capítulo V
Tartaruga experimental 203

Capítulo VI
Os *voyeurs* 241

Epílogo
O livro ilustrado de Maurice Sendak 293

Prólogo

As regras do Tagame

1

"… É isso. Agora estou me transferindo para o outro lado." Após a declaração que Kogito ouviu com atenção pelos fones de ouvido, deitado na cama de campanha da biblioteca, um baque surdo de queda reverberou. Um instante de silêncio transcorreu antes de Goro prosseguir: "Porém, nossa comunicação não se interromperá. Para tanto, preparei expressamente o sistema do Tagame. Mas já deve ser tarde do seu lado. Durma bem!"

Sem compreender a mensagem, algo semelhante a uma dolorosa tristeza invadiu Kogito, parecendo dilacerá-lo das orelhas até o fundo dos olhos. Após algum tempo nesse estado, repôs o Tagame na estante e procurou dormir. Em instantes conseguiu pegar no sono, devido também ao efeito do antigripal que havia tomado, e, ao ser despertado por um leve ruído, viu a cabeça da esposa brilhar sob a pálida luz fluorescente do teto oblíquo da biblioteca.

— Goro se suicidou. Pretendia sair sem acordá-lo, mas como quero evitar que Akari se assuste com a profusão de telefonemas da mídia… — assim Chikashi comunicou o incidente ocorrido com o irmão, amigo de seu marido desde os dezessete anos. Kogito aguardou relutante o Tagame adjacente a sua cabeça lhe enviar "sinais" queixosos à guisa de um celular recebendo ligação.

— Pediram a Umeko para identificar o corpo. Vou acompanhá-la — prosseguiu Chikashi com a voz embargada.

— Vou e fico com você até se reunir com os familiares de Goro. Depois, volto sozinho e permaneço de plantão atendendo as ligações — respondeu Kogito, sentindo-se também anestesiado. — Ainda deve demorar um pouco até os telefonemas começarem.

Chikashi mantinha-se de pé, calada, sob a luz fluorescente. Observou atenta o marido levantar da cama e vestir morosamente a camiseta de baixo, a camisa de lã e as calças de veludo — era pleno inverno — postas sobre a cadeira. Ao terminar de passar o suéter pela cabeça, Kogito sugeriu "Vamos então" e estendeu o braço na direção do Tagame.

— De que adianta levar isso? — A voz firme da esposa o tolheu. — Não é o gravador que você usa para ouvir as fitas cassete que Goro lhe enviou? Logo você que costuma se irritar quando alguém age com insensatez?

2

No trem a caminho para a piscina — mesmo próximo dos sessenta continuava a frequentá-la —, Kogito percebia ocasionalmente ser a única pessoa usando um gravador desse tipo antigo. Às vezes, notava algum homem de meia-idade ouvindo algo e movendo os lábios, e deduzia estar concentrado em alguma fita de conversação em inglês. Até pouco tempo, os vagões viviam lotados de jovens ouvindo música, mas agora todos falavam pelo celular ou moviam os dedos ágeis de olhos grudados na tela do aparelho. Kogito até sentia saudades dos ruídos agudos e irritantes que vazavam dos fones de ouvido. Hoje em dia, mantinha seu gravador pré-Walkman dentro da mochila, dissimulado em meio aos apetrechos de natação, com os fones de ouvido sobre seus cabelos grisalhos. A ele restava apenas a sensação de ser um solitário exemplar de uma velha geração desatualizada.

O gravador de fitas cassete de modelo antigo havia sido um presente recebido por Goro quando participou, ainda como ator, de um comercial para um fabricante de produtos eletrônicos. Enquanto o aparelho era do tipo mais comum, sem atrativos em particular, de corpo retangular e design trivial, o formato dos fones de ouvido se assemelhava ao dos besouros aquáticos, os *tagame*, que Kogito costumava pegar quando criança nos córregos bosque adentro. Kogito confessou a Goro sentir como se tivesse, agarrado de cada lado de sua cabeça, um daqueles inúteis besouros.

— Isso apenas confirma a sua ausência de talento quando criança para capturar enguias ou trutas — declarou Goro com indiferença. — Apesar de tardio, este é o meu presente para aquele menino lastimável. Chame de Tagame ou dê o nome que quiser, e use como consolo para aquela criança que ainda resiste dentro de você.

Goro pareceu se dar conta de que carecia de criatividade presentear apenas com o Tagame um velho amigo e, ainda por cima, cunhado. Mostrando sua aptidão para colecionar quinquilharias, faceta de seu estilo de vida que havia ajudado em sua criação cinematográfica, acrescentou ao presente um pequeno e atrativo baú em duralumínio contendo cinquenta fitas cassete. Goro o entregou a Kogito no cinema onde havia se realizado a sessão de pré-estreia de um de seus filmes. No trem de volta para casa, Kogito inseriu no Tagame — de fato, passou a chamar assim o gravador — uma das fitas identificada apenas por uma numeração carimbada em um adesivo branco e, enquanto procurava no aparelho o orifício para conectar o plugue dos fones de ouvido, ou por seu dedo ter tocado de maneira inadvertida o *play* ou por haver algum mecanismo automático de reprodução, tão logo a fita foi inserida reverberou pelo alto-falante uma voz feminina impudente a bradar "Ai, ai! Meu útero vai cair! Vou gozar! Ai! Gozei!", para espanto dos passageiros que lotavam o vagão. Alguém do estúdio cinematográfico deve ter insistido até conseguir vender a Goro essa coleção de cinquenta fitas com gravações clandestinas da qual agora penava para se livrar.

Embora Kogito jamais houvesse demonstrado particular interesse por esse tipo de coisas, durante uns cem dias entregou-se então obsessivamente a ouvir as fitas no Tagame. Por coincidência, atravessava um período de estado depressivo, e Goro, informado por Chikashi sobre a difícil situação do marido, asseverou que em tais casos era necessário reagir com uma vulgar "humanidade" à altura da causa. E, aproveitando ter presenteado Kogito com o Tagame, acrescentou fitas que sem dúvida expressavam "humanidade", conforme ouviu mais tarde de Chikashi, ainda ignorante do teor das fitas...

O estado depressivo de Kogito havia sido causado por ataques pessoais recebidos durante mais de uma dezena de anos, desfechados, obviamente, em nome da justiça social, por uma notável figura de um grande jornal. Não lhes dava importância quando lia livros ou escrevia, mas, por vezes, ao acordar de súbito em plena madrugada ou sair à rua para algum compromisso, vinham-lhe à mente os textos insultuosos, peculiares ao inquestionável dom daquele jornalista. Reconhecido pela meticulosidade, enviava para Kogito seus livros e artigos de revista acompanhados de uma "saudação" rabiscada no verso de pequenos pedaços de papel, cortados de faxes, de provas de impressão ou de páginas manuscritas de textos jornalísticos sujos e salpicados de erros. Quando ameaçassem vir à tona essas palavras redigidas com cuidado e gravadas em sua memória, bastaria a Kogito pôr os fones e ouvir, fosse na cama, fosse na rua, alguma sincera voz de expressa "humanidade". Goro declarou ser esse também o remédio misterioso e perfeito para dissipar a ansiedade.

Quinze anos haviam se passado desde então quando Kogito, à procura de um determinado material para uma viagem ao exterior, deparou com o pequeno baú de fitas em um canto da biblioteca, junto de numerosas obras e recortes de artigos do tal jornalista. Se ocorresse um acidente aéreo e Chikashi tivesse de organizar a biblioteca, o que aconteceria caso cismasse em checar o teor das fitas? Kogito resolveu destiná-las à coleta seletiva de lixo e pediu que a esposa indagasse a Goro se desejava ou não o pequeno baú de duralumínio de volta.

Kogito acabou devolvendo o objeto, mas, passados dois ou três anos, durante sua estada em Boston, o mesmo baú retornou à sua casa com cerca de trinta fitas. Goro informava que enviaria novas fitas assim que terminasse de gravá-las, até preencher todo o baú com capacidade para cinquenta. Também explicou à irmã que o conteúdo não era importante a ponto de precisar ser ouvido com urgência, ao que Chikashi, sempre ignorando do que se tratava, parece ter respondido que iria sugerir ao marido ouvi-las quando fosse acometido das eventuais depressões, comuns ao início da terceira idade, que decerto surgiriam em breve.

Assaltado por algum tipo de premonição, Kogito procurou ouvir uma das fitas de imediato. Como havia imaginado, a voz do próprio Goro reverberou pelos fones de ouvido com a aparente intenção de narrar, obviamente sem ordem cronológica, a amizade de ambos desde a adolescência em Matsuyama — ou *Matchama*, em sua pronúncia — na ilha de Shikoku. Mais do que um monólogo, as gravações pareciam uma demorada conversa telefônica que, como interlocutor, Kogito ouvia de fones na cabeça, deitado na cama de campanha da biblioteca, embalado pelas muitas recordações.

A intervalos regulares, recebia novas fitas gravadas e, assim, criou o hábito de, a determinada altura durante a reprodução, pausar a fita com as palavras de Goro a fim de expressar sua opinião, como se entabulassem mesmo um diálogo. Isso logo se tornou rotineiro, estendendo a conversa como se usasse o Tagame em substituição ao telefone.

Também na noite em que foi informado que Goro havia morrido se atirando do alto de um edifício, Kogito ouvia deitado na cama a nova fita entregue mais cedo por um portador. Mais do que suas impressões, entre uma pausa e outra, Kogito introduzia na contínua narrativa de Goro respostas naturais a uma conversação. Nessa noite, teve a ideia de adquirir um aparelho capaz de gravar também o que ele dizia em outra fita, mantendo o diálogo com Goro.

Todavia, a certa altura, fez-se um silêncio, e a maneira de falar do amigo se tornou nitidamente diversa daquela ouvida até então. Com a voz sob evidente efeito de álcool, Goro declarou:

A SUBSTITUIÇÃO OU AS REGRAS DO TAGAME

— É isso. Agora estou me transferindo para o outro lado.

Na sequência, como um dos peculiares efeitos especiais e gravações compostas de seus filmes como cineasta, surgiu um eco que Kogito entendeu, mais tarde, como sendo o som de um pesado corpo caindo de um local elevado e colidindo com violência contra uma via pavimentada.

— Porém, nossa comunicação não se interromperá. Para tanto, preparei expressamente o sistema do Tagame. Mas já deve ser tarde do seu lado. Durma bem! — fez-se ouvir a voz de Goro.

Kogito chegou a imaginar que a saudação reproduzida no gravador para informar sua importante resolução fora a primeira comunicação de Goro, vinda do outro lado, usando o Tagame como um celular: suas derradeiras palavras gravadas com antecedência, sem sinais de embriaguez e após o baque surdo da queda. Nesse caso, se continuasse a ouvir as fitas pelo mesmo sistema, não seria capaz de ouvir a voz de Goro no outro lado? Pensando assim, toda noite antes de dormir Kogito passava algum tempo com o Tagame, deixando guardado no baú apenas o último cassete recebido, sem estar sequer rebobinado.

3

Kogito acompanhou Chikashi até Yugawara para recepcionar o cadáver devolvido pela polícia, mas não viu o rosto de Goro.

Após um velório restrito e de reduzidas proporções, Kogito informou a Umeko, que se preparava para varar a noite assistindo aos vídeos dos filmes de Goro, sua intenção de retornar sozinho para Tóquio onde deixara Akari. Chikashi estaria presente à cremação do corpo na manhã seguinte.

— Ao contrário de quando o vi na polícia, o rosto de Goro voltou a ter sua costumeira e distintiva aparência. Veja e faça suas orações antes de ir — sugeriu Umeko lançando um olhar em direção ao ataúde.

Em resposta, entretanto, Chikashi recomendou a Kogito, em tom sereno, mas com vitalidade:

— É melhor não ver.

Chikashi revidou o olhar inquisitivo de Umeko, encarando-a com a franqueza e a consternação de suas convicções em conflito. A cunhada compreendeu, levantou e se dirigiu ao aposento onde o ataúde fora colocado.

Kogito refletiu sobre a sensação de distância criada pela expressão de Chikashi. A fisionomia da esposa denotava com clareza não haver nenhum atenuante por se interpor nas relações humanas. Apesar da forte sensação de pesar, ela parecia reiterar a si mesma que aquela era a realidade e somente restava aceitá-la.

Conforme retomava aos poucos a forma habitual, Umeko podia contemplar com amor e admirar o rosto com ferimentos e deformações do falecido Goro. Sua irmã fazia o mesmo. Kogito, no entanto, era incapaz de suportar tudo aquilo.

Apesar dessa sua fraqueza bem conhecida por Chikashi, ao ser convidado por Umeko, Kogito de imediato fez menção de se levantar. Com solitária tristeza, admitiu sua eterna imaturidade. Porém, havia algo mais. Queria confirmar se tinha, na face do morto, próximos à orelha, traços remanescentes do impacto e indicativos de que estaria falando em direção ao Tagame...

E havia nisso algo além de uma mera conjectura de Kogito. Taruto, presidente da produtora de Goro, que voltara a Yugawara e se encarregara do traslado do corpo, mostrou três cartas mortuárias de Goro escritas no computador e um desenho feito com lápis macio em fino papel de excelente qualidade, deixados por ele sobre sua mesa de trabalho.

O desenho possuía o estilo das ilustrações contidas em livros de histórias infantis de algum país desconhecido. Havia um céu repleto de nuvens em formato de pão francês em meio às quais flutuava um homem de meia-idade. Kogito estava certo de se tratar de um autorretrato de Goro, e seu aspecto se assemelhava ao de Akari quando compunha música alongado na sala de estar. O homem flutuando no céu falava em um celular que segurava na mão esquerda, idêntico ao Tagame...

Kogito viu surgir outra recordação, induzida pelo estilo de contos de fada do desenho. Cerca de quinze anos antes, Goro publicara uma coletânea de ensaios relacionados à psicanálise. Ocupado com o trabalho de diretor de cinema, delegou a um jovem pintor as ilustrações que ele próprio costumava criar. Ao ver agora o desenho de Goro, mais do que o teor do livro, Kogito lembrou-se da ilustração da capa dessa coletânea.

Logo depois, os dois haviam se encontrado por acaso e conversado:

— Este estilo popular de ilustração pode ser visto com frequência nas principais revistas americanas atuais. Sem dúvida, as paisagens e os personagens japoneses foram incorporados de forma hábil, aproveitando o estilo original. Mas seria conveniente ao trabalho de um jovem artista iniciante?

A intenção de Kogito fora apenas fazer um leve questionamento, mas a resposta de Goro foi um evidente ataque a ele direcionado.

— Em suma, imitação ou influência direta de artistas estrangeiros, correto? Mas seus primeiros trabalhos também não adotavam essa forma? Por se tratar de ilustrações, torna-se mais explícito. No seu caso, você tomava do francês ou do inglês, ou de traduções desses idiomas, e recompunha em japonês. Mesmo assim, o formato original pode ser retraçado muito claramente, não?

— Você tem razão — prosseguiu Kogito, boquiaberto. — Apesar de ser assim nas fases iniciais, jovens escritores possuem originalidade. E, por respeito a ela, devem gradualmente se desembaraçar da crosta do estilo emprestado. É uma árdua tarefa.

— Você, sem dúvida, foi bem-sucedido na empreitada. No entanto, nesse processo, perdeu os grandes leitores de sua juventude. Você deve enfrentar esse dilema, não? Com o passar do tempo, essa situação não vai se aprofundar? Esse jovem desenhista tem talento e não parece ser do tipo que se prenda a estilos limitados. Creio que irá crescer em direções diferentes.

Naquele momento Kogito se sentiu perplexo diante da reação de Goro, imbuída mais de malevolência do que propriamente de raiva. Talvez gostasse de verdade do estilo daquele jovem pintor que ilustrara seu livro. Pelo menos, transparecia nos desenhos que Goro havia feito ao final de sua vida o mesmo estilo primitivo americano de aspecto moderno...

Aos poucos sobreveio a Kogito a ideia de que o desenho seria o legado de Goro a ele. O autorretrato flutuando no espaço e chamando-o pelo Tagame em vez do celular.

"… É isso. Agora estou me transferindo para o outro lado. Porém, nossa comunicação não se interromperá."

4

Kogito seguiu em direção à estação ferroviária da ferrovia nacional para tomar o último trem rumo a Tóquio. No caminho, foi cercado por uma equipe de repórteres de uma estação de televisão que estava à espera. Procurava atravessar calado o círculo por eles formado, quando foi atingido por uma câmera de TV na parte superior do nariz, quase em seu olho esquerdo. Apesar da fúria do outro, o jovem *cameraman* abriu um sorriso que Kogito considerou insolente e grosseiro.

Kogito tomou um táxi no alto de um longo caminho oblíquo de pedras arredondadas ladeado por tangerineiras.

— Então a expressão "rolar lágrimas de sangue" é verdadeira. — Metade do rosto de Kogito estava banhada de sangue a ponto de o motorista aparentemente conhecido por Goro comentar.

Mas Kogito julgou demasiado ir a um pronto-socorro para obter um atestado médico e usá-lo contra o *cameraman* (em suma, não seria justo apenas o rapaz ser punido quando tantas outras pessoas dos meios de comunicação encurralaram Kogito por mais de dez horas). Essa foi a impressão que teve dos membros de estações de TV, empresas jornalísticas e revistas semanais nesse curto período após a morte de Goro: a de que compartilhavam um sentimento de menosprezo por suicidas.

Esse menosprezo provinha da certeza de que Goro, até então cultuado como um rei no mundo midiático, perdera a majestade e jamais voltaria para contra-atacá-los.

De tão intenso, o desprezo dirigido ao cadáver de Goro acabou por finalmente atingir, segundo o jargão da mídia, seus "entes queridos". Na caixa postal do telefone de Kogito, havia uma mensagem solicitando uma entrevista deixada por uma jornalista que o tratara com cordialidade na reunião dos membros de certo comitê de crítica literária, mas o que de fato ele depreendeu foi a candura camuflando o desprezo pelo falso rei destituído do poder. Estar ciente disso decerto relativizou a atitude de Kogito contra o jovem *cameraman* que, no caminho de volta para casa, o feriu próximo ao olho. Por que demandar legalmente a culpa de um *cameraman* azarado se todos participavam de uma grande ação de menosprezo?

Avançando um pouco a narrativa, uma semana após a morte de Goro, Kogito acompanhava continuamente os noticiários matutinos e vespertinos. Como ninguém na família se mostrava disposto a assistir a eles, levou o aparelho de TV para o pé da cama da biblioteca e conectou nele os fones de ouvido do Tagame. Kogito previa não entender o linguajar da geração jovem de apresentadores dos noticiários e dos atores e atrizes dos filmes de Goro. Porém, o difícil era o falar dos diretores e roteiristas, bem como dos comentaristas de artes e sociedade em geral, cujas idades variavam ao redor da dele. Quanto mais se concentrava, mais a conotação das palavras se distanciava do escopo de entendimento possível. Kogito desconfiou de que vivia isolado em uma ilha especial, formada pelas palavras lidas em livros que lhe eram familiares e pelos textos que havia escrito sobre eles. Até hoje persistia na profissão de escritor, mas na realidade inexistia qualquer vínculo entre ele e os habitantes do continente das palavras. Tal conscientização lhe causava temor e angústia. Mesmo assim, continuou assistindo aos noticiários de olhos grudados na tela da TV e com o volume dos fones aumentado até o limite máximo suportável. Após uma semana, no entanto, acabou por desistir. Retornou o aparelho de TV à sala de estar e, exausto, se estendeu no sofá.

— Não entendi por que você gastava seu tempo daquela maneira — observou Chikashi.

Em sua mente ainda aturdida, Kogito acreditava que aquilo não fora em vão. Pelos programas artísticos especiais, matutinos, vespertinos e, duas ou três vezes por semana, noturnos, ele se deu conta da impossibilidade de a morte de Goro ser explicada pelo linguajar televisivo atual, tornando-se assim incompreensível à sociedade.

Kogito foi de novo abatido pela dor e crueldade da morte do amigo quando refletiu que, nos últimos dez anos ou mais, Goro tinha aparecido poucas vezes para vê-lo — devido a seu sucesso como cineasta —, tendo vivido todo esse tempo em meio àquele linguajar. Era justamente por isso que enviava as fitas gravadas para serem ouvidas no Tagame. Não teria sido pela necessidade de palavras que lhe permitissem expressar a si próprio ao final da vida?

Quando Kogito parou de assistir ao noticiário de televisão relacionado à morte de Goro, foi a vez de as palavras de anúncios de revistas nos jornais matutinos começarem a atormentar Chikashi.

Vencida, comprava as anunciadas revistas semanais femininas, cujos artigos especiais serviam para, sem dúvida, deixá-la arrasada. Sobretudo quando havia menção aos idílios amorosos de Goro. De fato, pouco antes da queda fatal do irmão — ocorrida ao final da tarde, o corpo deformado e sem identificação certamente já fora levado pela polícia quando a fita chegou à casa de Kogito pelo portador —, na carta mortuária digitada em um programa de texto, ele mencionava que aquela era a única forma de desmentir com o próprio corpo o escândalo sobre suas relações com mulheres a sair publicado nos semanários ilustrados. Chikashi nada disse, mas Kogito não se convenceu nem com o texto da carta, nem com esses artigos. Kogito não encontrava palavras para explicar a morte de alguém tão especial para ele como Goro.

Em particular, não se convenceu ao ler um artigo que atribuía a morte a um impasse em sua carreira de cineasta. Um diretor de verve cômica, premiado em um festival de cinema italiano, fez um comentário durante sua ida aos Estados Unidos para a promoção de seu filme, causando furor:

— Talvez minha premiação tenha dado um empurrãozinho pelas costas quando Goro estava no alto do edifício olhando para baixo.

Ao ler o comentário, Kogito constatou que o diretor não passava de mais um dos muitos inescrupulosos na mesma profissão.

Tanto Kogito como Chikashi foram aos poucos perdendo o interesse pelas notícias na televisão e artigos dos tabloides. As ligações estavam programadas para cair na secretária eletrônica, mas, como o objetivo era apenas escapar do som constante das chamadas recebidas, não se importavam em checar as mensagens que haviam sido deixadas.

Os dias se passavam sem que o casal conversasse sobre o incidente, embora ambos soubessem que Goro não lhes saía da mente — mesmo Akari pressentia isso nos pais — e, fingindo se concentrarem em suas funções, durante alguns meses não arredaram pé de casa.

Por outro lado, Kogito criara um novo hábito mantido em segredo de Chikashi. As conversações pelo Tagame, que precederam em três meses a morte de Goro, prosseguiram mais sérias e rotineiras, tendo como cenário a cama da biblioteca.

Havia nessas conversas de madrugada pelo Tagame regras a serem respeitadas desde o incidente e, aos poucos, Kogito tomou a determinação de observá-las à risca.

Em primeiro lugar, jamais mencionar a partida de Goro para o outro lado. Contudo, de início, Kogito era incapaz de apagar da cabeça o incidente, mesmo conversando pelo Tagame. Com o passar do tempo, veio-lhe de forma natural uma nova ideia. O outro lado para onde Goro havia seguido era completamente distinto do mundo deste lado, em termos de espaço e tempo, e a própria morte do lado de cá não seria nulificada ao ser vista de lá?

Logo após conhecer Goro na escola de ensino médio em Matsuyama, Kogito conversou com ele sobre os vários tipos de concepções filosóficas da morte, tema sobre o qual costumava refletir sem ter, até então, um interlocutor com quem pudesse compartilhar suas ideias. Na época — e, pensando bem, durante todo o longo relacionamento mantido entre eles —, tentava dar a seu estilo básico um efeito cômico. Obviamente as ideias do adolescente Kogito também constituíam uma reação às teorias filosóficas lidas nos livros. "Os seres humanos vivendo neste mundo não podem comentar sobre a própria morte com base na conscientização de suas experiências. Porque o indivíduo que assim a reconhece deixa de existir no instante dessa experiência. Para as pessoas vivas, a morte inexiste enquanto vivem." Após se referir de início a essa teoria, Kogito apresentou sua variação particular ao tema.

— Suponhamos haver aqui uma alma humana, coabitando seu corpo físico. Em meu vilarejo há uma lenda. Quando alguém morre, ou seja, quando morre como corpo físico, sua alma se distancia dele e ascende pelo espaço do vale cujo formato é como o interior de um vaso. Dizem que se ergue rodopiando em espiral. A alma chega à raiz de uma árvore que lhe é atribuída. Com o passar do tempo, desce em giros opostos àqueles da espiral de elevação para penetrar enfim no corpo de um recém-nascido.

Respondendo a isso, Goro demonstrou sua interessante e peculiar sabedoria.

— Segundo Dante, a forma correta de um ser humano galgar uma montanha é contornando-a pelo lado direito, sendo errado o avanço pelo lado esquerdo. O movimento ascendente em espiral, do vale em direção ao bosque, ocorreria por qual lado?

Como Kogito nunca tinha ouvido da avó a lenda até esse nível de pormenores, replicou da seguinte forma:

— Isso depende do que as pessoas acreditam ser o correto: a alma sair de um velho corpo físico em direção à raiz da árvore do bosque ou entrar no corpo de um recém-nascido.

E prosseguiu:

— Se a alma se afasta dessa maneira do corpo físico morto, ela própria não poderia estar consciente da morte, concorda? O que morre é o corpo físico e, no instante em que isso ocorre, a alma se afastaria dele. Ou seja, a alma estaria sempre viva, em contraposição à sensação de tempo e espaço apreendida pelo corpo físico... Estou apenas tateando às cegas, pois eu mesmo desconheço… A alma não se transferiria para um tempo e espaço em outra dimensão, ilimitados e instantâneos, em que todo o cosmos se resumiria a um único ponto? Se assim for, creio que a alma jamais perceberá a morte, mantendo uma existência ingênua.

Parecendo não atinar em absoluto a morte de seu corpo físico, a alma de Goro conversava agora de fato pelo Tagame, divertindo-se mais com o lado cômico dessa forma de expressão do que propriamente com as ideias dos tempos de adolescência.

5

Kogito voltou para casa bem tarde naquela noite, pressionando com um lenço sujo de sangue o ferimento entre o olho e o nariz causado pelo *cameraman* da estação de TV. Lavou apenas o rosto — com a luz do lavatório desligada para evitar fitar a própria face refletida no espelho —, deu comida a Akari, que havia passado todo o tempo ouvindo CDs já que o telefone ficara no modo silencioso da secretária eletrônica, e subiu para a biblioteca. Retirou o Tagame devolvido à estante na madrugada anterior devido ao conselho em tom de repreenda da esposa. No trem de volta, Kogito se deu conta de que aquilo que tinha ouvido pelo Tagame, antes da saudação de despedida na noite anterior, era a conversa que tiveram após Goro ler para ele um poema de Rimbaud, ainda em Matsuyama, e que havia ali uma mensagem para ele.

— Até que ponto compreendíamos poesia francesa quando estávamos em Matchama? Mais tarde você estudou literatura francesa na universidade, mas leu sobretudo prosa e, de minha parte, não tendo seguido estudos de profissionalização, não posso opinar de forma clara — declarou Goro no tom sereno habitual. — Contudo, aquele poema de Rimbaud na tradução de Hideo Kobayashi, que você copiou em uma folha de papel e pregou na parede de sua casa na montanha em meio a outros, nos influenciou de maneira considerável.

— Tem razão — Kogito respondeu nostalgicamente após apertar o botão de pausa. — Naquele tempo nós nos entregávamos a devaneios sobre seu significado místico. Mas talvez imaginássemos que com o tempo e o aprofundamento nos estudos dos clássicos poderíamos mudar nossa compreensão, não?

Em seguida, apertou de novo o botão de reprodução e dessa forma continuou durante toda a noite entabulando com Goro um diálogo sobre Rimbaud.

Se Kogito, afinal, compreendia o quão insensível fora, era porque Goro, por meio da poesia de Rimbaud, continuava com suas evidentes palavras de despedida. No início, havia se concentrado no poema "Adieu", cuja tradução, de Hideo Kobayashi, Kogito copiou em uma folha de papel.

Embora não estivesse seguro se por telefone ou em alguma conversa durante um de seus encontros, Kogito lembrou-se de Rimbaud ter sido tema de uma longa conversa entre eles. Nenhum dos dois havia lido o poeta repetidamente na época e sobretudo

Goro, que não parava de falar, parecia ter ressuscitado o poema do fundo de sua memória.

Essa conversa serviu para motivar Kogito a reunir e ler várias traduções novas do poeta — os tradutores de francês em geral gostavam de verter suas obras —, e enviou a Goro uma de Hitoshi Usami. Leu não apenas as versões de Kobayashi, mas também as de outros tradutores, cotejando-as com o original, e chegou à conclusão de que as de Usami eram as melhores. Em meio às fitas cassete recebidas, havia uma longa gravação referente a Rimbaud. Kogito voltou a ouvi-la e, após refazer o diálogo com Goro pelo Tagame, de uma prateleira da estante onde concentrava os livros em francês reunidos desde os tempos de estudante retirou títulos novos e antigos relacionados ao poeta. Uma coletânea das obras de Rimbaud da Bibliothèque de la Pléiade e o *Poésies* em edição da Mercure de France — presente de Goro quando cursavam o ensino médio, texto introdutório a seus estudos de língua francesa — estavam alinhados. Havia tempos Kogito não abria o *Poésies* e lembrou a emoção que sentira ao ver o título em letras vermelhas na capa do pequeno livro ao recebê-lo de Goro. As inscrições a lápis de ponta grossa, em letra miúda, eram sem dúvida suas anotações realizadas aos dezessete anos. Estavam em inglês porque, antes de começarem as aulas de francês de Goro, Kogito tinha ido à biblioteca do Centro de Informações Culturais e Educação (CIE) do governo americano em Matsuyama e consultado o dicionário Oxford francês-inglês.

Havia duas formas de anotações em japonês. As escritas no silabário *katakana* eram os comentários de Goro, importantes na opinião de Kogito. Escrevê-las nesse silabário foi uma imitação ao modo usado por seu pai, um diretor de cinema, ao redigir suas memórias reunidas em um ensaio que Kogito havia tomado emprestado do amigo. Distinguia assim de suas próprias anotações em silabário *hiragana*. Em *katakana*, redigiu:

> Em carta endereçada a seu mestre, Rimbaud escrevia: "Em breve completarei dezessete anos, idade repleta de todo tipo de esperanças e fantasias." Porém, esta poesia denominada "Roman" foi escrita quando ele contava quinze anos. Isso significa que o verso "On n'est pas sérieux quand on a dix-sept ans" [Não há seriedade aos dezessete anos] é uma falsa declaração de idade. Eu o li no ano passado, e você diz este ano que é um poema dirigido a você, de mesma idade. Os gênios animam igualmente pessoas comuns como nós.

Kogito se surpreendeu que Goro, aquele jovem de dezoito anos pleno de inegável genialidade, se considerasse — e sinceramente também incluísse Kogito — uma pessoa comum.

Kogito leu "Adieu" na edição da Pléiade e voltou a ser assaltado por uma ideia premente. Quando Goro falou sobre o poema, antes do incidente, como comprova sua referência feita na gravação, tinha a seu lado a nova tradução que Kogito havia lhe enviado. Não teria Goro assumido que o amigo também logo se lembraria de todo o poema? Contudo, Kogito não fora capaz de responder de maneira satisfatória. Agora tampouco. Apesar de haver recomendado a nova edição a Goro, não lhe dera a mesma importância de quando, ainda jovem, copiava para memorizá-la. Esse tipo de distorção ocorria por vezes também em seus encontros, e não poderia a desistência em contar com Kogito ter levado Goro, afinal, ao baque surdo da queda?

"Já é outono! Mas por que sentir saudades de um eterno sol se nos empenhamos na descoberta da claridade divina, bem distantes dos que morrem acompanhando as estações?"

Transcrevendo da fita a tradução citada por Goro pelo Tagame, a primeira estrofe era da tradução de Hideo Kobayashi que tanto havia fascinado Kogito no primeiro ano do ensino médio. Goro também se identificava com o texto. Mas havendo escolhido por vontade própria a morte, não teria ele próprio se comparado aos que se empenham "na descoberta da iluminação divina"? Estaria ele imitando aqueles "que morrem acompanhando as estações"?

Ademais, que tipo de sentimento a imagem do cadáver enxameado de vermes na segunda estrofe teria lhe causado? Por que teria amavelmente comentado com Kogito pelo Tagame sobre esse poema repleto de imagens horríveis? Kogito estava em dúvida. Conjecturou que Goro, ao contrário, desejava lançar a ele — e a si próprio — as palavras da estrofe seguinte:

"Bem! Devo enterrar minha imaginação e minhas lembranças! Uma bela glória de artista e de narrador arrebatada!"

E também as da estrofe subsequente:

"Enfim, pedirei perdão por ter me alimentado de mentira. Vamos adiante.
Mas nem uma mão amiga! E onde obter socorro?"

O tema da "mentira" registrado nos diálogos do Tagame era um grande elemento de crítica a Kogito. Teria Goro desistido também da "mão amiga"? "Se assim fosse...", Kogito queixava-se inúmeras vezes para si mesmo, aborrecido, e era tudo o que podia fazer. "Com que intenção Goro teria introduzido o dispositivo do Tagame próximo ao fim de um relacionamento que sem dúvida havia se tornado distante, enviando, inclusive, fitas cassete gravadas com entusiasmados monólogos?"

Após ler o poema até a última estrofe, Kogito sentiu saudades daquela que era a preferida de ambos quando estudantes:

"*E, à aurora, armados de ardente paciência, adentraremos nas esplêndidas cidades.*"

Kogito se perguntava, enfim, que essência ele e Goro teriam depreendido da expressão "esplêndidas cidades".

E, decerto, a estrofe final os inspirava:

"*E ser-me-á permitido possuir a verdade em uma só alma e em um só corpo.*"

Porém, o que afinal os inspiraria tanto assim? Se Goro havia se lembrado da estrofe antes da queda, que visão teria tido para executá-la?

Apenas um tempo depois de o diálogo se encerrar, Kogito pôde analisar dessa forma o teor da conversação com Goro pelo Tagame. Na noite seguinte, ao apertar de novo o *play* do aparelho, todos os seus pensamentos do dia se distanciaram ao ouvir as palavras transmitidas de forma estranhamente real do espaço e do tempo para onde Goro havia se transferido. Kogito logo se sentiu inspirado e, com diligência, respondia apertando repetidas vezes o botão de pausa.

Apesar do tom tranquilo nas fitas preparadas para o Tagame, havia passagens em que se alongavam críticas a Kogito. Mais tarde, ele se deu conta de que sua voz proveniente da cama, tensa ao buscar lhes responder, era o que, particularmente, levara Chikashi a ter uma conversa cara a cara com o marido.

6

Obviamente era sempre Kogito quem iniciava o diálogo pelo Tagame, mas houve vezes que sentiu que o aparelho parecia se excitar antes mesmo que apertasse o *play*. Seria instigante se isso de fato ocorresse, fazendo Kogito pensar no leve movimento do corpo dos *tagames* reais durante o ciclo de acasalamento. Para responder aos sinais, pegava então o Tagame e a fita cassete que colocava dentro do aparelho, após terminada a conversação do dia anterior, sempre iniciava com o acento peculiar e saudoso de Goro aparentando indicar que o tema seria conveniente ao momento atual…

Quando o diálogo pelo Tagame começava, Kogito se concentrava muito mais nele do que nas tantas conversas mantidas com Goro nos últimos vinte e poucos anos. Seu falar sereno extrapolava a fronteira entre este e o outro lado — apesar das críticas severas contidas nas palavras —, e, mesmo consciente de que o amigo estava morto, devido à capacidade de compreensão com que superava o fato, Kogito considerava também possuir a mesma sensação sobre a própria morte. Sem incongruências, isso por vezes invocava novos e tensos pensamentos sobre o pós-morte. Em um futuro próximo, partiria levando uma versão do Tagame para o outro lado, esperando pela comunicação proveniente deste lado. Sentiu uma tristeza atravessar todo o corpo frente à possibilidade de jamais obter uma resposta...

No entanto, havia naturalmente a sensação de que a ardorosa conversa que mantinha no momento pelo Tagame era apenas seu particular jogo mental. Desde que passara da meia-idade, Kogito aceitou com seriedade a palavra "jogo", como romancista apreciador das teorias literárias, em particular a de Mikhail Bakhtin. Mesmo que o diálogo pelo Tagame com Goro fosse lúdico, tinha ciência de que enquanto estivesse sobre esse palco não haveria opção senão enfrentá-lo também com seriedade.

Além disso, Kogito decidiu, enquanto se mantinha afastado do Tagame durante o dia, não arrastar as conversas com Goro ao falar com Chikashi, Umeko ou Taruto, procurando não recordar em absoluto os diálogos pelo aparelho.

Kogito erguia dessa forma uma barreira entre os dois tempos. Em outras palavras, enquanto vivia no primeiro tempo, não permitia intromissões no segundo. Não importando em qual dos tempos estivesse, ao menos em seu âmago, não negava a *inverossimilhança* da experiência no outro. Pela confirmação, deste lado, da existência real no outro, houve casos do espaço deste lado se aprofundar e se enriquecer. Era semelhante à aceitação positiva do sentido de um sonho.

Digamos que um amigo de Kogito lhe perguntasse:

— Goro se suicidou atirando-se do alto de um edifício e seu cérebro foi cremado com o resto do corpo, mas você admite que sua alma, ou melhor, seu espírito, continua a ter uma existência real?

Seria bom se o amigo que perguntasse com tanta sobriedade fosse do tipo melancólico e que exibisse um discreto sorriso ao fazê-lo… Depois de mais uma vez refletir — de maneira conveniente à sua idade e com uma fisionomia igualmente hermética — responderia da seguinte forma, devolvendo-lhe um sorriso parecido:

— Sim, mas sob uma condição… Enquanto ouço sua voz pelo Tagame, acredito que a alma de Goro exista ou, segundo minha definição, um espírito incorporando algo muito próximo ao corpo físico. Não se trata apenas da reprodução através das fitas gravadas. O que Goro criou antes de partir foi um sistema especial. Sua alma está deslocada deste espaço no qual vivemos. Por acaso os dois espaços estão ligados pelos circuitos do Tagame… É isso.

— Quando você e Goro não conversam pelo Tagame, de que forma ele existe no espaço do outro lado? Ou, reformulando a pergunta, quando você não está conectado com Goro pelo Tagame, que tipo de existência ele tem para você do outro lado?

— Quando não estou conversando pelo Tagame, não consigo pensar bem nele — admitiu Kogito.

— O Tagame, essa máquina se interpondo entre vocês dois, permite que você apreenda a existência da alma de Goro. Sendo assim, não seria possível retornar ao questionamento geral sobre a existência da alma humana após a morte?

— Exatamente. Porém, os diálogos com Goro por meio do Tagame modificaram a maneira de refletir sobre minha própria morte. Tanto no caso da morte do professor Musumi, que muito me apoiou desde os tempos da universidade, quanto na do músico Takamura, creio ser possível apreender a existência da alma deles em cada um de seus espaços. Embora eu não possua um circuito pelo qual possa me comunicar com nenhum dos dois, isso me dá a certeza de que há outros falando com a alma deles por seus respectivos Tagames.

Por que não teria Kogito imaginado, enquanto criava esse diálogo fictício, a existência de outro circuito de Tagame conectando Goro a Chikashi? Não pensou nisso quando a tensão com Chikashi se intensificou em função da inusitada conversação mantida pelo Tagame nem quando afinal foi obrigado a fazer sua escolha.

Seria por Kogito estar consciente de que, por um lado, seus diálogos com Goro pelo Tagame eram uma convicção pessoal? Pensava que Chikashi, uma pessoa independente — tanto de Kogito quanto de Goro —, sem dúvida não se entregaria a esse tipo de convicção.

Certo ano, Kogito havia sido convidado para uma conferência em uma universidade de Kyushu e, enquanto aguardava na sala de espera lendo o quadro de horários de trem, descobriu que, se não participasse do banquete com os organizadores, poderia cruzar de barcaça para Shikoku e de lá pegar um trem expresso, chegando na mesma noite em sua cidade natal. Pediu ao professor assistente encarregado das viagens para providenciar as passagens enquanto ministrava a conferência. Quando chegou à casa em que nascera já passavam das onze horas da noite e sua mãe dormia. Na manhã seguinte acordou cedo e, ao passar pelo corredor que levava à outra ala da casa, pôde ver na penumbra do quarto dos fundos a silhueta da mãe, semelhante à de uma menina, sendo ajudada a se vestir pela nora, com o turbante que jamais tirava em público e iluminada pelos reflexos da superfície do rio que penetravam pelas frestas das portas corrediças externas. Parecia não estar mais neste mundo, mas quase em transição para o outro lado, como em um estado de contemplação, pendendo de seu perfil esquálido a enorme orelha de estranho formato.

Durante o café da manhã, sentados um de frente para o outro, a mãe lhe contou o seguinte:

"Desde o início da primavera (já era outono) eu ansiava muito por vê-lo... Mesmo agora, é como se metade da pessoa que está tomando café sentado diante de mim é fruto de minha imaginação. Estou ensurdecendo, mas suas palavras... nunca corrigiu esse seu hábito desde criança de não abrir bem a boca ao falar... é difícil entender o que pronuncia!"

"Parece metade verdade, metade ilusório! Fora isso, ultimamente tenho procurado, em especial, me convencer de que tudo o que acontece a meu redor é real."

"Quando desejava muito vê-lo, bem, quase metade de você estava comigo. Nessas horas, eu lhe oferecia minha opinião em voz alta e todos da família riam de mim. Quando você aparece falando na televisão e eu me dirijo ao aparelho dizendo que está enganado sobre algo, até meu tataraneto me manda parar afirmando ser rude com você. Pode ser estranho que eu fale com uma ilusão, mas a imagem na televisão também não é uma ilusão? O fato de não haver um aparelho ligado à ilusão que eu vejo significa que isso é mais incerto do que a imagem da televisão? Existe lógica nisso?"

"Bom, para mim quase tudo é ilusão. Tudo se assemelha à televisão e, a bem da verdade, existam ou não coisas junto a mim, eu convivo com elas. Em breve também deixarei de ser uma coisa real e virarei uma mera ilusão! Mesmo assim, se este vale continuar sendo o palco da ilusão, eu não saberei ao certo quando passar deste para o outro lado, não?"

Terminado o café da manhã, a irmã mais nova levou Kogito de carro até o aeroporto de Matsuyama, onde ele pegaria o avião antes do almoço. Quando mais tarde ela ligou para Chikashi para se inteirar se o irmão havia chegado bem, relatou:

— Quando mamãe estava cabeceando de sono após o desjejum, disse "há pouco eu vi a ilusão de Kogito e conversamos".

Inesperadamente Kogito se emocionou com as palavras da mãe. Depois do incidente, Goro não teria percebido que se transformara em alma do outro lado? Começou a pensar nisso de maneira positiva. Em particular, após ter conversado com ele pelo Tagame até o amanhecer...

7

Kogito se sentia mais animado e podia participar de maneira mais espontânea quando os diálogos com Goro pelo Tagame versavam sobre as lembranças compartilhadas na juventude. Nesses casos, Kogito não precisava se preocupar que a conversa girasse sobre o futuro e negligenciasse o incidente do baque surdo da queda, podendo observar à risca as regras do Tagame, as quais tendiam por vezes a ser violadas quando a conversa, ao contrário, terminava com sugestões acerca do futuro.

Em uma das fitas cassete, Goro procurava reconstituir uma conversa com Kogito quando ambos estavam na casa dos vinte anos.

— Você se lembra de quando conversamos sobre ser indubitável que no passado houve escritores realmente notáveis? Começamos a nos questionar se na época haveria autores de renome no Japão e no mundo e chegamos a elaborar uma lista.

"Mudei o tema da questão para a possibilidade de surgir de verdade um grande escritor de língua japonesa no futuro. Você se mostrava cético."

Kogito apertou o botão de pausa e respondeu:

— Ainda hoje continuo duvidando.

— Francamente, você mesmo não imaginava que se tornaria um escritor notável. Logo após nos conhecermos, confessou que se considerava uma pessoa comum, quase sem ideias extraordinárias. Achei interessante quando me contou que inscreveu uma obra no Concurso Nacional de Jovens Talentos, não por iniciativa própria, e estava negativo em relação a isso. Armei uma armadilha para que você não tivesse mais nada a falar além disso.

Kogito apertou de novo o botão de pausa, assentindo com a cabeça:

— O que nos levou a falar sobre tudo aquilo? Você estava entusiasmado.

— Primeiro, eu o obriguei a admitir que Kafka era um escritor notável, um gênio. Falamos também sobre o sentimento que teria tido Max Brod, naquele tempo um escritor de talento comum em ascensão, quando se viu obrigado a reconhecer a genialidade de um amigo ainda no anonimato. Deve ser diferente trabalhar para o reconhecimento póstumo da obra de um amigo…

"Depois você começou a escrever romances e, quando estava nesse ponto morto inicial, eu trouxe novamente o assunto à baila. Falei sobre a inutilidade de dedicar sua vida a escrever se não tivesse como condição tornar-se um notável escritor moderno japonês. Após cerca de um ano de grande atividade, você recebeu o Prêmio Akutagawa, mas me pareceu que se acomodaria nos cômodos círculos literários; por isso, eu o aconselhei a interromper o que havia apenas começado e reiniciar. Permanecesse você dois ou três anos sem atuar, a imprensa e os leitores de revistas literárias decerto o esqueceriam. E sugeri que começasse o processo concebido por mim para se tornar um escritor de real vulto.

"Na época, você tinha bastante perseverança para os estudos e bastaria empenho para, com habilidade, escrever romances e ensaios usando diversos estilos. Mas você deveria sofrer justamente por ser esse tipo de pessoa, não? Apesar de jovem, desejava, como escritor, estabelecer e aprofundar uma série de temas e estilos peculiares. Queria ser reconhecido como um autor dotado de originalidade. Contudo, você se intimidava com essa suposta dificuldade.

"Tracei então o plano de redigir um roteiro tendo como tema a vida de um artista. Desde jovem ele possui originalidade, devotando a vida a seu aprofundamento. O resultado, pondo de lado os que de fato o conseguem (e isso por si é realmente árduo), deve ser difícil para os jovens escritores modernos. Meu método, porém, tornava desnecessária a execução aos moldes de um monge em prática ascética. Conversamos longamente sobre como o plano era ideal sobretudo para alguém como você, capaz de escrever textos com versatilidade e dotado de gosto pelos estudos. Está lembrado?"

Kogito lembrava bem. Apertou o botão de pausa e se entregou com vagar às recordações. A ideia de Goro era criar um escritor fictício. Primeiramente, Kogito visitaria a casa, parecida a um esconderijo, do escritor isolado dos círculos acadêmicos por vontade própria, com o objetivo de escrever um poderoso artigo baseado na entrevista que seria realizada. Quando Goro lhe descreveu o plano, Kogito imaginou um idoso, mas peculiar, poeta surrealista dos anos 1950 que influenciara Takamura, um amigo recente. Sem dúvida, haveria certa reação. Além disso, comentaria sobre suas obras não editadas e escreveria artigos de forma persistente, no formato de notas de conversação com o escritor avesso a prestar declarações. Reuniria esse material para publicar também um estudo intitulado *À guisa de reavaliação global de um escritor recluso*.

Um autor moderno, à frente de seu tempo, que continuou a escrever calado e em segredo durante e após a guerra. Pondo as coisas nesses termos, criava-se um interesse renovado por parte da imprensa e dos leitores. Kogito precisaria ser capaz de escrever críticas literárias condizentes.

Seria tudo isso possível? Goro apresentou então seu plano concreto e executável. Por um lado, apesar de ter uma ideia bem concebida, seria tarefa difícil estruturá-la no formato de uma obra e imprimir-lhe veracidade em cada palavra. Muitos jovens escritores com ideias revolucionárias haviam fracassado no intento. Todavia, para alguém letrado como Kogito, com memória superior à média e de imaginação sempre singular, não seria fácil apresentar críticas a uma obra supostamente escrita?

Ademais, conforme o plano avançasse, decerto surgiria nele a vontade de escrever a tal obra fictícia. Após ter criticado a obra concluída e tê-la analisado sob diversos ângulos, Kogito estaria bem a par de seu tema e desenvolvimento.

Concluída de fato a obra e aproveitando a divulgação do estudo e sua repercussão, o original inédito de juventude seria publicado, em uma revista literária, autorizado enfim pelo escritor idoso e longamente recluso. Logo em seguida, outro estudo viria a público, e terceiros participariam da crítica ao escritor imaginário. Kogito lideraria tudo isso sob diversos pseudônimos. Esse trabalho por si seria eficaz na preparação de seu próximo romance de verdade.

Em um encadeamento que despenderia cerca de vinte anos, o nome de Kogito como um escritor original iria assim desaparecer da imprensa e continuaria apenas a creditar as antigas obras do misterioso escritor. A certa altura, Kogito deixaria por completo de existir, restando somente o mestre redescoberto durante o lento processo. Com o passar do tempo, seria anunciada a morte do mestre e, à semelhança de uma represa sendo aberta, suas obras inéditas seriam postumamente publicadas. E o conceituado escritor seria para sempre rememorado.

— Estávamos de fato absortos pela história do mestre imaginário, não é mesmo, Kogito? As obras de Borges haviam acabado de ser publicadas, e era uma satisfação constatar que o pensamento dele se assemelhava ao nosso. Nesse período, você descobriu a tradução para o inglês de Bulgakov, Bely e outros escritores purgados na era stalinista. Penso até que, em certo sentido, envelhecemos junto com aquele mestre imaginário! (Após dizer isso, Goro acrescentou algo que, na opinião de Kogito, ia um pouco além das regras do Tagame.)

"Vou lhe dizer uma coisa, Kogito. Você chegou agora a uma idade próxima do mestre imaginário quando pela primeira vez se encontrou com ele. Não seria o caso de planejar algo e tentar dar um último salto para ser lembrado como um escritor singular, mesmo não chegando a ser afamado?

"As palavras saídas deste Tagame não serviriam, de certa forma, como motivo para esse salto? Em seu passado — ou seria melhor dizer em nosso passado — não haveria, sem dúvida, um filão ainda não explorado?"

Em meio a essa contínua conversação por meio do Tagame ocorreu a Chikashi — como era de seu temperamento, havia ponderado longamente sozinha palavras para enfim emiti-las com ímpeto — tocar no assunto com Kogito:

— Depois de tanto tempo, ouvindo você toda noite até altas horas na biblioteca queixando-se a Goro e esperando uma resposta, eu me sinto confusa ao imaginar se valeria a pena fazer algo que você mesmo abomina como sendo completamente inútil.

"Ao sentir seu entusiasmo ao conversar com Goro e esperar dele uma resposta, imagino o quanto a falta dele também deva ser difícil. Há momentos em que sinto pena por você. É a mesma compaixão que me acomete quando imagino como Akari ficaria perdido se você nos deixasse de uma hora para outra devido a um acidente ou algo semelhante. Não quero imaginar que você esteja se preparando dessa forma para se reunir a Goro do outro lado, mas…

"Seja como for, é duro ouvir sua voz atravessando o teto de meu quarto e do de Akari. É como água pingando por entre tiras de bambu… Akari não estaria ainda mais preocupado do que eu? Ele não consegue ignorar suas conversas, mesmo em voz baixa, nem nos momentos em que você parece estar apenas ouvindo em silêncio. Não poderia parar com isso?"

Kogito viu as lágrimas de Chikashi começarem a rolar de modo inesperado. Ele não teria escolha senão reconhecer que além das regras do Tagame, com as quais se poderia dizer que convivera nos últimos meses, havia as da família. Também havia se assustado com as palavras acrescentadas por Chikashi como uma nota de rodapé no meio de sua conversa: *"Não quero imaginar que você esteja se preparando dessa forma para se reunir a Goro do outro lado, mas..."*

8

— Mas isso é impossível! — exclamou Kogito para si deitado de bruços na cama de campanha da biblioteca, com todo o rosto coberto pelo lençol. Minha obsessão com o Tagame, a ponto de me entregar a ele por inteiro, é sem dúvida vergonhosa. Mas tenho um interlocutor. Não posso terminar simplesmente com tudo de forma unilateral. Quando penso em Goro do outro lado, não seria mesmo terrível?

Do jeito como estava deitado, Kogito deu uma virada brusca e enfiou seu rosto na penumbra na lateral da cama. Quando um colega da faculdade foi internado com leucemia, a esposa lhe confidenciou estar preocupada com a possibilidade de o marido ter um derrame cerebral, pois lhe ocorriam por vezes espasmos violentos na cama, talvez também por não terem lhe revelado o nome da doença que o acometia. Esse desespero devia ser uma atitude comum aos homens da geração de Kogito…

Kogito se levantou e retirou de debaixo da cama o pequeno baú de duralumínio. Pelas anotações que começou a fazer nas fitas para saber o conteúdo, pegou aquela na qual Goro gravara a mensagem que ele tinha acabado de lembrar, rebobinando-a às pressas até a referida parte. Como se pressionado pelo Tagame, assentiu decidido com a cabeça e apertou o *play*.

— Como sempre acontece com você, e nos últimos tempos não é diferente, ouvi dizer que vem se debatendo por se sentir sem escapatória, como um rato dentro de um saco, mas esse sofrimento foi causado por você mesmo. Foi Chikashi quem me contou — confessou Goro. — Parece que o tal jornalista, deixando claro que não lê seus livros, afirmou ter ouvido dos jovens colegas que você o tomou como modelo para um personagem e criticou com firmeza sua "ignóbil" atitude. Aproveitando o fato de você ter sido premiado, chegou até a publicar um livro extremamente calunioso. Já se passaram quinze anos desde que essa rixa começou, não? Você não deveria mais se importar com isso.

"Como você anda deprimido nos últimos tempos, Chikashi e Akari acabam também desanimados. Não se pode dizer que isso seja algo bom, concorda? Mesmo sem ter de aturar seu estado de ânimo, Chikashi passou por experiências muito dolorosas, você sabe. Quando o perturbarem alegando que você teve momentos deslumbrantes como ao ganhar o tal prêmio, responda que depois que esses momentos passam, é como se nada houvesse, enquanto as experiências dolorosas, pelo contrário, perduram por longo tempo. Quem permanece o tempo todo grudado às lembranças de momentos alegres, em uma euforia ilimitada e próxima à anormalidade, é decerto um completo infeliz. Chikashi sofreu muito mais do que devia, mas não se tornou o tipo de pessoa fraca que precisa retornar aos alegres dias passados. Não acha?

"Estive pensando que seria bom você sair para descansar em algum lugar. Durante dezenas de anos você tem trabalhado com afinco como escritor. Você necessita de uma *quarantine*. Eu o aconselho a se distanciar de seus romances por um tempo... Se você partisse para sempre, criaria transtorno para Chikashi e Akari. Por isso, recomendo que o faça apenas por um período determinado, ou seja, imponha a si mesmo uma *quarantine* e se afaste dessa vida de enfrentamentos diários à imprensa deste país."

— Deixe-me verificar no dicionário — replicou Kogito, nessa noite com a boca fechada. — Porque quando o ouvi, outro dia, falar sobre *quarantine*, por conhecer a palavra, acabei não procurando sua definição correta. Em suma, não posso dizer que assimilei uma palavra até poder usá-la na prática.

Kogito pausou a reprodução da fita e retirou da estante o dicionário Readers inglês-japonês.

>Quarantine [kwárəntìnv, kwóru-] *s.*, 1. a. (com relação a viajantes e cargas provenientes de regiões infectadas por doença contagiosa) Isolamento, interrupção de transportes, controle sanitário (embarcações), período de controle sanitário (em sua origem, quarenta dias): *em (fora de)* ∼: durante o período de isolamento (após efetuado o controle sanitário). b. Local do isolamento, porto de estadia forçada da embarcação, Secretaria de Controle Sanitário. 2. (como sanção política/social) Isolamento, desterro social, exclusão, ruptura de relações. *v.t.* 1 inspecionar sanitariamente <embarcações/passageiros>; *em* ∼: ordenar a estadia forçada de

embarcação. 2 isolar <portadores de doenças contagiosas, etc.>; inspecionar e isolar <uma região>; [fig.] (política/econômica/socialmente) fazer isolar, excluir. Quár • an • tin • able. *adv.* [do italiano *quarantina* = quarenta dias (*de quaranta*)].

— Juntando alguns significados, entendi perfeitamente sua recomendação para usar essa palavra. — Ao terminar de ler a explicação do dicionário e antes de pressionar a tecla de reprodução, Kogito retornou ao Tagame empenhado em pronunciara a palavra de forma clara, mas com voz contida.

— Mas não precisam ser necessariamente quarenta dias. Você pode estender um pouco esse período. Que acha de Berlim como um porto para você se afastar daquele jornalista já idoso? É um lugar inesquecível também para mim. Se me perguntar que relação teria com sua *quarantine*, não poderia dizer que tenha algum vínculo direto…

— Berlim? Agora que você falou, estou certo de haver recebido um convite para passar um tempo mais longo do que quarenta dias por lá — disse Kogito ouvindo assustado a própria voz, ou seja, esquecendo a reclamação de Chikashi e retornando ao tom habitual dos diálogos pelo Tagame. — Vou verificar agora, mas creio que ainda está dentro do prazo para resposta.

Interrompendo a reprodução do Tagame, Kogito foi procurar a pasta do convite.

A publicação dos romances de Kogito em tradução para o alemão começou quando ele ainda era jovem e prosseguiu, embora com menos frequência. A cada vez que publicam uma nova tradução, em alguns anos ou em mais de uma década, ela é sempre lançada primeiro em capa dura para sair em brochura nas impressões posteriores. Cada vez que Kogito realizava leituras em locais como a Feira de Livros de Frankfurt ou nas associações literárias de Hamburgo ou Munique, havia uma sessão de autógrafos e vendia-se uma boa quantidade de seus livros em brochura, coloridos e de lindo *design*. Ele havia sido convidado a ministrar aulas na Universidade Livre de Berlim em comemoração a S. Fischer, o fundador da editora. A oferta do departamento acadêmico fora generosa: como havia tempo até o início programado para meados de novembro, informavam que deixariam a posição em aberto durante a primeira metade do ano acadêmico.

Antes de voltar para a cama, procurou o fax mais recente da secretária da divisão editorial da S. Fischer e confirmou que o prazo para resposta de aceitação da posição de professor visitante expiraria em três dias. Em questão de minutos, sentiu consolidar sua intenção de aceitar a sugestão de Goro. A gravação tinha sido realizada alguns meses antes, mas era no momento presente a necessidade real do que o amigo denominava de *quarantine*; sem dúvida, tinha sido propósito de Goro fazer Kogito, entregue aos diálogos pelo Tagame, retornar a sua condição anterior. Apesar de ouvir a reclamação de Chikashi, nessa noite não foi capaz sequer de deixar o Tagame na prateleira da estante. E a ideia da *quarantine* fora uma dica apresentada pelo interlocutor do Tagame. Em meio ao pensamento de que uma senda lhe havia sido aberta, Kogito acabou deixando brotar sua antiga dependência de Goro:

— Mas o que irá suceder com nossos diálogos pelo Tagame? — chegou a ponto de falar, respondendo apenas para si, sem apertar o *play*. Em resumo, imaginou aquilo que Goro replicaria:

— Isso não caberia a você decidir? As críticas que Chikashi lhe fez, mais do que o transtorno a ela e a Akari, não representariam uma forma de tentar libertá-lo dessa sua entrega às conversas pelo Tagame?

Apesar disso, até a véspera da partida para o inverno de Berlim, Kogito não conseguiu interromper as conversas com Goro todas as noites pelo Tagame, ainda que em voz baixa. Quando contou a Chikashi sobre a *quarantine* em Berlim, como em uma reação imediata a seu pedido, ela pareceu interpretá-lo como o término dos diálogos com o irmão pelo Tagame. Decerto por isso ela havia aceitado de maneira tácita que as conversas de Kogito pelo aparelho, em voz relativamente reduzida, continuassem até sua partida.

Até bem próximo à data, Chikashi arrumava e desarrumava a mala todas as noites, e declarou certa manhã:

— Ontem à noite, lembrei-me de organizar as cartas recebidas de Goro e me deparei com uma aquarela que ele me enviou de Berlim. Quer ver? É o desenho de uma paisagem em um papel de boa qualidade. Primeiro ele desenhou com lápis de cor e com um pincel úmido, e obteve efeito aquarelado. É uma pintura realmente repleta de luminosa felicidade. No verso está escrito: "Durante minha estada, esta foi a única manhã de sol" e, no canto inferior, consta a assinatura de Goro.

Kogito olhou a pintura da paisagem na grossa cartolina sépia de formato retangular, docemente ondulada e recortada de maneira tosca em um estilo próprio a Goro.

Coloridos com detalhes e em matizes semelhantes, viam-se, em primeiro plano, o tronco de uma árvore alta, desprovida por completo de folhas próximo à copa, e vários galhos de finas extremidades entrelaçadas. Apenas a hera que subia rastejante pelo tronco era verde. Vistas por entre os delgados galhos, inúmeras nuvens brancas flutuavam no céu de um azul profundo.

— Esse tronco branco sem folhas tem galhos finos envoltos por algo parecido com os fios de lã dos cabelos de uma boneca... Não seria uma bétula europeia? Na primavera brotam folhas menores do que as que temos por aqui... Havia também algumas delas em frente a meu escritório em Berkeley.

— Goro com certeza desejava desenhar o céu, sua cor é realmente linda... Deve ter feito quando estava na Berlinale, depois de muito tempo separado de Katsuko, tendo perdido os contatos dela no mundo do comércio internacional de filmes ocidentais. Mesmo com vários de seus filmes reconhecidos, era uma fase de cineastas mais novos e ele parecia deprimido. Todos os dias o tempo ficava nublado desde a manhã, e às quatro da tarde escurecia. Ele afirmava que Berlim no inverno não era um lugar onde um ser humano pudesse viver... No entanto, se olharmos bem, esta pintura transmite uma sensação de leveza e alegria.

"Ele devia estar andando pela cidade quando notou raros lápis de cor em alguma loja de material de desenho e acabou comprando-os. De início deve ter visto o céu claro da janela de seu quarto de hotel e, aos poucos, teve vontade de pintá-lo... Sem ter papel de desenho, cortou um cartaz do programa do festival de cinema ou algo do gênero...

"O problema é que Goro não era do tipo que esboçaria uma paisagem vista pela janela, sozinho em um quarto de hotel, correto? Lembra-se de quando ele desenhava esboços de cartazes de filmes e, antes de enviá-los à gráfica, chamava por telegrama da pensão onde estava? Queria que você estivesse ao lado dele para ver o trabalho... Contou-me que em Berlim uma simpática assistente que atuava também como intérprete podia entrar e sair de seu quarto, sem reclamações do pessoal do hotel, para ficar a seu lado enquanto desenhava com vagar. Quando acabasse, a moça poderia lhe pedir o desenho, não? Como negar seria difícil para ele, antecipava-se explicando que a pintura seria enviada para o endereço da irmã — do qual se lembrava —, cujo contato havia perdido por muitos anos… Quando agradeci, ele me contou envergonhado… Na verdade, Goro não tinha confiança em suas pinturas e, mesmo permitindo que servissem de ilustração a seus textos, não era capaz de presentear alguém com uma delas."

— Que fim teria dado aos lápis de cor solúveis em água? Nunca vi cores tão lindas — perguntou Kogito, intimidado pela inusitada eloquência de Chikashi.

— Disse que os presenteou a essa moça, pois fariam volume na mala e, com o balanço, poderiam ter as pontas quebradas. Parece haver muitos jovens na Alemanha que após passarem no vestibular trancam a matrícula na universidade para trabalhar por algum tempo antes de começar os estudos. Por isso, essa moça trabalhava como assistente e intérprete… Na época eu também desejei mais os lápis do que a pintura, porém me sinto feliz agora por tê-la comigo.

Habilidoso em artes manuais, Kogito se pôs alegremente a criar uma moldura para a aquarela.

Capítulo I

Cem dias de *quarantine*
(Parte I)

1

Com o início de sua vida solitária em Berlim, teria Kogito sido capaz de se afastar em certa medida de Goro ou de sua alma, em comparação a quando estava em Tóquio? Ele conhecia a si próprio bem o suficiente para saber quão delicada era essa questão. De fato, havia deixado para trás o Tagame e o pequeno baú em duralumínio em sua biblioteca. Contudo, apenas para o caso de julgá-los necessários, bastaria telefonar de imediato a Chikashi pedindo que enviasse por correio expresso internacional a caixa que preparara, embrulhada em papel resistente e vinil. Deixou anotado o endereço do Centro de Pesquisas Avançadas em Berlim onde estava alojado num papel embaixo da cama junto à caixa. Kogito já tinha recebido por esse procedimento os dicionários de alemão e outros livros de que precisava que havia mandado por via marítima durante os preparativos para sua vinda a Berlim, mas que acabaram chegando com atraso.

Kogito se dera conta de que usar o Tagame para contatar o outro lado não passava de uma regra do jogo estabelecido entre eles. Se Goro desejasse contatá-lo com urgência, conforme era de seu feitio, adotaria um meio direto.

Tão logo embarcou no avião de operação conjunta entre ANA e Lufthansa para o trajeto Narita-Frankfurt, Kogito se apressou em pôr os fones de ouvido instalados em seu assento. Apertou à revelia várias chaves e botões no descanso de braço, procurando alguma nova forma de comunicação por parte de Goro. Não ter encontrado nenhum sinal devia significar que o amigo não desejava se comunicar com ele.

Sem dúvida havia sido Goro quem tinha lhe instilado a ideia da *quarentine* para salvar sua alma do vício, mas foi o próprio Kogito quem acabou a ela se apegando e concretizando-a, pressionado pelo pedido de Chikashi. O isolamento por um curto período neste lado não significava nada muito relevante para Goro do outro lado?

De qualquer forma, Kogito havia transferido a base de sua vida para Berlim e, apesar de não procurar contatar Goro do outro lado, nem ser por ele contatado, tão logo chegou, recebeu de certa pessoa informações do período da estada de Goro na cidade. Devido a circunstâncias da época de sua fundação, o campus da Universidade Livre de Berlim era composto por vários prédios espalhados por uma área residencial. No auditório do prédio do Departamento de Literatura Comparada, realizou-se um debate tendo Kogito como principal palestrante. O público-alvo eram professores e estudantes da universidade, pessoas relacionadas à editora promotora do curso comemorativo, profissionais dos órgãos de imprensa e cidadãos interessados na presença de Kogito na cidade. Após o término desse encontro, uma pessoa se acercou de Kogito parecendo ter informações não apenas sobre os dias que Goro vivera em Berlim, como aparentemente também outras relacionadas a sua vida posterior e morte. Pensando sobre isso, Kogito vivia agora sozinho nessa cidade estrangeira e não tinha ninguém para protegê-lo contra pessoas de fora, como costumava fazer Chikashi em Tóquio, não podendo, portanto, selecionar com antecedência aqueles entre os potenciais informantes que invadiam seu espaço. Kogito estava de pé diante deles, completamente vulnerável.

O diminuto auditório estava lotado e ao se encerrar o debate, após uma profusão de comentários e perguntas, formou-se um ajuntamento de pessoas em torno de Kogito e do professor assistente da cátedra de língua japonesa que lhe servia de intérprete. De pé, Kogito assinava livros em brochura de traduções de suas obras para o alemão, apoiado a uma mesa alta a seu lado. Uma mulher envolta em uma aura perfumada se aproximou dele e, na entonação pachorrenta do dialeto de Kansai, declarou:

— Gostaria de conversar com o senhor sobre Goro e a nova geração de cineastas alemães…

Prosseguiu então em um modo de falar artificial, misturando palavras em alemão, talvez desejando que Kogito a ouvisse com atenção.

— Não se preocupe. Não pretendo conversar sobre nada ligado a escândalos fastidiosos. Isso é vingança de uma *Mädchen für alles*… A propósito, os dicionários alemão-japonês de hoje, temendo usar termos discriminatórios, traduzem essa expressão como "mulher que presta qualquer tipo de serviços".

Kogito logo aprenderia o verdadeiro significado daquela expressão idiomática do alemão, mas vacilou diante da dissimulada ressonância de menosprezo na pronúncia da mulher.

Uma pessoa lhe pediu, em inglês, um autógrafo no livro que iria oferecer de presente de Natal à mãe e lhe ditava uma dedicatória específica. Porém, quando Kogito fez menção de escrevê-la, teve um branco na mente e, ao responder a seu interlocutor, só lhe vieram aos lábios palavras em francês. Depois desse breve mal-entendido, entregou o livro autografado ao estudante e, ao voltar o olhar, deparou-se com uma senhora japonesa, de aparência mais idosa que sua voz.

— Essa *Mädchen für alles* seria aquela que serviu de intérprete de alemão a Goro?

— Claro que não! Ela não falava nem uma palavra sequer de alemão. Tampouco prestava como assistente. Por isso mesmo, era uma *Mädchen für alles*.

Essa mulher devia ter a mesma idade de Kogito, ou seja, aparentava estar entrando na terceira idade. Somente os volumosos cabelos muito negros sobressaíam, pouco naturais em seu rosto miúdo, e, quando se calava, no entorno da boca se formava um intumescimento que chamava a atenção.

Kogito procurava assunto para manter a conversa, quando a mulher lhe entregou um cartão de visitas.

— É fantástico o número de fãs que tem também na Alemanha; como parece estar ocupado por hoje, vou me retirar — declarou. — Eu o visitarei para conversarmos sobre a nova geração de cineastas conforme lhe pedi há pouco. Não esqueça, por favor!

Apesar da compleição reduzida, essa senhora partiu a passos semelhantes aos de um homem. Kogito notou alguém da estação de TV que filmara o debate virar a câmera na direção dela.

— Pretende televisionar também esse tipo de conversa?

— Não — respondeu o produtor japonês mostrando o rosto ao lado de Kogito. — É só para fazer a ligação entre cenas... Mas me surpreendi ao saber que ainda existe uma expressão discriminatória como *Mädchen für alles*. Especialmente em um país como este, onde o feminismo é tão forte.

Kogito decidiu discretamente deixar o cartão de visitas recebido sobre a mesa usada para autografar os livros. Das mulheres que Goro havia conhecido em Berlim, só lhe interessava a moça que tinha permanecido ao lado do amigo enquanto pintava aquela aquarela. Era indiferente para ele se a mulher noticiada escandalosamente pelas revistas ilustradas semanais era a mesma que havia se vingado por ter sido tratada como uma *Mädchen für alles*.

2

Contudo, não foi fácil para Kogito se desvencilhar do chamamento da mulher japonesa. O curso em comemoração a S. Fischer teve início oficialmente na semana seguinte, às segundas e quartas-feiras. As aulas iam do meio-dia às duas, e, antes da primeira delas, o professor assistente alemão do Departamento de Literatura Comparada veio buscar Kogito no alojamento e aproveitou para lhe explicar sobre o costume do *academic fifteen*, segundo o qual deveria chegar à sala quinze minutos atrasado e deixá-la quinze minutos antes do término da aula. Como nesse dia chegara cedo, Kogito não pretendia passar na sala os quinze minutos antes da aula, mas em outro local e, assim, foi até o escritório do departamento onde encontrou, na caixa de correspondência recém-criada para ele, um cartão daquela senhora.

Uma pessoa — um estudante alemão — informou haver encontrado meu cartão de visitas caído no auditório no dia do debate. Até hoje, jamais deixei cair nenhum. Que eu me lembre, naquele dia só entreguei dois deles: um ao professor assistente e outro ao senhor. Interpretei isso em boa-fé como descuido próprio dos escritores. O que desejo conversar com o senhor não diz respeito à *Mädchen für alles*, expressão da qual me servi num impulso naquele dia. Tenho uma proposta produtiva para o futuro do cinema alemão. Parto para Hannover à tarde e não poderei estar presente à aula de hoje, mas peguei o telefone do Centro de Pesquisas Avançadas com a secretária do escritório e em breve irei entrar em contato. Desejo-lhe grande sucesso em sua aula.

Mesmo não chegando a ser um grande sucesso, a aula terminou sem problemas após Kogito ler o texto da preleção em inglês e explanar sobre seu teor; quarenta cópias haviam sido preparadas e distribuídas com antecedência, mas foi necessário tirar cópias adicionais.

Na volta, Kogito tomou o ônibus conforme haviam lhe ensinado e, enquanto rodava pelas ruas imersas na cor densa do prematuro crepúsculo, veio à mente a curiosa e vívida palavra "minigaita". Ela estava diretamente ligada ao semblante da senhora. E, ao pensar bem, Goro mencionava a palavra pelo Tagame.

Ainda antes daquele incidente, ao começar a usar o Tagame, as conversas por meio dele haviam se tornado um hábito noturno com inesperada rapidez. Goro também devia tê-lo previsto, uma vez que iniciava a gravação em cada fita cassete omitindo cumprimentos de forma que, ao apertar o *play*, era possível de imediato ouvir a continuação da conversa mantida até aquele momento. Isso serviu naturalmente para fazer do escutar das fitas pelo Tagame uma rotina. Assim, logo após a morte de Goro, ao esquecer-se de trocar as pilhas — por ser um aparelho antigo, não havia indicador da carga — Kogito imaginou se tratar de defeito do Tagame e temeu que o diálogo pelo sistema criado por Goro pudesse ser interrompido. Uma densa nuvem pareceu baixar sobre ele ao imaginar as desoladoras noites que seria obrigado a viver a partir de então caso isso acontecesse...

A menção à "minigaita" estava em uma das gravações ouvidas por Kogito nos primeiros tempos, tendo deixado uma impressão especial. De início, Goro não desejava falar sobre a "minigaita", discursando antes sobre o ensino da arte dramática.

— Lembra que, na coletânea editada por você dos ensaios de meu pai, o incumbiram da seção de comentários do livro *Proposta para uma teoria de ensino da arte dramática*? Por compará-lo ao *Compêndio da arte campesina* de Kenji Miyazawa, você parece ter recebido críticas pela suposta falta de fundamento em sua comparação, tanto do grupo de estudos da obra de Miyazawa, fiel à crítica textual em voga na época, quanto do grupo de críticos de cinema que visavam a um novo estudo da obra de meu pai. À parte o estilo textual de comentário um tanto exagerado, a meu ver, havia nos paralelos traçados uma base mais ampla.

"Em seus primórdios, o cinema japonês era realmente singular. Nas cenas em que se invocava uma atmosfera japonesa — e isso, em última análise, ocorria em todos os filmes —, a música consistia sempre em variações de "Sakura, sakura" [Cerejeiras, cerejeiras]. Nas cenas de multidões rodadas com extras, percebia-se que, para além da exígua imagem na tela, não havia ninguém. Meu pai escreveu sobre isso. E se falarmos sobre a origem das artistas dos filmes, todas eram moças do campo destinadas a serem vendidas e as quais Kenji Miyazawa havia se empenhado em salvar. Meu pai devia compartilhar esse mesmo espírito. A motivação humanitária dele e de Kenji eram idênticas.

"Meu pai se enfurecia porque as atrizes jamais sorriam diante das câmeras e não abriam bem a boca ao pronunciar suas falas. No entanto, desejava ajudá-las. Era essa sua intenção. Kenji procurou abrir magníficas perspectivas artísticas para as camponesas. Mas onde haveria moças que pudessem tornar isso realidade? Não teria o próprio Kenji percebido se tratar de um sonho impossível? Creio que, em vez de pintar de branco o rosto dessas moças e transformá-las em lindas donzelas, meu pai buscava propostas concretas para nelas formar a capacidade de atuar. Você, proveniente de um vale em meio aos bosques, foi capaz de entender isso.

"A tática de ensino usada por meu pai era de fato muito útil. Eu mesmo, no início de carreira, orientava os atores inseguros a falarem um ou dois tons abaixo do normal.

"Na história do cinema japonês, minha geração está cinquenta anos além da de meu pai e, se pensarmos bem, o ensino dramático hoje é algo tão simples que ele se desesperaria em saber. Se pusermos todo o empenho na escolha dos atores e se os papéis forem bem distribuídos, o filme estará praticamente pronto!

"Não há ensino dramático melhor do que esse. Temos grandes atrizes dramáticas. Na realidade, elas próprias começaram a carreira apenas como um novo rosto bonito, sem saber em absoluto como atuar, e acabaram recebendo prêmios de atriz revelação. Desse modo, despertaram para a arte dramática. Os diretores de cinema, por sua vez, as tratavam como atrizes dramáticas e conseguiam bons resultados. Com o tempo, passaram à categoria de divas. É apenas isso. O tipo de reconhecida interpretação, por parte das atrizes elevadas a tal condição, é fruto de incessantes repetições de uma autoimagem criada. É uma tautologia extremamente enfadonha. Essas atrizes, apesar da eterna imagem de pureza, por vezes fazem um papel sujo de grande profundidade dramática, como o de uma cortesã da era Heian — bem, nos tempos de meu pai havia atrizes assim. Todavia, isso também não passa do simples giro de uma tautologia. É impossível conter o riso ao vê-las atuar.

"Não podemos, no entanto, opor resistência às mulheres com as quais de fato nos deparamos em nossa vida social e que nos dizem 'este é meu verdadeiro eu'. Existe nelas uma impressionante capacidade de interpretação.

"E não digo com isso que tenha encontrado apenas uma ou duas dessas peculiares mulheres durante minha vida até o momento. Fui obrigado a conhecer esse tipo de mulher uma após outra. Mas, de verdade, creio que esses encontros só serviram para minha vida avançar. Parece ser minha sina ter uma vida turbulenta, e isso não deve mudar doravante!"

Se o tema da conversa de Goro era a "minigaita", este foi o longo discurso que o precedeu. Uma vez em Berlim, afastado do Tagame, à medida que recordava mais conscientemente a maneira de falar de Goro, Kogito se deu conta de que o amigo devia estar bebendo enquanto gravava. O motivo de não tê-lo notado enquanto ouvia a gravação pelo Tagame era que, à parte quando eram jovens — mesmo nos tempos do ensino médio, Kogito com frequência acompanhava Goro em suas saídas para beber —, depois de cada um constituir família em Tóquio e começar a trabalhar em direções diversas, costumavam beber quando iam a restaurantes chineses ou de sushi, mas apenas uma ou duas vezes haviam se encontrado em um bar. Isso pode parecer estranho, considerando que Chikashi é irmã de Goro, mas em anos recentes não convidaram Goro sequer uma vez a sua casa para beber e conversar até altas horas da noite. Mas o contrário também era verdadeiro: Kogito visitou a casa de Goro em Yugawara pela primeira vez no dia de sua morte. Quando soube que o amigo ingerira grande quantidade de conhaque antes de pular do telhado do edifício — Umeko pôs a garrafa aberta de Henessy V.S.O.P. em frente ao ataúde —, foi tomado por uma sensação de mal-estar.

O próprio Kogito manteve durante muitos anos o hábito de beber antes de dormir. A luta entre o espírito e a carne para reduzir os efeitos nocivos do álcool foi uma motivação constante para melhorar seu estilo de vida, em particular após entrar na casa dos cinquenta. Apesar disso, ao ouvir pelo Tagame os cassetes enviados por Goro antes de partir para o outro lado, não tinha imaginado que o bom humor e o sentimentalismo do amigo, impensáveis caso estivessem um diante do outro, seriam efeito do álcool. Assim, ficava evidente que a relação entre ambos possuía, do início ao fim — estava agora em uma pausa e, levando-se em conta os diálogos pelo Tagame, decerto ainda não havia terminado —, a dinâmica de tutor e aluno.

Nessa conversa sobre ensino dramático, Goro falou sobre as mulheres que conheceu, apelidadas de "minigaitas", como exemplo típico de um inato comportamento histriônico que não podia ser comparado ao ensino da arte dramática.

— Havia uma moça que tinha por hábito se esconder por detrás de franjas, mas bastava afastá-las com as mãos para revelar a dona de uma testa alta imponente, rara nas mulheres japonesas.

Seus olhos possuíam uma profunda expressividade, e entre o nariz soberbo e o lábio superior localizava-se um curto espaço verdadeiramente gracioso. Contudo, em instantes seu rosto podia se tornar amargo e queixoso! Além disso, conseguia constantemente me persuadir com seus olhos lacrimosos. Depois disso, de súbito se calava. Nos lábios ligeiramente amplos e graciosos, formava-se algo parecido a uma pequena gaita… Uma minigaita… Como se tivesse fechado os lábios depois de enfiá-la dentro da boca, fazendo sobressair o nítido formato retangular. A complexa fisionomia que nela surgia era incapaz de ser expressa pela arte dramática, por maior que fosse sua experiência como atriz! Inimaginável. Todavia, devia ser algo genético, um elo entre mãe e filha!

Ruminando as palavras de Goro, Kogito sentiu aos poucos se desenrolar o confuso fio da conversa. A fisionomia daquela senhora havia suscitado nele a palavra "minigaita", e ele queria poder confirmar seu contexto. Havia nos apelidos que Goro costumava dar às pessoas um poder de observação e descrição excepcional. Sem dúvida, aquela senhora não poderia ser a mesma sobre a qual ele tinha comentado, mas poderia então ser a mãe dela? Kogito conseguia ver em sua mãe a especial fisionomia da moça. Era capaz de imaginar com facilidade o rosto de características fisionômicas peculiares, desconhecido para ele, conectando os laços sanguíneos de mãe e filha. No entanto, se ela fosse realmente sua filha, por que aquela mulher idosa a criticaria com tanto desprezo? Esse era um novo enigma para Kogito.

3

Quando os dias de *quarentine* se acalmaram, Kogito começou a ligar com frequência para Tóquio, aparentemente como forma de compensar a interrupção dos diálogos com Goro pelo Tagame. Ao ligar para os professores assistentes ou para a secretária do escritório acadêmico da universidade, o som da chamada começava com o sistema alemão de repetição contínua, de um tom curto seguido de uma pausa. Mas, nas ligações internacionais para Tóquio, ao contrário, deveriam reverberar pela sala de estar algumas passagens da música de câmara de Mozart programada como som de chamada por Chikashi. E então ouvia a voz calma e triste de Akari atendendo e dizendo "Sim?".

Mesmo não havendo entrosamento entre as palavras de ambos, após um ou dois minutos de aparente afinco na tentativa de captar os indícios de seu interlocutor, Akari passava a ligação para a mãe ou respondia "mamãe não se encontra", em um tom de voz ainda mais melancólico, até, por fim, se calar.

Chikashi em geral se mostrava de bom humor, e havia ocasiões em que chegava até mesmo a conversar sobre literatura, algo raro de ocorrer quando os dois estavam juntos em casa.

Certo dia, após rematar a conversa sobre alguns afazeres, Chikashi indagou algo que devia estar guardando no peito.

— Quando você era jovem e lia principalmente obras traduzidas, apesar de falar rápido e não pronunciar claramente as palavras, o teor de suas conversas era muito interessante. Usava expressões novas, imaginativas e quase excêntricas...

"Após sua estada na Cidade do México, depois de começar a ler livros não mais em traduções, mas em idiomas estrangeiros, creio que seu uso da linguagem mudou. Por vezes sinto uma profundidade nova refletida nas palavras. Entretanto, nunca mais me deparei com palavras curiosas ou interessantes. Não ocorreria o mesmo com as palavras usadas em seus romances? Talvez seja uma questão de maturidade, mas as palavras perderam o lustro de outrora. Conforme pensava nisso, acabei abandonando a leitura de seus livros. Portanto, embora nada possa dizer com relação a seus romances destes últimos quinze anos, essa mudança, a meu ver, deve estar ligada ao fato de você ler mais no idioma original do que por meio de traduções… Deve ser comum pensar que pessoas que leem o texto no original apreendem algo interessante, mas inexistente em japonês…"

— Deve ser verdade. Porque as vendas de meus livros começaram a apresentar tendência de queda depois que passei dos quarenta e cinco anos. Coincide com a época em que parei de ler livros traduzidos. O brilho atrativo das palavras deve ter esmaecido. No interesse em ler obras traduzidas — algo diferente da leitura no idioma original —, há o que podemos chamar de clareza e estilo direto. Muitas vezes me surpreendo: "Então é possível traduzir desta forma aquela passagem" ou "a tradução não estaria fugindo à ideia original?", e me admiro por não ser capaz de usar o idioma japonês dessa forma. Em particular, tradutores jovens e talentosos demonstram uma capacidade que beira à genialidade.

Assim terminou esse telefonema, mas, passados alguns dias, Chikashi, que organizava sobretudo revistas periódicas especializadas de pequena tiragem, ligou para informar a chegada de alguns livros presenteados por amigos e que prosseguiria a conversa do outro dia:

— Existe um charme extravagante no estilo dos jovens que traduzem as novas obras em francês.

— Sim, com certeza. Deixando de lado aqueles sob a direta influência de Foucault nas universidades da costa oeste dos Estados Unidos, o estilo do idioma inglês é sóbrio por si só. Em particular os escritos de acadêmicos ingleses... O fato de meu estilo haver perdido o brilho não estaria ligado às minhas leituras das monografias, desde Blake até estudos sobre Dante, sobretudo da Cambridge University Press?

Ignorando o falatório autodepreciativo habitual de Kogito, Chikashi prosseguiu:

— O que acho interessante agora talvez não seja uma passagem importante. É um livro grande, e não sou capaz de entender absolutamente nenhuma das interpretações de poesia contidas nele.

E enviou a Kogito por fax a parte que desejava lhe mostrar.

Nele havia a tradução de *René Char en ses poèmes*, não por um jovem, mas por um competente estudioso da literatura francesa. Chikashi havia sublinhado com lápis 2B, que usava em seus desenhos em aquarela, o local onde o autor da fortuna crítica resumia o pensamento de René Char sobre Sade, ressaltando-o no fax.

> Sade não permite que a obra se cristalize. Seus inúmeros livros são ferramentas da compreensão (René confirmou que a palavra "*révolution*" deveria ser entendida não como "insurreição", mas como "translação", no sentido atribuído ao termo pelos astrônomos. Para Char, o ser humano não é um corpo celeste estável. O homem se move e não se iguala a si próprio). Sade celebra o fato de o corpo celeste humano inclinar-se para os trópicos, onde sóis cantam indolentemente, distanciando-se de

uma vida digna e real. Ele celebra o homem tornado antissocial e ensina a abandonar aos poucos as partes lambidas (educadas) pela mãe ursa.

No telefonema que se seguiu ao fax, Chikashi exprimiu em palavras os pensamentos que a passagem havia lhe despertado, e Kogito se sentiu instigado por suas ideias.

Chikashi estava particularmente excitada com a frase "ensina a abandonar aos poucos as partes lambidas (educadas) pela mãe ursa" contida no fax enviado para Kogito.

— Senti que essa expressão contém tudo a respeito de Goro. Ele foi criado por nossa mãe exatamente como se fosse lambido pela mãe ursa. De maneira comum, em japonês diríamos "ser lambido de mimos", não? Mesmo eu, sua irmã mais velha, o via quando pequeno ser realmente lambido de mimos. E não sentia ciúmes por isso. Achava apropriado que fosse tratado com carinho, pois era uma criança bonita e tinha dom para desenho, a ponto de uma editora de Kyoto lhe encomendar ilustrações para um livro...

"Lembra que durante a guerra ele foi escolhido para a classe especial, criada pela política governamental de ensino científico?

"Apesar da escassez de produtos naquele tempo, minha mãe fazia questão de obter materiais de pintura que causariam inveja a qualquer pintor profissional, elaborava planos de leitura com foco em livros de ciências para crianças, além de colecionar várias edições raras...

"Se Goro não os aceitasse com seriedade, ela se enfurecia de verdade. Ele cresceu sendo lambido pela mãe ursa. Creio que em francês a expressão deva implicar sofrimento.

"Lembra que, numa época, Goro conheceu especialistas em Freud e Lacan e docilmente aceitou sua influência a ponto de eu, que observava tudo sem interferir, me espantar? Nesse processo, ele escreveu como havia se libertado da mãe de uma forma gentil, beirando o pueril. De minha parte, não acreditava que ele pudesse se libertar de nossa mãe com tanta facilidade. Sou uma pessoa ignorante, ciente de que essa é uma suspeita infantil, mas a psicologia seria realmente tão eficaz em verdadeiros adultos? Afinal, Goro já não era um intelectual com longa experiência de vida?

"Eu pensava que, um dia, ele seria contra-atacado pela psicologia. Não pretendo culpá-la completamente por aquela forma de morrer. Mas por vezes desejei que os psicanalistas se responsabilizassem por parte da complexa confusão da condição psíquica de Goro."

4

Apesar de taciturno quando Kogito telefonava do apartamento em Berlim, Akari, nos faxes, costumava expressar seus pensamentos de maneira objetiva. Quando Chikashi ilustrou pela primeira vez um ensaio de Kogito, Goro elogiou seu estilo inato. Lembrando-se disso, imaginou o que o amigo diria se visse os desenhos de Akari. Por exemplo, o filho tinha escrito com a caneta marcadora ao lado de um desenho no qual ele e a mãe subiam as escadas de um avião a jato: "Penso em ir ouvir a filarmônica de Berlim. Schwalbe e Yasunaga são excelentes primeiros violonistas. Vou até Berlim acompanhado de Chikashi."

Aparentemente, a mãe não se mostrou disposta a levar o plano a cabo, receosa de que Akari pudesse ter um ataque em uma cidade setentrional em pleno inverno.

Kogito colou o fax em um papel grosso e o pôs sobre a mesa de jantar. Akari, que era bom em números, anotou ele próprio o do fax. Quando Kogito observou esse número de fax do Centro de Pesquisas Avançadas, reparou em algo. Akari não apenas havia memorizado, seu ponto forte, o longo número 0014930..., incluindo o código da cidade de Berlim, como também o tinha inserido no desenho com a caneta marcadora. Isso fez Kogito recordar de uma vez quando Goro participava da Berlinale e telefonou de surpresa, pedindo que retornasse a ligação. Kogito se viu em apuros por ter esquecido o número do telefone, quando Akari, deitado a seu lado compondo em uma folha de pauta musical, com voz serena informou o número que anotara na margem do papel após ouvir o pai repeti-lo em voz alta. Será que ele ainda se lembrava do número até aquele momento devido ao elogio tanto de Kogito como de Chikashi por tê-lo anotado? A primeira parte era idêntica ao do fax atual do pai, o que sem dúvida lhe havia atiçado a curiosidade.

Kogito depois recordou com clareza que também naquela época havia uma jovem ao lado de Goro. Na sequência, vários detalhes emergiram de forma suave. Na ligação internacional, Goro lhe pedia o seguinte:

— Sabe aquela história de como você conheceu em Nagasaki uma leitora aficionada por seus livros? Tenho aqui alguém que adoraria ouvi-la. E terá de ser em inglês, do jeito que você a contou a O'Brien. Pode manter as correções que ele fez em inglês britânico formal. Chikashi me falou que você as achou interessantes e anotou em cartões. Procure-os e me telefone de volta. Este aparelho tem viva-voz, e poderemos ouvir você no quarto todo.

— Por que isso agora? — replicou Kogito.

— A moça que está comigo é japonesa, mas foi criada no exterior; é agora intérprete de alemão e fala japonês fluente. Porém, ela jura que só consegue rir de verdade quando ouve anedotas em inglês, seu primeiro idioma estrangeiro, e me admirei com a possibilidade de haver algo do gênero. Como a história daquela sua experiência é engraçada e você já a tem em inglês, e até mesmo corrigida em cartões... — respondeu Goro bem-humorado.

"Hoje está nevando em Berlim, ao que parece pela primeira vez este ano, e os flocos finos de neve caem com delicadeza sobre as partes entrelaçadas dos delgados galhos das árvores negras e desfolhadas. Empurrados por uma brisa, por vezes os inúmeros flocos permanecem suspensos no ar. Após contemplá-los por um tempo, me enchi de ânimo e senti vontade de lhe pedir esse favor, mesmo não sendo razoável. Bem, estou no aguardo!"

Kogito lembrou com saudades de como se divertira com aquele pedido por telefone, a eloquência bem-humorada de Goro ao fazê-lo, de modo a ser escutado pela moça a seu lado.

O'Brien é o ator inglês que contracenou com Goro no filme *Lord Jim*. Quando teve a oportunidade de visitar o Japão, Goro realizou uma festa íntima na casa em que morava com Katsuko, filha única do proprietário de uma empresa importadora de filmes ocidentais, e chamou Kogito, pedindo-lhe para servir de interlocutor ao inglês. A história que tanto divertiu O'Brien ocorreu pouco antes de uma conferência de Kogito, solicitada pelo presidente do sindicato dos trabalhadores de editoras, de esquerda, em um encontro realizado em Nagasaki.

Seja de editoras, empresas jornalísticas ou estações de televisão, para os sindicalistas profissionais, um escritor progressista — sem filiação ao Partido Comunista, tampouco a facções extremistas — não é ninguém muito especial. De fato, foi esse o tipo de tratamento recebido por Kogito. Devido ao horário do voo direto, ele chegou pela manhã, mas foi informado de que o "concerto de assobios com dois dedos e conferência literária" havia sido transferido para a noite. Foi acomodado em um alojamento ligado ao sindicato e lhe oferecido almoço. Algum tempo após a refeição, foi acometido de diarreia. Saiu com ar animado para uma avenida para comprar remédio, mas não encontrou nenhuma farmácia. Após algumas voltas, acabou caindo em uma rua pequena que, apesar de situada no centro da cidade, parecia adentrar as trevas de um desfiladeiro profundo. Ali achou uma drogaria de apenas uns dois metros quadrados.

Abriu a porta de vidro de estilo antigo e, ao entrar no recinto, uma quarentona sentada no exíguo espaço, de costas para as prateleiras de remédios, voltou-lhe o lívido rosto redondo, contendo a custo um grito de surpresa. Kogito não deu importância e pediu um antidiarreico mas, no momento de pagar, a proprietária ergueu o rosto, e, transpirando de tão excitada, disse num gemido:

— Nossa! Desejos realmente são atendidos um dia!

Na sequência, começou a falar com extremada energia. Ela havia frequentado a faculdade de farmácia de uma universidade em Kyoto, mas era fã incondicional de Kogito e possuía todos os seus livros em capa dura. Com a morte repentina do pai, mantivera o negócio da farmácia que, localizada próxima a um bairro de prostituição, teve contraceptivos e remédios para doenças venéreas como principais produtos durante muito tempo. Apesar da crise instalada desde a promulgação da lei antiprostituição, a senhora estava certa de que, mesmo se afastando de Nagasaki, caso continuasse a lidar com clientes, um dia iria conhecer Kogito Choko...

Kogito se sentia incomodado com a presença de um homem de meia-idade e sua acompanhante vestida de quimono, de pé sobre as pedras que cobriam o canal subterrâneo de esgotos, logo em frente à loja. Procurou sair da farmácia o quanto antes, mas a mulher retirou da parte inferior e colocou sobre o balcão uma caixa com meia-dúzia de latas de uma bebida energética.

— Beba isso, por favor. Faço um desconto especial.

— Não tomo energéticos.

— Ora, vamos! Não é do tipo *light* como os outros. Contém alho, ginseng coreano e até pó de cavalo-marinho. Veja, está no rótulo, não está? "Beba agora! Ereção imediata! Garantia de duas seguidas!" Faço por seiscentos ienes a caixa. Leve duas, vamos!

Vendo que a proprietária da loja colocava mais uma caixa sobre o balcão, o homem ao lado, acompanhado da senhora, interveio:

— Se estiver em oferta, também vou querer duas caixas!

— Obrigada! O preço especial de venda é dez mil ienes por caixa, vinte mil ienes no total! O cavalheiro sabe bem que é um remédio excelente. "Beba agora! Ereção imediata! Garantia de duas seguidas!" A senhora tem sorte, madame! Muito obrigada.

A história se resumia a isso, mas O'Brien havia se mostrado gentil ao se divertir com sinceridade e fazer o favor de tornar mais categóricas as expressões em inglês usadas por Kogito. No avião de volta a Londres, aprimorou com mais ousadia o slogan do anúncio "Beba agora! Ereção imediata! Garantia de duas seguidas!" e chegou a pedir à tripulação do voo de volta a Narita que entregasse a Kogito seu comentário. "Ficou ainda mais ousado...", pensou.

Kogito encontrou os cartões e, ao telefonar de madrugada em Tóquio — em Berlim era fim de tarde —, ouviu o riso jovial da moça, parecendo excitada com as primeiras neves e, como contraponto, a voz mais envelhecida de Goro, sorridente e repleta de satisfação.

Além da sensação agradável de poder relembrar com nitidez memórias que julgava já apagadas, aquelas eram "ideias de límpida clareza", caso as palavras fossem escritas da forma como surgiram na mente de Kogito. Sentiu também ser algo raro na prematura velhice de Goro.

5

Nos fins de semana de sua solitária vida em Berlim, sem as aulas da universidade, almoços ou apresentações com colegas do Centro de Pesquisas Avançadas, e não tendo muita vontade de flanar pelas ruas comerciais da cidade, Kogito em geral ficava estirado na cama lendo livros e relembrando a convivência com Goro. Enquanto divagava, as reminiscências, por vezes, pendiam para uma direção com fortes tonalidades sexuais.

Eram do tempo em que Goro ainda viajava bastante com Katsuko para filmagens no exterior. Ao retornar dos Estados Unidos, foi de táxi visitar Kogito, que tinha acabado de concluir sua estada na Universidade de Berkeley na Califórnia. O motivo de ter tomado um táxi, algo raro para ele, foi uma depressão que desejava afogar em uísque. Goro falava sorvendo puro o Old Parr que Kogito havia ganhado de uma editora como presente de fim de ano. Chikashi fez companhia até pouco depois das dez da noite, quando se retirou para o quarto. Depois disso, Goro e Kogito permaneceram um de frente para o outro conversando, e, como se até então estivesse se contendo, Goro se tornou um interlocutor loquaz, ainda que sombrio.

Durante seis meses do ano anterior, Goro atuou em um filme de Hollywood, produzido com a intenção de justificar o lado ocidental da rebelião dos Boxers, tendo acabado de assistir às pré-estreias em Los Angeles e Nova York. No filme, fazia o importante papel de um oficial militar agregado à Embaixada do Japão — havia inclusive uma cena em que carregava nos braços a atriz principal enquanto fugia das balas que atingiam as paredes ou o chão. Kogito tinha enviado a Katsuko o recorte de uma crítica, publicada em um dos principais periódicos de Los Angeles, que mencionava sua grande compleição física e o charme glamouroso, raros em um ator oriental. Mas, após voltar para casa, Goro constatou que havia sido completamente ignorado pelos críticos de cinema japoneses. Um artigo não assinado de uma revista semanal comentava a cena em que Katsuko, mulher do oficial militar, aparecia vestida em trajes orientais em uma festa de Natal em Pequim na qual estavam reunidos os funcionários das representações diplomáticas de cada país, insinuando ser ela o motivo para Goro ter sido escolhido para o papel...

Kogito falava enquanto Goro aprofundava sua embriaguez, citando a palavra *enbo* [inveja, ressentimento], empregada por Yukichi Fukuzawa em seu livro *Convite ao aprendizado*, que usava como material de classe em Berkeley. Afirmou que ser desprezado e mesmo ridicularizado sendo um ator japonês não passava de puro *enbo*. E explicou o hábito de Fukuzawa de argumentar que todos os vocábulos usados na avaliação humana possuem duas faces, como um escudo. Por exemplo, "avareza" tem algo em comum com "prodigalidade", e "rudeza", com "bravura". Porém, ele afirmava que apenas *enbo*, sob qualquer ângulo, não podia ser convertido em nenhum elemento humano positivo...

Ao que Goro replicou:

— Como eu, você também vive atormentado por *enbo*: o tal jornalista não cansa de persegui-lo. Experimente ganhar um prêmio internacional. Aquele homem letrado certamente irá publicar um livro renegando toda a sua vida, Kogito (de fato, isso havia acontecido). Pouco me importo com essas coisas. Mais do que isso, eu me sinto intimidado pelos elogios exagerados da autora do artigo cujo recorte você me enviou. Alegre-se por isso não acontecer no seu caso.

Na hora, Kogito não se sentiu muito à vontade ao ver Goro usar palavras que pareciam denotar falta de interesse ao que ele dizia, mas, algum tempo depois, ouviu de Chikashi que o irmão havia incorporado a palavra *enbo* a seu vocabulário.

A crítica de cinema, autora do artigo sobre Goro, era uma cinquentona chamada Amy, que na realidade o acompanhara durante parte da viagem de promoção do filme. Bastava descobrir um tempo livre na programação de Goro para convidá-lo a um discreto restaurante nas cercanias do hotel e, alegando desejar escrever um artigo mais longo, realizava uma detalhada entrevista.

Quando Goro voltou para San Francisco, na véspera de seu regresso ao Japão, ela o convidou para irem a Chinatown onde o entrevistou pela última vez. Depois disso, os dois chegaram a se abraçar na estreita ladeira de volta ao hotel e, em vez de ter o cuidado de recuar o quadril para dissimular sua ereção, pelo contrário, nessa noite Goro continuou a comprimir seu membro contra o baixo-ventre e as coxas de Amy. Estava ciente da agressividade com que reagia à pressão sentida pelo idioma utilizado na entrevista ser o inglês. Mas, antes de tudo, sua energia sexual estava acumulada durante a dezena de dias em que viajara pelos Estados Unidos. No final, em vez de voltar para casa, Amy subiu ao apartamento de Goro.

— Até aquele momento, eu a considerava uma moça muito saudável e roliça, além de intelectual e espirituosa. Porém, uma vez que começamos a transar, ela mostrou uma volúpia extrema. Era do tipo que não escolhia o orifício do corpo a ser usado, seja o da frente ou o de trás, e não parou de me acariciar até o amanhecer, buscando todos os meios para manter meu pênis ereto enquanto não transávamos. Era puro sexo, nada mais. E, apesar de incansável, como eu custasse a ejacular, ela encostava meu membro junto à boca e, me fazendo usar a mão, colaborava efusivamente com a língua. Quando finalmente gozei, ela recebeu todo meu sêmen em sua língua, como um camaleão. Ao chegar o carro que me levaria ao aeroporto, ela entrou junto e passou todo o trajeto acariciando meu pênis!

"Bastou a confirmação da minha próxima viagem de três semanas para filmagens na Espanha para ela me avisar que tinha reservado um quarto no mesmo hotel que o meu. Só de pensar nos vinte dias de terror que terei pela frente, tanto eu como meu pênis se aborrecem!"

Kogito se divertiu com a apreensão de Goro. Mas, seguindo um hábito desde os tempos de adolescente, não podia se furtar a oferecer algum tipo de conselho ao amigo que continuava calado, tomando seu uísque, com um olhar carregado de sincera amargura.

— Que acha de pensar da seguinte forma? Entre sua estada nos Estados Unidos e a ida à Espanha, serão dois ou três meses, certo? Sendo assim, ao reencontrá-la nos dois ou três primeiros dias, essa paixão deverá brotar de forma espontânea, não é? Aos poucos, porém, com as filmagens já definidas em diversos locais, haverá dias em que não poderá voltar ao hotel.

"E então, ao retornar após vários dias, o reencontro com Amy não seria nostálgico e revigorante?"

Também por culpa de sua excessiva embriaguez, Goro revidou com voz lacrimosa:

— Para quem escreve romances tão sombrios, você é, no fundo, um otimista. Nem parece estar casado com uma mulher realista como Chikashi e, mesmo assim, prefere dormir sozinho à noite na cama da biblioteca.

Ao contrário do esperado, aquele ano terminou de forma satisfatória, apesar da falta de fundamentação concreta do consolo oferecido por Kogito para aplacar o temor de Goro diante da cinquentona que viria da Califórnia para as filmagens na Espanha. Conforme Goro contou após voltar ao Japão, a jornalista chegou ao hotel local no mesmo dia em que ele se juntou à equipe de filmagens; ainda nesse dia, com o sol bem alto, transaram duas vezes, mais uma à noite e outra pela manhã no dia seguinte. Goro suava frio ao imaginar o inferno que seria se aquela situação perdurasse por vinte dias, mas o produtor espanhol levou os atores para Madri, retendo-os lá por quatro dias. Após várias festas sucessivas e sem motivo aparente, anunciaram a suspensão das filmagens na Espanha. Para salvar a honra do produtor, bem-sucedido em exportar grande volume de vinho barato produzido na Espanha, tinham decidido filmar em uma típica região vinícola, mas a equipe de produção não levou isso a sério, deixando de enviar grande parte do equipamento cinematográfico. Acabaram se transferindo na mesma semana para a ilha de Flores, na Indonésia, e, nos dois dias de estada que lhe restaram, Goro e a jornalista mantiveram relações sexuais sinceras e cordiais. Amy saiu da cama bem cedo, quando ainda estava escuro, rumo ao aeroporto, para partir antes de Goro e da equipe de filmagem, já sem resquícios de voracidade sexual e mostrando a solenidade ascética própria a uma jornalista experimentada.

Ao narrar essas lembranças, a exaustão das filmagens durante o verão em um local tórrido, Goro passava a impressão a Kogito de ter experimentado um esforço inimaginável. As quatro vezes que transara com a mulher rechonchuda e bem-disposta, no dia da chegada dela da Califórnia e no seguinte, fizeram Kogito reviver o sentimento infantil de respeito pelo amigo, despertado ainda nos tempos do ensino médio: "Você agiu bem! Foi paciente e dominou a situação."

6

Na Rússia ainda antes da revolução, era modismo ter uma segunda residência em Berlim, e um milionário construiu então um gigantesco e extravagante edifício, com uma fachada de painéis em estilo grego e colunas de suporte ao telhado a partir do balcão de frente no primeiro andar; seu interior reformado passou a abrigar os apartamentos do Instituto de Pesquisas Avançadas. Do flat de Kogito no segundo andar, era possível avistar o lago. Depois das férias de Natal, a celebração do Ano-Novo, marcando o nascimento de um novo milênio, teve fogos de artifício espocando até altas horas da noite. Passadas as festas, as aulas na universidade recomeçaram, Kogito já tinha se habituado a usar ônibus para se locomover. O trajeto de meia hora começava na Hagenplatz, onde costumava comprar alimentos e vinho, indo até Königstrasse, quando trocava de linha em Rathenauplatz, próximo do bairro comercial de Kudamm. Mesmo que pela manhã a neve cobrisse o lago congelado, à tarde ela sempre parava de cair, embora os caminhos pudessem virar verdadeiras *Eisbahn* [pistas de patinação], e dias de céu nublado se seguiam sem transtornos para o tráfego.

Certa tarde, ao sair após terminar a aula e o *office hour*, período em que servia de tutor aos alunos com dúvidas, Kogito foi envolvido pelo ar de pouco antes do pôr do sol; nesse momento, ouviu o chamado da conhecida voz feminina. A senhora o acompanhou pela margem do exíguo caminho, ainda ladeado da neve remanescente, envolta em um casaco que lhe chegava quase ao tornozelo. Embora a impressão diferisse da anterior, Kogito de pronto se lembrou dela, dentre as pessoas que o abordaram no início de sua estada, do termo *Mädchen für alles* e do entorno dos lábios assemelhado a uma minigaita.

— Permita que o acompanhe durante o trajeto de volta de ônibus. Só não sei se poderei lhe falar tudo o que desejo nesse curto período.

Sem esperar resposta, ela aproximou seu corpo quase encostando o ombro no de Kogito. Ao começar a caminhar, seu modo de falar aparentava ser mais intimidador ou de excessiva intimidade.

— Realmente, o senhor não emprega nenhuma *Mädchen für alles*, não é mesmo? Por mais que telefone, apesar do pessoal do escritório transferir a ligação para seu apartamento, não há ninguém para atender!

Vivendo em Tóquio, era raro suceder a Kogito de ser chamado e acompanhado à revelia como naquele caso. No entanto, nos dez minutos desde a sala de aula na Universidade Livre de Berlim, localizada em uma área residencial, até a parada de ônibus, poucas vezes Kogito caminhava sozinho pela ladeira que conduzia à parte baixa de um parque, com um lago artificial amplo e raso, aparentemente seco, e de novo ao subir pelo lado oposto. Era bem comum ser abordado por estudantes ainda com dúvidas sobre a aula, japoneses na condição de ouvintes ou jovens correspondentes taiwaneses residentes em Berlim que enviavam artigos para um jornal em Taipei. Sentia que conversar com eles não seria destituído de significado, desde que superasse a instintiva reação de recusa dentro de si.

Conforme a senhora caminhava a seu lado, a passos largos que faziam levantar a barra do casaco, Kogito tinha a impressão de ser uma mulher completamente diferente da japonesa no início da terceira idade, de aspecto cansado e deprimido que o abordara na noite do debate. Parecia uma alemã vigorosa e egocêntrica, das que se veem com frequência pelas esquinas de Berlim. O teor da conversa possuía uma agressividade que combinava com seus gestos e sua maneira de caminhar.

— Conhecidos alemães com quem me relacionei até o momento costumam comentar que os japoneses discorrem em excesso sobre assuntos particulares, até mesmo escritores e cineastas em suas conferências. Eu me perguntava se seria realmente assim até assistir a suas aulas e me convencer. Mesmo uma pessoa como o senhor com frequência aborda questões de cunho pessoal.

— A senhora sabe que minha pronúncia em inglês é de difícil compreensão, por isso distribuo cópias de material usado em conferências realizadas em universidades nos Estados Unidos. Eu leio o texto em voz alta e comento sobre ele como se adicionasse notas de rodapé. Quando o texto contém sentenças muito densas, por vezes procuro descontrair a aula falando um pouco a meu respeito.

— O texto de hoje não foi o de sua conferência em Estocolmo? Iniciava com reminiscências de caráter pessoal, não? Como seu filho Akari, com necessidades especiais, pôde se universalizar por meio da música. Eu me emocionei com suas palavras, mas alguns alemães por certo irão entender como sendo algo muito particular.

— Tem toda a razão.

Soprava um vento peculiar ao inverno berlinense, e Kogito, em meio ao torvelinho na parte inferior da ladeira no formato de vaso, sentiu como se estivesse suspenso no ar pela diferença entre o frio do corpo e o calor na cabeça, por falar por duas horas seguidas em um idioma estrangeiro que não dominava por completo. A mulher percebeu essa sensação e, com tato, mudou de assunto.

— Com neve acumulada, as pessoas não andam por aquela parte mais alta... Mais abaixo uma mulher passeia com seu cão. Vê a pedra enorme e redonda onde o acompanhante dela está sentado? Dizem que foi empurrada da Noruega por uma geleira e veio rolando até aqui.

— Da Noruega? Aquela única pedra?

— Claro que não deve ter rolado apenas uma — respondeu a mulher.

Do alto da passarela para atravessar a linha férrea, Kogito avistou o ônibus despontando ao longe, mas não poderia de súbito deixar a mulher e correr para pegá-lo. O *office hour* terminava por volta das quatro da tarde, e Kogito sabia que havia apenas três ônibus por hora naquele itinerário. Aceitou então ser obrigado a manter uma longa conversa com a mulher enquanto aguardava na parada pelo ônibus seguinte.

A mulher de idade entrou no tema principal.

— Gostaria de me apresentar de novo. Desta vez, não perca este (a mulher diz estendendo um cartão de visitas em direção ao peito de Kogito e, como se adivinhasse que ele não tinha intenção de recebê-lo, continuou a segurá-lo por alguns segundos mesmo após Kogito pegá-lo). Creio que Goro deva ter mencionado meu sobrenome anterior. O atual é uma combinação do meu com o de meu marido. Ele veio da antiga Alemanha Oriental e se ocupa da reurbanização da região leste de Berlim. Em outras palavras, é um empresário do setor imobiliário. Mas ele entende sobre cultura e há muito tempo me deixa executar meu trabalho livremente.

"Goro não lhe contou sobre um dos meus importantes projetos em andamento? Planejo fazer um filme baseado em um de seus roteiros dirigido por um importante cineasta da nova geração pós-Schlöndorff. Mas então aconteceu o lastimável incidente com ele. Aquilo foi vingança da *Mädchen für alles*. Ele sofreu com as complicações do caso. Todavia, creio que desejava me solicitar esse trabalho póstumo, não obstante o que acontecesse. Tenho cartas e faxes pessoais nos quais manifesta essa intenção.

"Gostaria então de apresentá-lo a alguém. Trata-se de uma figura proeminente, da geração anterior à do diretor Schlöndorff, a quem me referi antes. É considerado o mestre do novo cinema alemão, mas no momento está afastado e se dedica sobretudo a escrever obras filosóficas. Também cria sérios e longos programas para a televisão e pretende produzir um documentário tendo a obra e a vida de Goro como tema. E, por isso, deseja a qualquer custo realizar uma entrevista de uma hora com o senhor.

"Confirmei há pouco com o professor assistente do Departamento de Estudos Japoneses que o senhor estaria livre no próximo domingo pela manhã. Esse professor aceitou atuar como intérprete. O que lhe parece? O senhor irá?

"Ótimo, então, obrigada. No dia, esse professor passará de carro em seu apartamento para levá-lo direto ao local da entrevista. Será no hotel da Postdamer Platz, onde em uma semana terá início a Berlinale... e, a propósito, Goro apresentou alguns de seus filmes no festival. Que boas lembranças... Será no grande salão principal, permitiram a esse diretor gravar ali a entrevista.

"Pena que os representantes japoneses ainda não chegaram a Berlim. Nesse caso, não poderei apresentá-lo a pessoas famosas. Ouvi dizer que o senhor não tem um relacionamento muito próximo com o pessoal do mundo cinematográfico."

Kogito estava de pé, exposto ao vento que soprava na parada do ônibus, uma simples coluna quadrangular com a letra H sinalizada — ainda não se deslocara à área inferior, até o outro parque amplo onde se localizavam a Faculdade de Medicina e o Instituto Max Planck. No meio do caminho havia desistido de opor resistência à conversa da mulher e apenas prestava atenção na eloquência da senhora Mitsu Azuma Böme, nome informado em seu cartão de visitas, levando-o a se recordar do provérbio "mesmo uma pistola ruim acaba acertando o alvo".

Kogito não se lembrava de ter ouvido nada sobre um filme a ser rodado por um diretor alemão baseado em roteiro de Goro, como dissera a senhora Azuma Böme. Dono de um temperamento frágil, teria Goro conseguido manter a força de se opor à eloquência dessa senhora? Pior ainda se ele tivesse mantido algum relacionamento particular com a filha dela e as coisas tivessem se tornado problemáticas... O que Kogito estava certo de ter ouvido de Goro quando vivo era sobre o plano de usar os lucros, depositados em um banco em Los Angeles, de seu sucesso mais recente nos Estados Unidos para rodar um novo filme com atores e equipe local. Seria assim possível afirmar de forma peremptória que Goro tivesse pensado em fazer algo semelhante na Alemanha, país no qual, depois dos Estados Unidos, alcançara o maior número de espectadores?

Havia outro fato ocorrido três anos antes, logo após a estada de Goro em Berlim. Kogito soube pelo amigo que, entre os jovens alemães pesquisadores de cinema, existia um projeto de desmantelar seu longo romance, traduzido sob o título *Der Stumme Schrei* [O grito silencioso], e recompô-lo no formato de um filme experimental. Na ocasião, Goro havia lhe perguntado se consideraria a opção de não cobrar, ou melhor, renunciar aos direitos autorais pela "cinematografização" do livro conferindo assim liberdade aos pesquisadores.

Essa conversa se passou em Roppongi, em um dos raros jantares de Goro, Chikashi e Kogito, junto da segunda geração de cada família, quando então Kogito se limitou a ouvir a proposta. Chikashi via como vergonhoso para um escritor não apenas deixar de receber os direitos autorais pela transformação de um livro em filme, como ainda ter sua obra desmantelada à revelia, o que levou Goro a se conservar em tímido silêncio. Naquele momento, Kogito sentiu que a ideia não havia partido do amigo…

O ônibus alto e em formato de caixa, com assentos para passageiros também no andar superior, trocou de pista balançando como um navio sob o céu nublado do crepúsculo — passava um pouco das quatro da tarde, mas essa era a impressão que Kogito sempre tinha do céu —, e, quando ele se despediu, surgiu no rosto miúdo da mulher envolta em cabelos bem negros uma expressão de constrangimento, como se tivesse sido tratada com violência.

— Não é minha intenção acompanhá-lo até sua residência. Este ônibus vai até a Postdamer Platz. Não sabia? Como reagiria se eu me comportasse em relação ao senhor como uma *Mädchen für alles*?

A senhora Azuma Böme subiu com celeridade no ônibus e começou a galgar a escada curva e íngreme para o andar de cima. Kogito a seguiu por instinto, e ambos se sentaram no banco do lado direito da primeira fila. Ele dirigiu o olhar para as lojas de alimentos que começavam a ficar movimentadas, sentindo dificuldade em conversar com a mulher, cuja eloquência na parada de ônibus poderia ressurgir em resposta a seu cáustico silêncio.

Quando o ônibus se aproximou da Rathenauplatz sendo possível avistar, do alto segundo andar, a agitação na Kudamm, Kogito fez uma vênia para a senhora Azuma Böme e desceu sozinho ao andar inferior. Apesar de a cabeça de cabelos estranhamente negros para a idade devolver o cumprimento em tom autoritário, Kogito notou mais uma vez, ao redor dos lábios da mulher, o despontar de linhas retas paralelas, como se ela tivesse uma minigaita enfiada na boca.

  Kogito cruzou a larga calçada em direção à parada para trocar de ônibus e, erguendo os olhos para contemplar o céu de inverno já escuro, confirmou a cor do semáforo. Ao baixar o olhar para os pés, exclamou para si em meio a um suspiro (sempre que vivia no exterior voltava a ter esse hábito):

  — Então é isso! A foto da tal moça, publicada nas revistas semanais, teria semelhança com o rosto daquela senhora? Diziam que não passava de uma combinação entre as editoras e o namorado da moça, mas de qualquer forma via-se um deprimido Goro sentado ao lado dela. Se a moça, como a mãe, também tinha as mesmas linhas retas paralelas do entorno dos lábios, a capacidade de observação feminina de Goro ao apelidá-la de "minigaita" era muito superior à minha! Essa sua peculiaridade jamais o impedira de se meter em complicações com as mulheres.

Capítulo II

Essa coisa frágil denominada ser humano

1

Duas vezes por semana, Kogito ministrava aulas na universidade e, nos outros dias, salvo nos fins de semana, almoçava com os colegas do Centro de Pesquisas Avançadas. Em meio à vida solitária, lembrava-se das várias discussões sobre suicídio mantidas com Goro. O tema aparecia também nas conversas pelo Tagame.

Depois de sua morte atirando-se do alto do prédio, como se fosse uma das regras do Tagame, Kogito não sentiu vontade de falar sobre suicídio. Por outro lado, Goro deixara nas fitas despreocupadas gravações sobre o assunto.

— Logo que o conheci em Matchama, creio que me incumbi de determinado papel em relação a você.

"Se foi útil ou não, não saberia dizer. Talvez eu apenas lutasse comigo mesmo no final das contas. De qualquer forma, quando começamos a nos ver com menos assiduidade, outras pessoas assumiram meu lugar. Não era só impressão minha. Os que aceitaram o novo papel não faziam o tipo yakuza como eu. Como de costume, logo você deve negar isso, mas não se acha uma pessoa abençoada? Você também está quase entrando nos sessenta, não seria o momento apropriado de abandonar o *basso ostinato* de sua maneira de viver, ou seja, os sons graves de sua obsessiva autodepreciação?"

Com tamanha ingenuidade a ponto de se tornar autodepreciativo, Kogito imaginou que quando Goro começou a falar dessa forma, insinuava haver desempenhado o papel de tutor. Nesse momento, apertou o botão de pausa e revidou.

— Depois que nossos encontros escassearam, quem, na sua opinião, o substituiu?

E voltando à reprodução da fita, Goro prosseguia em tom de contra-ataque numa espécie de premonição a essa reação de Kogito:

— Meus substitutos foram o professor Musumi e Takamura. Você deve entender bem quando afirmo que eles não são do meu tipo yakuza.

Perplexo, Kogito apertou de novo o botão de pausa e traçou em sua mente uma linha ligando o professor Musumi, Takamura e Goro. Para ele, os três eram pessoas queridas, mas, apesar de ter sido aluno de Musumi, não chamaria aquele grande especialista no Renascimento francês de tutor, nem o músico Takamura, que possuía uma existência à parte. Ao mesmo tempo, pensou em dizer a Goro:

— Não, você não é um yakuza. Você era oposto a eles, tanto que os verdadeiros chefões yakuza chegaram a mandar capangas atrás de você!

Goro devia apreciar a função do Tagame, pois quando Kogito apertou o *play*, ele prosseguiu de bom humor e tão dócil que Kogito levou um choque instantâneo.

— O que eu fazia em Matchama era erguer uma barreira para impedir que você se suicidasse... Não estou certo até que ponto eu estava consciente disso. Quando penso agora sobre o assunto, devo admitir que era dessa forma. Esse é o aspecto curioso. Afinal, eu não mantinha necessariamente um relacionamento gentil com todos os conhecidos em Matchama. O que tampouco significa que eu fosse uma pessoa de má índole. No seu caso específico, desde seus dezessete ou dezoito anos, havia algumas coisas em você que eram incompreensíveis para mim. Você era muito mais complexo do que você mesmo poderia admitir. Apesar de ter saído do fundo daquelas montanhas, ou justamente por isso, era de qualidade diferente.

"Mas foi quando nós dois estávamos na casa dos trinta que eu comecei a estabelecer uma ligação consciente entre você e o suicídio. Sobretudo porque nossas saídas juntos durante todo o ano tinham ficado mais difíceis: eu havia começado a trabalhar e você escrevia romances ou se dedicava a leituras. Alguém me mostrou de maneira direta essa possibilidade. Eu frequentava um bar onde costumava se reunir o pessoal relacionado ao cinema, ou melhor, um reduzido número de pessoas de fato ativas na criação cinematográfica. Nesse estabelecimento era infalível topar com Takamura, compositor de trilhas sonoras, que, logo após entrar, vinha direto até onde eu estava. Como um pássaro negro descendo do céu, ele se sentava a meu lado e me indagava sobre você: 'Tem encontrado Kogito nos últimos tempos? Está tudo bem com ele?', e coisas assim, sem baixar o tom da voz…

"Não era o tipo de pergunta para saber se você andava escrevendo ou se Akari estava bem. Era visível seu desejo de me questionar se não haveria perigo de você cometer suicídio algum dia. Como eram sempre as mesmas perguntas quando nos encontrávamos, não havia como eu estar enganado… E aos poucos entendi o motivo de me preocupar desde que o conheci aos dezessete ou dezoito anos: eu não desejava que você se suicidasse. Era isso!

"Que Takamura tenha pensado nisso é até bem provável, mas e o professor Musumi? Você refutaria alegando ser difícil imaginar que o professor pensasse o mesmo. Na realidade, eu quase não me encontrava com ele. Eu o tinha visto pela última vez na pequena recepção quando você e Chikashi se casaram. Até que aconteceu de jantar com ele e a esposa em Paris."

Kogito apertou o botão de pausa e verificou o quadro cronológico nas *Obras completas* do professor Musumi trazidas para Berlim (pretendia posteriormente doá-las ao Departamento de Literatura Comparada). Voltou-se então para o Tagame e respondeu agitado:

— Deve ter sido durante a última estada do professor, ano em que houve uma greve dos lixeiros. Ele me trouxe de presente uma pintura em miniatura de toda Paris coberta pela fumaça do lixo queimado em várias partes da cidade. Eu ainda a tenho sobre minha mesa de trabalho em Seijo.

— Minha ex-sogra, que era vice-presidente de uma empresa importadora de filmes ocidentais, idolatrava o professor Musumi. Ela queria a todo custo convidar o casal para jantar em um restaurante. Quando o professor soube que eu também estava em Paris, parece ter dito que aceitaria o convite, desde que o cunhado de Kogito estivesse presente.

"Pelos transtornos que dei à família e também por ter ouvido que minha ex-esposa estava em Tóquio, acabei indo ao restaurante três estrelas. Cheguei um pouco atrasado, e o professor esperava ansioso por mim. 'Kogito não estaria planejando se suicidar?', ele me perguntou. Minha ex-sogra fez uma cara estranha, mas ele se manteve sereno. A esposa interveio. Até então, eu jamais tinha visto uma mulher daquela idade tão encantadora (e, ao dizer isso, Goro por instantes gaguejou um pouco, talvez se lembrando da própria mãe, pensou Kogito), sem me limitar aqui às japonesas. A esposa disse: 'Meu marido sempre se preocupa dessa forma, chegando a ser indelicado. De início, imaginava Kogito uma pessoa doentia, porém vejo agora que é alguém equilibrado.' Minha ex-sogra, a vice-presidente, acrescentou ter ouvido a filha comentar que Kogito, apesar de esquerdista, era bem-humorado. O professor Musumi virou em minha direção o rosto realmente magnífico, com ares de quem não se importava em absoluto com esse comentário."

A fita no Tagame continuou a rodar, mas Goro permaneceu em silêncio. Kogito não pensou em indagar o que Goro havia dito. Mesmo que fosse um diálogo real, o amigo certamente teria se calado e ignorado a pergunta. Embora não pudesse dizer que o comentário da esposa do professor Musumi estivesse incorreto, Kogito se mantinha vivo havia um bom tempo.

Kogito não pensou em saber a opinião de Goro sobre suicídios. Achou que perguntar algo semelhante iria infringir as regras do Tagame, uma vez que o amigo já havia se suicidado.

Depois da pausa, a voz do amigo se fez de novo ouvir dizendo em tom despreocupado algo que, por sua vez, infringiria as regras do Tagame.

— Esse assunto deve levá-lo à exaustão. No mundo no qual você vive e na sua idade, deve estar cansado na maior parte do tempo! Bem, esta noite, vamos terminar por aqui!

2

Taruto, o responsável pela produção dos filmes, divulgou duas cartas mortuárias de Goro, escritas em um processador de texto ou um microcomputador com maior número de funções, máquinas que Kogito desconhecia. Além disso, mostrou uma terceira carta apenas a ele, que a partir de então passou a refletir com frequência sobre uma sentença nela contida: "Estou abatido em todos os sentidos." Era incapaz de se convencer com essa autocrítica de Goro.

Goro havia sido um jovem de real beleza e continuava a ser um homem atraente ao entrar na casa dos cinquenta, apesar de seus cabelos terem se tornado finos e esparsos; também era ciente de como se apresentar com a aparência e a postura apropriadas a sua idade. Kogito nunca havia pensado que Goro pudesse ser visto pelas pessoas como alguém abatido.

Uma única vez Kogito acreditou ter visto isso acontecer. Só se recordou do caso após pensar bastante, aproveitando o tempo livre de sua vida solitária. Quando ainda era ator, Goro se apresentou em um programa de TV transmitido bem tarde da noite, criado com a suposta proposta de fornecer informações culturais. Participava também no programa um compositor, dono de amplo círculo de amizades na cena social parisiense, apesar do pouco tempo que havia passado estudando na Europa. O compositor trajava um *smoking* produzido sob encomenda em Paris enquanto Goro vestia um longo casaco de gola Mao e design próprio, costurado por um alfaiate especializado em roupas ocidentais, e cujo lustroso carmesim resplandecia contra o fundo em cetim negro. Os dois convidados pareciam dominar o estúdio antes de o programa iniciar.

Goro e o compositor conversaram por um tempo enquanto bebiam champanhe, para logo em seguida se juntar a eles um escritor, também trajando *smoking* e segurando um copo de espumante. O escritor tinha opiniões bem formadas sobre a cultura e os costumes europeus, em particular sobre gastronomia; apesar de conversar com jeito animado, Kogito o conhecia o suficiente para saber que possuía um temperamento fechado, bem diferente dessa aparência externa. Era uma pessoa difícil, ressentida por não receber dos meios de comunicação e do mundo cultural internacional tratamento "à altura" de seu talento e perspicácia, como tinha o hábito de se referir.

O escritor se irritava, insatisfeito com sua incapacidade em dar um "sabor" peculiar, entre o compositor e o ator de cinema, no debate sobre a Europa. Era evidente a perplexidade se espalhando pela fisionomia do conhecido apresentador do *Wide Show*. Como se procurando salvar a situação, um breve filme especial sobre a Europa foi inserido, seguido de um quadro com os comentários de um historiador e um antropólogo, para só então reaparecerem na tela da televisão o compositor, o escritor e Goro. Nesse momento, porém, Goro mostrava visível cansaço e maior embriaguez. Com uma maneira de se expressar um tanto feminina, criticou o mundo cinematográfico japonês por não o compreender, com a parte superior do corpo balançando e a nuca batendo contra o espaldar da cadeira. Kogito não suportou ver a cena e desligou a televisão. Posteriormente, soube que na época o cunhado sofria com a questão do divórcio de Katsuko...

Mas era raro Goro exibir uma condição de abatimento. Quando foi atacado pelos dois yakuzas e sua vida ficou literalmente por um fio, precisava de tratamento de urgência devido aos vários ferimentos, e as câmeras de TV o registraram sendo carregado de maca para o hospital. Mesmo nesse momento, ele não estava abatido. As imagens exibiam alguém em um estado semelhante ao de euforia.

    Naquele período, Kogito se encontrava nos Estados Unidos — Chikashi havia escrito em algum lugar que, pelo fato de o marido não estar presente, pudera cuidar com mais liberdade do irmão — e assistiu à notícia não em um canal a cabo destinado aos japoneses, mas a partir das sete da noite na CBC de Los Angeles, um canal de televisão de rede nacional. Após voltar ao Japão, leu um artigo com comentários informais de um dos gêmeos apresentadores de um programa de TV, conhecidos pelas fofocas ditas em um jeito comum aos homossexuais, no qual sugeria que o ataque não passava de uma encenação bem montada. Por via das dúvidas, Kogito viu esse mesmo apresentador quando apareceu num longo programa voltado para o público feminino e se sentiu oprimido por algo desolador e cruel que brotava do interior dessa pessoa. A dolorosa ideia de que Goro trabalhava em um mundo próximo a esse tipo de lastimável "guerreiro" levou Kogito a sentir raiva daquelas palavras. O amigo sempre havia se mantido vitorioso nesse "ramo", jamais se deixando abater, mesmo após o ataque dos yakuzas e o processo judicial.

    Em uma das fitas cassete gravadas e deixadas para o Tagame, Goro elogiava um longo ensaio de Kogito, escrito quando ainda era jovem, intitulado "Essa coisa frágil denominada ser humano". Goro avaliava o rumo da vida de Kogito ao se opor a ser destruído ou abatido, não se deixando sucumbir a nada, reparando aquilo que foi despedaçado. Kogito ouviu a fita repetidas vezes comparando-a à inesperada autocrítica contida na carta póstuma em que Goro admitia estar abatido. A primeira vez foi logo após a chegada das trinta fitas e o começo dos diálogos pelo Tagame, e o teor das palavras possuía um vigor e uma força que faziam supor terem sido proferidas ao cabo de prolongada reflexão.

Goro falava de maneira direta sobre Akari.

— Quando você publicou "Essa coisa frágil denominada ser humano" por intuição pensei em criar um filme intitulado *O homem indestrutível*. Lembra que eu disse isso? Recordo até mesmo sua fisionomia amuada. Vendo a etiqueta de *Fragile* colada às bagagens nos aeroportos, mais no exterior do que no Japão, imaginei como seria tê-la pregada nas minhas costas. Sabia que o filme começaria com essa cena. A razão, no entanto, de me opor ao ensaio estava no fato dessa fragilidade ser exatamente um humanismo trivial. "Estaria ele impregnado de humanitarismo?" Senti uma vulgaridade do tipo que você não costumava aceitar.

"De início, pensei então em fazer os espectadores sentirem a fragilidade e a vulnerabilidade humanas, a ponto de se enfadar, registradas pela câmera por meio de detalhes reais do corpo. Depois, o filme contaria a história do protagonista, de força sobre-humana e tornado imortal devido a algum processo desconhecido. Seria um *Harold, neto mimado*[1] da era materialista…

"Desnecessário dizer que, desde os seus primórdios, o gênero cinematográfico retratou o homem invencível. Ao verem esse tipo de heróis, os espectadores se esquecem da própria fragilidade. É um mecanismo simples de efeito catártico. Claro que há muitas

---

1. *Grandma's Boy*, filme de 1922, estrelado pelo comediante Harold Lloyd. [N.T.]

pessoas frágeis em papéis secundários, mortas pelo super-herói imortal. Porém, não passam de símbolos visuais. Por exemplo, não há cenas mostrando compaixão, enfatizando o sofrimento pela morte de um dos personagens secundários. Experimente fazer isso e verá ocorrer com frequência a inversão entre os papéis de herói e personagem coadjuvante. Por um lado, o herói é filmado girando várias vezes a pistola antes de repô-la no coldre; por outro, tente imaginar o ator secundário mostrando sua ferida como um 'efeito alienatório', como você costuma chamar.

"Entendi aquele livro dessa forma, mas a convivência com Akari, que o inspirou a escrever 'Essa coisa frágil denominada ser humano', o fez levar suas vidas adiante. E por fim você reparou Akari, nascido como um ser 'quebrado'. Você o equipou para se tornar uma pessoa apta a atuar, não obstante sua deficiência. Quando ouço música junto com ele, fico admirado de existir um jovem com tão profundos conhecimentos. E ele compõe belos acordes e melodias, como eu jamais seria capaz! Assim, você refez Akari, que na realidade estava quebrado. É óbvio que Chikashi também trabalhou muito. Eu os admiro sinceramente. Quando Akari nasceu, fui visitá-lo no hospital e lamentei o futuro sombrio de minha irmã e o sofrimento pelo qual você passava. Ao pôr de lado a existência de Akari, você evitou que sua conscientização em 'Essa coisa frágil denominada ser humano' se tornasse uma vulgarização sentimentaloide. Creio nisso. Para ser sincero, não acho que, ainda jovem, você tenha escrito o livro prevendo que Akari se tornaria o que é hoje. Sem estabelecer esse tipo de cálculo e lutando com tenacidade, ele acabou sendo reparado para se tornar essa pessoa cativante. Não é, portanto, natural que eu sinta admiração sincera por vocês?

A SUBSTITUIÇÃO OU AS REGRAS DO TAGAME

"Interpretei o que li como um sinal proveniente de algo superior ao ser humano. Considero adequado pôr dessa maneira. Sei que soa um pouco como filme de ficção científica, mas, com a proximidade do final do milênio, não estariam muitos sinais cósmicos vindo se concentrar em nosso planeta? Por momentos, penso assim. Deve ter sido do mesmo modo quando do nascimento de Jesus Cristo! A cada fim de milênio, não estaria sendo atribuída à Terra a possibilidade de salvação de todo o universo? Lógico que os sinais se transformam em códigos secretos, descendo e se espalhando por vários locais do mundo. Se pudéssemos entender uma determinada quantidade desses códigos, a humanidade por certo conseguiria inteligência necessária para dar suporte ao universo inteiro.

"E o que você e Chikashi fizeram é um exemplo de notável sucesso de decifração desses códigos secretos. O CD de Akari estar no momento sendo bem recebido em todo o mundo representa a aceitação da música como sinais decifrados. Se você sentir resistência à expressão 'decifração de códigos secretos', podemos entender assim: você e Chikashi repararam uma máquina quebrada e despedaçada que, após longa viagem pelo cosmos, chegou a nosso planeta, e vocês a puseram para funcionar. E, ainda por cima, de forma perfeita!"

Pelas vozes e sons ouvidos ao fundo, Kogito supôs que, em vez da sala do escritório, a gravação dessa fita cassete teria sido realizada no quarto particular de Goro no hospital. Refletiu também se não teria sido gravada pouco antes ou depois de Goro se recuperar dos ferimentos externos do esfaqueamento pelos yakuzas. Na época, Chikashi voltava do hospital deprimida porque um dos dedos de que Goro necessitava para tocar guitarra não se movia, por alguma circunstância relacionada à rede neural, devido à punhalada no pescoço, e imaginava que isso se tornaria um sofrimento para o irmão no processo de tratamento dali em diante.

Enquanto Goro elogiava o trabalho incansável de Kogito e Chikashi em terem consertado com perfeição o ferimento de Akari — a parte quebrada —, na realidade não estaria ele recorrendo a Kogito em benefício próprio? Embora não se tratasse de nada que pusesse sua vida em risco, sendo um homem já passando da meia-idade cujas partes importantes do corpo haviam sido "quebradas" e não apresentavam previsão de conserto, não teria Goro por esse motivo entabulado aquele longo discurso sobre Akari?

Abatido psicologicamente não só pelos danos físicos da violência insensata e disparatada dos yakuzas, como também pelo grande incidente em si, não estaria Goro refletindo sobre como restaurar a si próprio, tentando enviar a Kogito sinais inquisitivos?

Depois daquilo, Goro deveria continuar carregando os efeitos reais do sofrimento e do pavor do momento em que fora atacado pelos dois yakuzas, além do vago incômodo que se seguiu. Ele, porém, nunca comentou o fato...

Havia tempos, Kogito escrevera um romance curto sobre um jovem japonês trabalhando no embarcadouro de um grande rio em Uganda. Quando ocorre o acidente em que é mordido por um hipopótamo — seu tronco permanece preso na horizontal na boca do animal —, Kogito apresentava também o testemunho de um jovem exemplar, capaz apenas de gemer de dor. Sobre isso, Goro comentaria:

— As palavras expressavam bem o que ele sentia naquele momento.

Na ocasião — no estúdio onde Goro filmava *A Quiet Life* [Uma vida tranquila] baseado no romance de Kogito —, ambos se calaram, desviando o olhar um do outro. Obviamente, os dois admitiam recordar o horrível incidente do ataque dos yakuzas.

3

— Dia desses, recebi uma ligação de um jornalista autônomo, um tipo de aspecto estranho e sombrio que, por justamente estar ciente disso, tentava mostrar exagerada afabilidade. Disse que desejava realizar uma matéria comigo relacionada a um antigo romance que você escreveu sobre o assassinato de um jovem direitista. Acredita que já havia definido o título do artigo como "A hipocrisia política e a covarde vida privada de Kogito Choko"? Informou que seria publicado em uma dessas populares revistas de atualidades, comuns nesses últimos tempos. Afirmou também que um crítico conservador famoso e um cineasta internacional já haviam feito comentários sobre o jovem Kogito. Estaria ele se referindo a Uto e Mogusa? A intenção dele era me perguntar sobre suas falhas de caráter, Kogito. Explicou ainda que, doravante, e até que você confronte as facções de direita, ele o manterá sob rédeas curtas. O que me diz disso?

Essa conversa não se deu via Tagame, mas por uma ligação direta recebida de Goro.

— O que eu deveria dizer? Aceitar ou não depende do seu estado de espírito — respondeu Kogito com indiferença. — Para um jovem jornalista, a década de 1960 é uma antiguidade esquecida. Estaria ele tentando desenterrar aquele incidente por algum motivo?

— A princípio, me mostrei interessado pelo que ele tinha a dizer e pedi que viesse ao escritório da produtora — declarou Goro ao telefonar dias depois. — Mas quando o vi em pessoa... Lembra-se de Arimatsu, de Matchama, um rapaz de compleição grande, cabelos encrespados, mandão ao extremo? Pois Arimatsu seria um modelo vivo dele, caso houvesse passado pelos sofrimentos de um foca no mundo do jornalismo. Como eu o havia convidado ao escritório, parecia estar muito convencido de estar tudo correndo conforme planejara. Sabe-se lá o motivo, mas ele cismou que odeio você e, sendo assim, estava seguro de que eu precisava dele mais que tudo na vida. Sentou-se bem à vontade e, quando eu saía para uma reunião com o pessoal do escritório em um restaurante italiano das redondezas, fez menção de me acompanhar. Decidi pôr um ponto-final no caso e acabei lhe dizendo "bem, por hoje ficamos por aqui, meu caro Arimatsu". Mas ele replicou que, aproveitando que um cineasta como eu o chamara dessa forma, adotaria o novo pseudônimo. E, ainda por cima, me indagou qual nome próprio deveria usar. "Que acha de Arimi?", propus. "É perfeito!", exclamou e partiu exultante.

Algum tempo depois, Chikashi contou a Kogito — embora não fosse esse o tema da conversa — que ela também tivera a oportunidade de conhecer Arimi Arimatsu. Quando levou ao escritório da produtora as partituras de Akari, material para o filme *A Quiet Life* idealizado por Goro, Arimatsu estava lá. Goro não a apresentou ao jornalista, mas, conforme a conversa dos dois avançava, Arimatsu intuiu que se tratava da esposa de Kogito e de súbito veio se intrometer.

"É desnecessário dizer como são lindas as músicas do CD de Akari..." Após lançar o tema com certa reticência — pensando bem agora, talvez estivesse cauteloso para não se comprometer em relação à crítica ao CD —, usando uma maneira de falar que aparentava embutir um sentido oculto, acrescentou que um compositor e ator japonês residente em Nova York teria dito a um interlocutor, considerado um herói cultural de alto prestígio, que não suportava que a música de um deficiente mental fosse impingida sob a égide do politicamente correto. Não havia como Chikashi revidar, pois Arimatsu havia falado mantendo o corpo em um ângulo incerto, nem voltado para ela, nem para Goro.

— E qual é a sua opinião? — perguntou Goro sem poder se conter.

O jornalista, porém, limitou-se a responder com entusiasmo:

— Sou apenas um aluno de categoria inferior, sem nenhuma relação com o politicamente correto ou o novo academicismo. Sou Arimatsu!

Kogito achou engraçado e comentou com Chikashi:

— Você se lembra do personagem de um antigo desenho animado de Fujio Akatsuka, com jeito dos antigos serventes das escolas primárias? Ele era um pinheiro antes de se transformar em ser humano e, quando falava, costumava trocar as formas verbais afirmativas terminadas em *masu* por *matsu* [pinheiro]! Era divertido. Pelo visto, há um homem usando o mesmo estilo.

Ao que Chikashi revidou:

— Não é isso. Arimatsu parece ter adotado esse jeito de falar desde que começou a usar o pseudônimo.

Kogito se desanimou ao recordar pela primeira vez o texto que o urgia a publicar o *Morte de um jovem político*, caso desejasse continuar a falar sobre assuntos de cunho progressista, escrito sob o mesmo pseudônimo e não publicado por medo de possíveis represálias por parte de elementos de direita.

Nesse dia, Goro convidou Chikashi a um restaurante de sushi no Hotel Okura, acompanhados de Taruto, do escritório da produtora, e de Umeko. Ali quase ocorreu um incidente que, por sorte, acabou não se concretizando.

O restaurante no hotel era a filial de um estabelecimento situado em Ginza e, de início, o grupo recebeu a usual acolhida dispensada às pessoas conhecidas, destinando-o aos quatro assentos a partir da direita do balcão. Pediram cerveja e saquê, e limpavam as mãos em uma pequena toalha quente e umedecida que havia sido trazida, quando ouviram um barulho às costas. Os seis clientes sentados à esquerda a partir do assento de Taruto, levantaram e se transferiram para a mesa detrás.

Chikashi externou despreocupada sua suposição:

— Teria chegado alguém da casa imperial?

Eles haviam comido apenas alguns sushis quando repararam que os *sushimen* do outro lado do balcão movimentavam o corpo de uma forma não natural. Um homem aparentando ser o responsável por todos os restaurantes do andar apareceu e, desculpando-se, pediu a Taruto que o grupo cedesse os lugares no balcão, passando para outra mesa. Sem dar tempo ao desconfiado Taruto de perguntar o motivo, Goro revidou em voz um pouco mais baixa do que a usual:

— Não, nós temos uma reserva de uma hora. Chegamos há menos de cinco minutos e vamos continuar nossa refeição aqui mesmo.

De qualquer forma, os assentos vazios no balcão foram preenchidos por grandalhões taciturnos. Chikashi reclamou mais tarde com Kogito que, por não tomar bebidas alcoólicas, tinha sido difícil suportar tanto tempo no balcão do restaurante de sushi, tendo comido mais do que devia. Quando saíram do estabelecimento, apesar de no interior haver muitos assentos livres, vários homens de meia-idade se alinhavam no corredor com as costas contra a parede, em ternos pretos, com agilidade nos modos, apesar de fortes e austeros.

Quando o grupo ficou a sós no elevador, Umeko explicou com um sorriso no rosto sério e sombrio pelo cansaço:

— Vocês notaram um homem de óculos de sol muito escuros, sentado bem no meio dos que chegaram depois de nós expulsando os clientes do balcão? Ele é o chefão do grupo mafioso. Apesar de estarmos com um processo contra ele, a obstinação de Goro me fez sentir mais morta do que viva.

— Se Goro tivesse deixado o assento, você o teria acompanhado? — questionou Chikashi.

— Depois de uma hora e meia pregada no balcão, vou precisar de uma semana de dieta — foi a resposta vaga de Umeko.

Embora Goro não pretendesse aceitar entrevistas de repórteres sobre esse incidente que poderia ter tomado perigosas proporções, a história apareceu em uma revista de atualidades de grande circulação, certamente por obra e graça de Arimi Arimatsu — conforme apelidado por Goro —, que devia ter ouvido no escritório da produtora alguém inadvertidamente comentar sobre ela. Kogito, calejado em receber ameaças de forças coletivas, suspeitou que um artigo do gênero almejava estimular não apenas o alto escalão do grupo criminoso, como também os jovens membros ativos da organização. No artigo, eram formuladas novas críticas à maneira como Kogito procurava "se esquivar" de ataques de facções direitistas, concluindo que ele deveria mirar a coragem do cunhado que não temia ser apunhalado de novo.

Ao mesmo tempo que transmitiu a Goro as impressões de Kogito, Chikashi também afirmou que, a seu ver, aquele artigo havia sido escrito por alguém que esperava que um incidente realmente ocorresse, ao que Goro replicou:

— De fato, eles estão ávidos para que algo aconteça. Aquele famoso jornalista que há anos tem criticado Kogito escreveu uma coluna bem-humorada intitulada "Caros amigos direitistas", ou algo que o valha, em uma revista semanal de uma editora de jornais diferente daquela para a qual trabalha. Afirmou que, devido aos casamentos com plebeus, o sangue puro da família imperial tornava-se cada vez mais raro, provocando os leitores ao perguntar se seria possível que assistissem a isso calados. Indagava de maneira explícita o que fariam se a nova princesa, provinda da plebe, engravidasse. Se algum caro amigo direitista levasse o assunto a sério, não seria possível que cometesse algum ato terrorista para evitar o nascimento da criança? Esse tipo de jornalista, "defensor das grandes causas morais", teria realmente tanta capacidade imaginativa?

4

Certo dia, Kogito recebeu uma ligação inesperada de Goro que não lhe telefonava havia tempos. Dizia que desejava vê-lo para conversarem sobre algo relacionado à vida social. Desta vez, não escolheu o restaurante italiano próximo ao prédio de seu escritório, bastante frequentado por ele, palco das fotos dos *paparazzi* publicadas em uma revista semanal.

De sua parte, Kogito pretendia apresentar ao amigo um estudante do grupo de pesquisas sobre cinema da Universidade de Chicago que havia conhecido quando proferira uma palestra em homenagem ao centenário da entidade e que viera ao Japão para entrevistar Goro. Talvez tenha sido essa a razão para optar por um lugar mais refinado, pois nessas situações sempre procurava atender aos pedidos de entrevista de forma séria. O local escolhido foi um *coffee lounge* a um canto do saguão do Hotel Imperial; quando Kogito chegou, Goro já conversava em um inglês muito fluente com Oliver, da Universidade de Chicago. Ao ser abordado por Goro em inglês, o rapaz não deve ter tido coragem para responder em japonês, apesar de possuir ótimo domínio do idioma. Kogito sugeriu que, a partir daquele ponto, passassem a falar em japonês.

Goro desejava consultar Kogito sobre o lançamento em vídeo, já mais do que em tempo, de seu filme cujo tema era a violência dos grupos yakuzas aos cidadãos comuns. Temia que a obra criasse problemas com os responsáveis pelo incidente do qual fora vítima e que, algum tempo antes, tinha levado aos tribunais. Embora o filme não tratasse em particular desse grupo que enviara assassinos profissionais contra ele, havia um movimento para suspender o lançamento do vídeo que, até certo ponto, contava com a real participação de associações mafiosas de pequeno e grande portes. A situação havia chegado a um nível tal que a polícia da jurisdição competente considerava o reinício da proteção pessoal a Goro e Umeko.

Por outro lado, tramitava contra Goro mais um processo relacionado à versão em vídeo de um filme. Kogito se lembrava de quando Goro, com sua mania de mentor devotado, certa vez produziu um filme usando um jovem diretor talentoso. Era um plano fadado ao fracasso, pois o setor amargava uma recessão duradoura, com todas as produtoras independentes lideradas por famosos cineastas no prejuízo e as grandes empresas cinematográficas, com poucas exceções, com dificuldades para apresentar lucros.

Goro estava ciente de que, a princípio, teria prejuízo com a exibição nas salas de cinema e imaginou que recuperaria o investimento com as vendas em vídeo. Umeko teve participação especial no filme, e o próprio Goro orientou constantemente o trabalho de criação do jovem diretor, possível causa do complexo estado mental do rapaz. Kogito apenas especulava, não habituado a esse tipo de relacionamento entre professor e aluno no mundo literário. Taruto informou ao jovem diretor, embora apenas verbalmente, que ele não teria participação na receita proveniente da venda dos vídeos.

Todavia, quando o vídeo foi lançado, o jovem diretor abriu um processo por não pagamento dos valores referentes à obra. A associação de diretores o apoiou em peso, e Goro foi se isolando no mundo cinematográfico na medida em que o processo começou a pender para a vitória de sua produtora.

— As mesmas pessoas que argumentavam com força na mídia e colhiam assinaturas em apoio ao autor daquele processo agora reúnem assinaturas em prol do lançamento do vídeo, alvo da oposição dos yakuzas. Recebi essas informações do tal jornalista Arimatsu. Exatamente os mesmos diretores, atores, atrizes e críticos de cinema que se juntaram às vozes bradando contra mim agora assinam a meu favor. Que consistência pode haver nisso? Mas se esse movimento tem lógica, não tenho o direito de recusar o apoio deles…

Ouvindo isso, Kogito compreendeu de imediato que, embora com o passar dos anos Goro tivesse se tornado cínico, a essencial bondade infantil que restava em seu temperamento o levava a interpretar as informações de maneira equivocada.

— Se os representantes da associação de diretores atuam para angariar assinaturas e preparar um novo comunicado, isso é justamente o oposto de seu entendimento. Arimatsu deve ter lhe passado informações erradas de propósito.

"A meu ver, eles esperam que vários grupos mafiosos enviem assassinos profissionais yakuzas para ameaçá-lo e, assim, suspender a venda do filme em vídeo. Supõem que você perderá a coragem e será vencido. Quando virem que a produção do vídeo foi suspensa, por certo irão denunciar que sua autocensura põe em risco a liberdade de expressão no mundo cinematográfico. É o mesmo padrão adotado na denúncia de Arimatsu sobre mim.

"Quando você foi apunhalado pelos yakuzas, a associação de diretores não organizou nenhuma manifestação de protesto. Em contrapartida, os amigos de Oliver, aqui conosco, procuraram realizar atos de protesto dos dois lados do Oceano Pacífico… Assim como naquela época, a associação não tem nenhuma intenção de enfrentar os yakuzas por você!

"Você deve levar adiante o lançamento do vídeo como planejado. É óbvio que você e Umeko precisam buscar proteção policial..."

— Quando do incidente da *Morte de um jovem político*, soube que nem a associação de escritores, nem o Pen Club — muito menos a polícia — lhe prestaram real apoio, não foi? Chikashi ficou mortificada ao ler em um comentário de jornal que, apesar de dizer coisas admiráveis, em um momento decisivo, você se revelava protegido pelo poder público. Mas ela comentou que você achava que, ao contrário, isso teria o efeito de conter elementos de extrema direita...

— Você foi apunhalado de verdade por yakuzas e está lutando nos tribunais contra um grupo que os apoia. Isso implica um perigo concreto, e o impacto em enfurecê-los difere completamente no caso de literatura pura e um filme de sucesso.

Nesse ínterim, Oliver, que com aspecto inquieto ouvia de lado a conversa entre Kogito e Goro, tomou a decisão de se intrometer. Deve ter sido motivado também pelo fato de pouco antes Kogito haver comentado sobre os amigos da Universidade de Chicago.

— Para vir até aqui, saltei na estação Hibiya, conforme Kogito havia me ensinado e, ao subir as escadas, notei, estacionado um pouco afastado, um caminhão com propaganda de facções direitistas. Mesmo que por qualquer outro motivo estivessem espionando do assento do motorista a entrada e a saída do hotel, não o teriam identificado ao entrar? Embora talvez não fosse o objetivo original, não lhes teria ocorrido a ideia de comunicar a você a intenção deles?

"Sinto como se tivessem entrado no saguão e nos espionassem. Não olhem na direção deles, por favor... Vestem calças cáqui e camisas coloridas. Destoam das pessoas deste hotel, não? Não teriam apenas tirado no veículo o casaco do uniforme de guerra?

— Não vejo ninguém com jeito de direitista (no momento em que Kogito disse isso, entraram em seu campo de visão quatro homens de pernas arqueadas e vestindo ternos negros que desciam com evidente vagar as escadas do mezanino, de onde tinham uma vista privilegiada)... Pelo contrário, estou mais preocupado com outro tipo de cavalheiros.

Goro parecia não prestar atenção desde que o jovem Oliver se pusera a falar, inclusive durante as palavras posteriores ditas por Kogito. Calado, levantou-se virando o grande corpo em direção aos clientes que transitavam pelo saguão e despiu seu longo casaco. Vestia um colete de sarja e uma camisa de seda sob o terno, e se manteve de pé — como atores chamados ao palco para receber os aplausos, mostrava a atitude como se todos os olhares se voltassem para ele — exibindo um sorriso neutro, não dirigido a ninguém em particular. De imediato, uma multidão se aglomerou no saguão, separada pelos vasos de plantas ornamentais alinhados diante do *coffee lounge*.

Com langor, Goro curvou de novo o corpo e segurando debaixo do braço o casaco, sugeriu a Kogito e ao jovem Oliver:

— Vamos mudar de lugar para podermos conversar com calma. Resta-me uma hora até o próximo compromisso!

Enquanto cruzava o saguão em direção à saída para a praça de frente ao palácio imperial, Goro era alvo dos olhares do público em clima nada propenso ao bloqueio de sua passagem, fosse pelos homens vindos do caminhão de propaganda direitista, fosse pelo grupo de yakuzas.

O jovem da Universidade de Chicago acompanhou Goro com boa disposição, enquanto Kogito foi pagar a conta no caixa. Um grupo de três ou quatro pessoas, sentadas de costas para a mesa deles, ouvira a conversa e uma jovem lhe perguntou:

— Choko, vai fugir?

Ao lado dela, estava sentado um homem que, pela convincente descrição de Goro, só podia ser Arimatsu.

5

Quando Goro foi apunhalado pelos yakuzas que vieram a Tóquio na missão terrorista designada por um grupo do crime organizado com base na região de Kansai, Kogito estava nos Estados Unidos para a festa de centenário da Universidade de Chicago, convidado pelo Departamento de Estudos Asiáticos. A palestra de Kogito ocorreu pela manhã e, à tarde, estava programada uma mesa-redonda com os pesquisadores anfitriões. Durante o intervalo para almoço, Kogito foi até a biblioteca da universidade para sanar uma dúvida surgida durante a sessão de perguntas e respostas da palestra. Apesar da jovial energia, Oliver e outros estudantes do grupo de pesquisadores de cinema vieram até ele com ar solene de contida emoção para transmitir a notícia do incidente com Goro que haviam acabado de saber pela TV.

A SUBSTITUIÇÃO OU AS REGRAS DO TAGAME

Kogito foi cercado pelos estudantes e, após ter respondido a algumas de suas perguntas, permaneceu em silêncio. Também eles se calaram, como se desejassem lhe dar um tempo para digerir o choque. Apenas quando se afastou das estantes de livros e saía para o saguão, foi informado de que estudantes e pessoas do meio cinematográfico em Tóquio já deviam estar preparando uma manifestação de protesto. Se Kogito pudesse lhes confirmar data e horário, organizariam grupos estudantis em Chicago para participar, levando em conta a diferença de catorze horas do fuso horário. Queriam anunciar um plano ainda no decorrer do dia.

Recusando a proposta dos estudantes, Kogito explicou sua posição e os alertou de que, estando afastado de Tóquio, poderia estar errado:

— O mundo do cinema japonês é dominado no momento por diretores de uma certa idade, da mesma geração ou da geração anterior à de Goro, que não deverão considerar esse incidente como um ato terrorista contra a indústria cinematográfica japonesa. Devem tratar o caso como um mero infortúnio pessoal de Goro. Em resumo, protestos por parte de pessoas do meio cinematográfico são improváveis; creio faltar aos estudantes japoneses vitalidade para realizar manifestações, e eles não devem entender o incidente como uma ameaça à sociedade ou à cultura.

No dia seguinte, Kogito partiu de Chicago e, durante a viagem de volta ao Japão, com paradas para palestras na Ucla e em uma universidade no Havaí, viu suas previsões se confirmarem por completo ao ler um jornal japonês a que teve acesso.

Nos hotéis, pôde ver várias vezes nos noticiários da TV imagens sobre o incidente transmitidas do Japão para o exterior.

Em uma delas, viu Goro deitado em uma maca com a cabeça envolta em gaze, mais parecendo uma espécie de gorro de natação. A forma de efetuar a bandagem sobre os ferimentos tratados deveria ser comum nos hospitais, mas Goro aparentava, como sempre, introduzir uma maneira mais *fashion*, e a cena possuía um tom realmente positivo, com ele fazendo o sinal de V com os dedos para os jornalistas que o cercavam.

Não se tratava de uma situação na qual havia sido a parte passiva, mas, sim, provocada por seus dinâmicos atos expressivos, sugerindo a continuidade da luta contra os yakuzas. Kogito entendeu desse modo as palavras de Goro. O pessoal das redes de TV norte-americanas aceitou essa mensagem e veiculou a notícia como destaque da noite, mas como teria sido no Japão?

Kogito imaginou com pesar que os mundos televisivo e cinematográfico japoneses entenderiam o incidente como uma encenação exagerada de Goro.

Na cena posterior, Goro aparecia sendo carregado de maca, e, um pouco atrás dos jornalistas que o acompanhavam, as câmeras mantinham o foco em Umeko, de ar completamente exaurido, e Chikashi, no papel de sua protetora. Seu mau humor era visível, mas antes mostrava dignidade e inquietude. Ela estava ali para proteger com unhas e dentes o irmão ferido e, parecendo julgar ingênuas sua atitude e palavras exaltadas, preocupava-se com os desfavoráveis comentários sentimentaloides que seriam acrescentados pelos repórteres às imagens gravadas...

Kogito não se esquecia de quando seu irmão menor, em uma de suas raras vindas a Tóquio, após a morte de Goro, mostrara profunda comoção pela tragédia com os yakuzas e apresentara seus sentimentos a Chikashi de uma forma que beirava a ternura.

No passado, o irmão olhou calado e de soslaio para Goro quando Kogito o levou pela primeira vez em casa. Depois de se formar no ensino médio, ele ingressou na polícia, ocupando por muitos anos a função de detetive encarregado da unidade de crimes violentos. Não tinha intenção de prestar os exames necessários para subir na hierarquia dentro da polícia — Kogito sentia nisso certa crítica a ele, que havia se graduado pela Faculdade de Letras da Universidade de Tóquio, vista pelo público em geral como equivalente à renomada Faculdade de Direito —, e seu plano de vida parecia ser se aposentar com o mesmo cargo de detetive.

Toda a família o chamava com muito respeito e estima de tio Chu, e, apesar de ser um homem valente, ao falar sobre o ataque dos yakuzas a Goro, exibiu uma fisionomia que denotava pavor e sofrimento.

— As pessoas que recorrem a yakuzas… bem, a questão em si é bem complexa, uma vez que quem busca lá pode sair tosquiado… se me permite usar termos aos quais não estou acostumado; mas nem preciso falar sobre a desagradável atitude das pessoas nos mais altos níveis da estrutura que mantém os yakuzas como sua base, e você, Kogito, tem experiência com políticos famosos, certo?

"Além deles, há na realidade vários outros fazendo o trabalho sujo sob suas ordens, fora da estrutura que engloba os yakuzas!

"A meu ver, no ramo de Goro há seres piores do que esses subcontratados dos yakuzas, eles produzem filmes enaltecendo os mafiosos, e, como se não bastasse, seu desempenho ainda serve de fonte de recursos financeiros. Acho que valeria a pena ter um filme protagonizado por Ken Takakura contando como Goro, por meio de suas obras cinematográficas, enfrentou os grupos mafiosos. Isso se Chikashi encontrar um jovem diretor de reconhecido talento e coragem, e ela não se opuser a ter Takakura no papel de Goro...

Kogito decidiu perguntar ao tio Chu algo que havia tempos ruminava:

— Minhas conversas com Goro sobre a experiência de ser atacado pelos yakuzas se limitaram a um nível objetivo. Em tom de brincadeira, citei o exemplo de um jovem que foi abocanhado por um hipopótamo na África. Não tive coragem de abordar o assunto com seriedade. Na medida do possível, tento imaginar o que se passava no interior de Goro, mas continuando sem entender o mais importante. É como me sinto. E terminarei sem jamais compreender o motivo que o levou a se suicidar. Quando digo "terminarei", significa que, um dia, eu morrerei sem saber.

— Você acredita que o suicídio de Goro esteja ligado ao fato de ter sido apunhalado pelos yakuzas? — replicou tio Chu com uma voz que no fundo revelava algo de sombrio e frio se agitando sob a usual e serena obstinação. Kogito ficou com a impressão de ver pela primeira vez no irmão essa expressão, natural em um policial atuando toda a vida contra o crime organizado.

O questionamento era de um profissional, alguém diferente do tio Chu que, enquanto cumprimentava Chikashi depois de muito tempo sem vê-la, elogiava a postura de dignidade nas mesmas imagens de TV que Kogito vira quando estava no Havaí. Prevendo que tio Chu já tivesse uma resposta formada dentro de si, Kogito apenas assentiu com a cabeça à pergunta, esperando que prosseguisse.

— Eu também creio que ter sido esfaqueado pelos yakuzas foi a causa direta do suicídio de Goro. Como ele mantinha a sede de sua produtora em Matsuyama, no âmbito de minhas funções pude conversar com o responsável pela investigação das circunstâncias do caso.

"À parte isso, graças à coleta de material para um de seus filmes, Goro conheceu o alto escalão da Secretaria de Polícia. Fui informado de que quando um desses oficiais estava internado, vítima de um ataque terrorista de um grupo religioso, Goro lhe enviou de presente um CD de Akari. Pouco depois, em função de ele próprio haver sido esfaqueado pelos yakuzas, Goro propôs uma conversa a ser publicada na revista literária *Bungei Shunjun*, mas que foi recusada pelo oficial. Avalio que tenha sido a conduta mais adequada... Esse homem parece ter escrito uma carta a alguém, mencionando acreditar que Goro era uma pessoa muito ingênua, mas com firmeza de caráter, íntegro e decidido a não se curvar diante da violência. Disseram-me não restar dúvida sobre o teor da carta. Esse oficial era um dos chefes da polícia, um homem forte, havia tido essa experiência com o terrorismo, mas conseguiu superá-la e foi encarregado de um trabalho de responsabilidade no Ministério das Relações Exteriores ou outro órgão similar. Pois esse homem chamou Goro de 'muito *naïf*'. Os formados da Universidade de Tóquio usam palavras estrangeiras como essa, e se formos fiéis à origem da palavra, *naïf* não tem uma conotação muito boa. Estou errado?

"Contudo, quem avaliou que Goro tinha 'firmeza de caráter' e era 'íntegro' enfrentou ele mesmo uma ação terrorista. A meu ver, é uma avaliação notável. Não esqueço até hoje. Esse oficial, no entanto, suicidou-se como se algo simplesmente se partisse em dois. Mesmo assim... desculpe ser repetitivo, mas, no que se refere a Goro, não há dúvidas sobre sua firmeza de caráter e integridade, como disse o oficial de polícia vítima do ato terrorista. Também creio nisso.

"O que esse meu conhecido conseguiu levantar das investigações são fatos no nível das revistas semanais. Reuniu rumores triviais e tentou de alguma forma solidificá-los em algo que aparentasse serem fatos reais. Eram do nível que seria destruído com facilidade por um perspicaz promotor público. Um homem no começo da velhice, talentoso e bem-sucedido que, sob qualquer ângulo exterior à situação, se deixa envolver por uma mulher de reputação um tanto duvidosa. Desde o início, a intenção do homem é apenas se divertir, mas em determinado momento não pode mais escapar da situação. Não é o tipo de coisa que acontece o tempo todo? Embora seja um lamaçal sem sentido no qual chafurdam por escolha própria, há homens que não se esforçam para escapar e preferem se resignar. São homens muito *naïf*, talentosos e bem-sucedidos, e também com forte autorrespeito e orgulho.

"Bem, foi a mera especulação de um homem que vive a realidade no nível das revistas semanais. Por favor diga a Chikashi que não passa da interpretação vulgar e simplória de alguém que por longos anos lida com crimes violentos, levando em conta as artimanhas de uma mulher de gênero tão deplorável e o envolvimento de um homem de reputação duvidosa. Como em sua carta póstuma Goro negou qualquer envolvimento com a mulher em questão, é algo a ser respeitado!

"Depois disso tudo, só me resta a conclusão, direta a ponto de ser asquerosa, Kogito, de que Goro se suicidou por ter sofrido o ataque dos yakuzas. Não tivesse sido alvo de semelhante brutalidade, com certeza não teria pensado em cometer tamanho ato de violência contra si próprio!

— O que você me diz nem se aproxima da minha imaginação, mas há algo de real nisso — afirmou Kogito. — Apesar de por experiência conhecer as formas de violência dos yakuzas, o fato de você não tê-las mencionado durante nossa conversa parece confirmar a ameaça que representam.

Também por culpa do álcool ingerido, tio Chu expressava uma alegria desconcertante nos olhos com os quais Kogito estava familiarizado desde a infância.

— Meu irmão, as pessoas que de fato experimentaram a violência dos yakuzas não foram os mortos, mas aqueles apunhalados em diversos locais do corpo, que levaram tiros na coluna vertebral e que sobreviveram ou foram obrigados a continuar vivendo. Ainda que pressionados pelos horrores extremos, conseguem levar uma vida normal… a meu ver, e falando com franqueza, são pessoas fantásticas!

Enquanto conversavam, Kogito e tio Chu bebiam vinho tinto italiano. A noite caiu. Chikashi, que se supunha estar dormindo, apareceu trazendo outra garrafa de vinho italiano e um queijo de cheiro forte e coberto de passas, presente de um crítico literário americano de ascendência italiana. Sempre que vinha a Tóquio, tio Chu era recebido com comida e bebida de excelente qualidade que Chikashi mantinha em estoque. Como que impactados por uma forte luz, os olhos dele se apertaram ao tentar imaginar até que ponto a conversa em sua voz naturalmente alta, mesmo que só em parte, teria sido ouvida por Chikashi.

6

Passado algum tempo da leitura da carta mortuária em que Goro se confessava abatido e tendo ponderado sobre ela, Kogito fez uma descuidada pergunta a Chikashi:

— Analisando de forma objetiva, custo a acreditar que Goro estivesse abatido conforme escreveu em sua carta. Não seria uma exagerada autoconscientização devida à depressão senil, como mencionado em um artigo bastante sério publicado logo após sua morte?

Depois de pensar por instantes, como sempre ocorria quando era indagada por Kogito, Chikashi respondeu:

— Não creio que Goro tenha escolhido morrer em função de alguma doença. A meu ver, foi uma decisão em seu juízo normal... Já faz muito tempo, mas quando vocês dois voltaram ao santuário em Matsuyama bem tarde da noite, não tenho certeza em relação a você, mas Goro estava abatido; quem sabe você também não?

Enquanto estava sozinho em Berlim, Kogito refletiu sobre a resposta de Chikashi, percebendo que não compreendera o peso existente no significado das palavras dela. Em particular, o acontecimento passado em Matsuyama a que a esposa se referiu de modo inesperado era um assunto relevante que havia deixado para analisar posteriormente, como uma espécie de mecanismo de defesa. Apesar da resposta objetiva de Chikashi naquela ocasião, ele se surpreendeu ao ter reavivados antigos pensamentos em sua mente.

— Se houve uma vez que Goro esteve abatido, foi quando o vi em um programa de TV. Talvez em função do longo tempo da gravação, era visível que se embriagava com rapidez.

"Pela experiência de bebermos juntos, posso garantir que ele jamais caiu em estado semelhante na minha frente. Goro não era o tipo de homem que permitia que as pessoas notassem seus momentos de abatimento e, mais do que isso, tampouco se deixava abater, não é verdade? O pai de vocês era exatamente assim, mesmo durante o longo tratamento contra tuberculose a que se submeteu; por essa razão, escritores como Naoya Shiga e Shigeharu Nakano, os que jamais se deixavam abater, tiveram por ele uma especial admiração.

— Não entendo bem o significado de "deixar-se abater"... Estaria se referindo principalmente a uma autoconscientização? Ou a não poder refutar quando se é criticado por alguém devido ao seu abatimento? — replicou Chikashi após se calar por um tempo.

Kogito voltou a sentir dificuldade em responder.

— Não seria uma combinação de ambos? Quando a única coisa a fazer é admitir como pertinentes as críticas recebidas de terceiros...

Kogito decidiu postergar de novo as reflexões acerca da experiência em Matsuyama ao recordar de quando ele próprio havia se mostrado abatido diante de Chikashi, sem conseguir controlar seu estado. Nesse período, alugaram o andar superior de uma velha e grande casa na mesma região onde residem agora, distante cerca de trezentos metros da estação Seijo Gakuen-mae.

Akari nasceu em junho, e algum tempo tinha se passado desde então. Era um dia de vento forte, as folhas secas de um para-sol da China farfalhavam incessantemente. Kogito estava deitado de bruços na cama que fazia parte da mobília do apartamento alugado, pressionando com força os lençóis sobre sua cabeça virada na diagonal. Na realidade, era incapaz de se mover. De pé ao lado da cama alta, Chikashi o chamou repetidas vezes em voz débil e digna de pena como a de uma adolescente.

— O que houve?

Kogito não podia responder. Não se tratava de indolência, não era de seu feitio desde criança. No estado em que estava, era impossível se levantar, responder ou pronunciar uma palavra. Estava mesmo abatido, ouvindo atônito o som áspero das folhas do para-sol da China agitando-se ao sabor do vento...

Naquele dia, o hospital apresentou o diagnóstico definitivo de que, mesmo que o problema físico de Akari desaparecesse aos poucos — apesar de não completamente —, não havia a possibilidade de crescer mentalmente saudável. Chikashi também estava sentada diante do médico quando ele deu a informação, e, no fundo, Kogito entendia bem o quanto devia ser difícil para ela aceitar o lastimável estado do marido.

Chikashi se transferiu então da sala de estar para a mesa de jantar para se pôr a trabalhar; ao se ver sozinho, Kogito começou a pensar acerca do evento em Matsuyama, cuja reflexão havia postergado. No dia do diagnóstico do médico sobre Akari, Chikashi se lembrou daquele incidente, tanto do irmão quanto do marido, mas centrado em Goro por ter lhe causado uma impressão muito mais forte do que o estado de abatimento de Kogito. O esposo se sentia acossado.

Por que não teria podido se recordar de imediato sobre Matsuyama ao pensar em Goro abatido, apesar da relação com seu próprio abatimento? Desde que Goro se atirara do prédio em direção à morte, não teria continuado a refletir sobre uma passagem de sua carta mortuária, procurando reprimir de maneira deliberada o incidente de sua memória? Ao perceber, sentiu um desagradável choque cujo efeito se espalhava, como se golpeado por uma arma branca.

 Kogito se estirou no sofá da sala de estar, mas não se pôs a ler um livro como sempre costumava fazer. Pelo contrário, buscou não atrair a atenção de Chikashi que, com o caderno de esboços aberto sobre a mesa, retocava detalhes de um desenho. E tampouco a atenção de Akari, sentado em frente à nova coleção de CDs, alinhada na parede ao lado dos poucos degraus que conduziam à sala de jantar.

 Kogito e Chikashi já não discutiam — ou, em outras palavras, só tinham as brigas de casal — como fora durante longos anos. Da parte de Chikashi, ela sempre apresentaria alguma sugestão ou opinião bastante amadurecida. Se Kogito concordasse ou mostrasse simpatia, a conversa terminava com a opinião aceita e a proposta posta em prática. Se houvesse uma clara divergência, o assunto também seria encerrado. Kogito demonstrava as divergências com silêncio, e Chikashi, mesmo insatisfeita, não levava adiante a discussão. Quando tinha uma reação mais forte contra o que Chikashi havia dito, o silêncio de Kogito se estendia por um ou dois dias, ou até mais. Por um lado, Kogito só se lembrava de duas ou três vezes, desde o casamento, de situações em que a esposa reconheceu estar errada, externando verbalmente seu pedido de desculpas; por outro, era mais comum ser ele a voltar atrás em sua posição, ao abandonar a discussão para se encerrar em si mesmo. Era algo muito diferente de uma reconciliação após esgotados os argumentos. De qualquer forma, Kogito e Chikashi viveram juntos assim por quase trinta e cinco anos.

 Em seu íntimo, Kogito admitia a mudança ocorrida em Chikashi nos últimos anos, a partir do momento em que ela passou a desenhar aquarelas para ilustrar os textos dele, tomando como tema principal a convivência com Akari e a família. Despendia alguns dias frente a uma aquarela, começando com a observação do objeto em questão e, em especial na fase de acabamento, não se afastava da obra, mesmo que Kogito lhe dirigisse a palavra. Chamada repetidas vezes por algum assunto, Chikashi respondia de forma rude como um homem. Até então, Kogito desconhecia essa faceta da esposa.

Não seria exagero dizer que seu sogro, o pai de Goro e Chikashi, foi o fundador da comédia de crítica social no mundo cinematográfico japonês. Durante o longo período de convalescência, escreveu três volumes de coletâneas de ensaios, marcados por ética, racionalidade, capacidade de observação, humor e liberalidade. Quando ainda não eram produzidos filmes no Japão, ele havia sido pintor. A princípio, Kogito considerou Goro o filho herdeiro das características paternas. Aos poucos pôde perceber no amigo muitas facetas transmitidas pela mãe. Buscando superar essas influências, o próprio Goro se envolveu profundamente com psicologia. Naquele período, Kogito leu a publicação feita às pressas de conversas de Goro com um estudioso de Freud e Lacan, não podendo evitar fazer uma crítica negativa à reverência de Goro aos psicólogos, a ponto de um jovem editor lhe questionar se não estaria com ciúmes desse novo amigo de Goro.

Nesse ínterim, Chikashi pintou uma aquarela para o cartão de aniversário de Akari que, durante uma visita, chamou a atenção de um dos administradores de uma empresa farmacêutica da região de Kansai. A partir de então, as ilustrações dela passaram a ser incluídas em ensaios de Kogito para uma revista de divulgação voltada à classe médica. Parecia que o talento do pai para a pintura fazia florescer o estilo artístico de Chikashi com rapidez, a ponto de convencer Kogito que era ela, e não Goro, a verdadeira herdeira.

Desde o final da guerra quando começaram a viver em uma residência anexa a um templo em Matsuyama — que chamavam de "santuário" —, Chikashi havia se tornado uma espécie de segunda mãe para Goro, capaz de cuidar da vida doméstica e a quem ele respeitava em todas as situações. Mas não esperava que a irmã se tornasse uma artista. No tocante à pintura, como mencionado antes, julgava que Chikashi possuía um estilo particular desde o início e enfatizava nas pinturas o respeito aos detalhes realistas, que às vezes levavam a um desequilíbrio do conjunto. Sentia que um aspecto que aproximava a pintura dos dois irmãos era poderem se afastar das formas comuns de criação artística sem se entregar a estilos primitivistas.

Algum tempo se passou, e certo dia Kogito foi à cozinha beber água; ao voltar, por instantes contemplou Chikashi desenhando uma nova aquarela, sentada à mesa de jantar. Ela havia escolhido uma dentre as muitas fotos tiradas pelo pai com uma Leika antes e durante a guerra, e desenhava uma situação da infância em que ela estava de ponta-cabeça em um ramo baixo, forte e flexível, de uma azinheira ou carvalho. De pé a seu lado, Goro vestia uniforme colegial de gola achatada em cor cáqui e tinha a cabeça raspada. Acompanhando Chikashi, sua expressão era alegre e bem-comportada, ainda que um pouco retraída, a mesma que se via nele mesmo depois de adulto.

— Pela minha experiência, em geral me equivoco quando tento escrever sobre os vários tipos de carvalho — comentou Kogito em tom descontraído. — Na Califórnia, as árvores podem ser separadas conforme a forma dos troncos e ramos, a condição da cortiça e a finalidade da madeira. Mas quando o leitor japonês se depara com a palavra "azinheira", não tem ideia precisa de que árvore seja, e, se escrevo que a casa foi reformada usando essa madeira, recebo cartas protestando que ela não deveria ser usada para esse fim.

— Lembro-me bem dessa árvore — respondeu Chikashi de forma rude, como costumava fazer quando estava desenhando.

Nesse dia, Chikashi parecia absorta em desenhar, não pela importância da aquarela em si, mas por ter coisas sobre as quais precisava refletir. Com Kogito ainda de pé atrás dela e sem afastar o olhar do caderno de esboços, começou a contar ao marido algo que pensava havia tempos.

— Creio ser correta a conclusão de tio Chu, baseada em sua experiência profissional. Digo isso pela convivência que tive com Goro e com nossa mãe.

"Não acredito que Goro tenha se suicidado por estar cansado de ser um joguete nas mãos de uma 'mulher perversa', como afirmou a revista semanal daquela editora com a qual você mantinha grande proximidade (e por esse motivo Kogito havia cortado seu elo). Em uma de suas cartas mortuárias, Goro menciona jamais ter mantido relações sexuais com a referida mulher, e seu suicídio era uma prova a ela, a Umeko e aos meios de comunicação. Tio Chu também me confessou acreditar nisso. Por mais *naïf* que seja a forma de pensar ou de morrer, em particular a de um homem com mais de sessenta anos, eu me enfureço com essa maléfica inocência, mas ainda quero acreditar no teor da carta mortuária. Não, não apenas quero, como acredito nela plenamente.

"Não importa se uma 'mulher perversa' ou uma 'boa mulher', a única com poder suficiente para influenciar a vida de Goro, seria nossa mãe. Teria ele se suicidado mesmo ciente de deixá-la sofrendo de Alzheimer? O investigador de polícia não comentou, ao buscar informações devido às ameaças do crime organizado, saber que Goro possuía integridade e firmeza de caráter?

"Goro deve ter morrido porque mesmo um homem como ele não conseguiu suportar a pressão de todos os temas acumulados ao longo da vida.

"Ignoro quais temas seriam. Creio, porém, que ele começou a mudar em Matsuyama, quando vocês dois voltaram de madrugada completamente abatidos. O que foi aquilo? Se você não escrever tudo o que sabe, sem mentiras, adornos ou dissimulações, jamais poderei entender. É óbvio que tanto eu quanto você temos pouco tempo de vida pela frente, e, para vivê-la com sinceridade e sem mentiras, termine seus dias assim, escrevendo. Como disse Akari à avó de Shikoku: "Para morrer feliz, tome coragem e escreva sem mentiras.""

Em seguida, Chikashi ergueu a cabeça e dirigiu a Kogito um olhar categórico.

Capítulo III

Terrorismo e gota

1

Para as pessoas de fora, Kogito chamava de "gota" o problema no pé que havia cerca de quinze anos aparecia a intervalos de alguns anos. Desde pouco antes dos quarenta, o aumento do nível de ácido úrico provocava essas crises. Devido à medicação tomada com regularidade, a taxa nunca passou de seis ou sete. Ainda assim, a cada quatro ou cinco anos, Kogito aparecia apoiado em uma bengala e arrastando a perna esquerda ao andar. Se amigos ou o pessoal da mídia lhe perguntassem a razão, respondia ser uma crise de gota, causa aceita com mais facilidade do que supunha.

Na verdade, a segunda, terceira e quarta crises não tinham diagnóstico clínico de acúmulo de ácido úrico. Três homens apareciam e, embora na primeira vez parecesse haver um mal-entendido, a partir da segunda, seguravam Kogito com mais experiência, de modo a não poder oferecer resistência, descalçando seu sapato do pé esquerdo e, para ser exato, também sua meia. Miravam na segunda falange do polegar do pé e então deixavam cair uma pequena bala de canhão, redonda e enferrujada. Tal "procedimento cirúrgico" é que teria provocado a gota.

Depois de três vezes, a primeira e segunda falanges do polegar do pé esquerdo de Kogito se despedaçaram, ficando deformadas. Por fim, o pé não cabia mais em um sapato comum. O número de pacientes com gota havia aumentado com rapidez devido à fartura do período de crescimento econômico, e quando Kogito precisou de sapatos sob medida, bastou explicar ao sapateiro que a anormalidade de seu pé fora causada por gota para logo ser compreendido.

Apenas Chikashi sabia a verdadeira causa, mas Kogito não lhe contara sobre as circunstâncias que provocaram o incidente. Nem aos demais membros da família. Kogito estava no exterior quando tomou conhecimento do ataque a Goro que, mesmo tendo sido noticiado como um crime dos yakuzas, lhe provocou indignação ao suspeitar que seus agressores pudessem agora ter se voltado contra o cunhado. Quando constatou que não fora desse modo, Kogito, no fundo, sentiu alívio, embora também ira pelo ato terrorista do grupo criminoso ter atingido Goro.

Por que Kogito nunca denunciou à polícia os malfeitores que, por mais de uma vez, lhe provocaram o suposto ataque de gota? Já na primeira vez, ele podia supor de onde eles teriam surgido e qual seria seu motivo, mas decidiu não revelar o incidente. Na época, o *modus operandi* dos agressores fora tão primitivo que, não fosse o seu pé o alvo dos danos, teria entendido toda a agressão como uma brincadeira infantil, improvável de se repetir. Mas aqueles homens aparentavam deter uma estranha obstinação e cândida confiança no que faziam. Depois dos três ataques intervalados, a constituição do pé esquerdo de Kogito estava tão comprometida que o fez abandonar a natação, seu único passatempo na vida, por temer atrair os olhares das pessoas na piscina.

Quando os homens apareceram pela primeira vez, Kogito sentiu que eles possuíam indícios reais sobre sua gota. Também teve certeza de que o motivo direto do ataque era uma novela publicada um mês antes. Tratava da morte suspeita de um pai no verão do ano da rendição do Japão na guerra, narrada pelos olhos do filho, o próprio Kogito, entremeada pelas críticas relativas à distorção da história feitas pela mãe.

A novela fora escrita durante o verão na casa nas montanhas de Kita-Karuizawa. Quando empacou numa difícil passagem na segunda metade do texto, uma ideia simples e eficaz surgiu, sendo assim capaz de seguir em frente. A inspiração lhe veio ao trilhar o estreito caminho através de um bosque para ir da casa até a rua comercial, localizada em frente à antiga estação Sokei da linha privada de trem, para comprar alimentos. Desde então, sempre que atravessava o local, voltava a se recordar dela. Concluiu o manuscrito com entusiasmo e, no início do outono, quando a obra foi publicada em uma revista, teve o primeiro ataque de gota, com a ingestão excessiva de álcool como fator auxiliar.

Quem tinha enviado os três homens devia ter lido a novela, inclusive a coluna de arte e literatura do jornal em que Kogito escreveu sobre as circunstâncias da história. Um dos agressores o segurou por trás e o amordaçou com uma toalha de mão; o segundo imobilizou suas pernas; o terceiro apenas tirou o sapato de seu pé esquerdo e descalçou a meia para examinar, como um médico, os vestígios remanescentes do inchaço de gota, uma mancha intumescida que cobria o osso do pé. Os outros dois homens também observaram aquilo, e o próprio Kogito olhou para seu pé como se contemplasse algo que lhe era estranho.

A seguir, de uma velha bolsa de viagem de couro, o terceiro homem retirou uma bala de canhão — menor do que aquelas comumente disparadas, mas do tipo que os líderes da rebelião camponesa usavam como munição nos primeiros anos da era Meiji, conforme Kogito ouvira da avó que mantinha algumas delas guardadas. O homem mirava o alvo, segurando a bala à altura do peito, quando o segundo, que mantinha com firmeza o pé esquerdo imóvel, advertiu o companheiro, com o sotaque do interior das florestas de Shikoku que trazia a Kogito lembranças da infância, de que tivesse cuidado.

De súbito, Kogito se deu conta de que algo inimaginável estava prestes a lhe ocorrer. Temor e aversão ferozes brotaram dentro dele, de forma que gritou e desfaleceu. Desde criança, possuía a otimista certeza de que uma dor física insuportável seria solucionada de maneira instintiva pelos seres humanos através da perda da consciência. Contudo, essa seria a primeira vez a de fato experimentá-la.

Quando deu por si, estava sentado no chão, com as pernas estendidas e as costas apoiadas no tronco de uma grande camélia no jardim onde Chikashi, antes de começar o cultivo de rosas, havia plantado uma grande quantidade de flores do campo. A aparência em nada diferia da de um terreno baldio repleto de ervas — ainda que não houvesse ali as aquileias que, segundo Kunio Yanagida, eram próprias aos terrenos residenciais da região.

Seu pé esquerdo latejava ao ritmo do fluxo sanguíneo, como se houvessem preenchido seus ossos com brasas e recoberto a pele intumescida com uma substância gelatinosa como a dos pés dos porcos. Lembrou-se do ataque e olhou para o pé, tão grotescamente enegrecido e dormente a ponto de quase achar graça.

Kogito tentou se animar, imaginando que a dor no pé esquerdo, como um eco contínuo no fundo de um vale, de início — ou seja, agora — estava em seu ápice de intensidade, mas aos poucos deveria diminuir. Na primeira experiência com a gota, no entanto, a dor a princípio não passava de uma comichão e foi aumentando de maneira gradativa. Ao comparar a dor anterior com a de agora, esta deveria enfraquecer a cada segundo em direção ao total desaparecimento...

A parte posterior da cabeça estava encostada na camélia, cujo tronco bifurcado tinha o diâmetro exato de dois braços o circundando, e bastaria movê-la de leve para cima para que aparecessem os ramos frondosos da copa no formato de um sino de campanário. Um galho, que lembrava a pata de um filhote de elefante, a sustentava com firmeza. A visão lhe despertou saudades. Vivendo nas florestas de Shikoku quando criança, Kogito costumava subir a montanha e contemplar as folhas frondosas nas árvores. Se aquele homem que o havia segurado por trás depois o carregou, desmaiado da intensa dor, e o pôs aos pés da camélia de onde poderia contemplar a paisagem, esses três que falavam o mesmo dialeto que ele talvez até fossem seus amigos de infância...

Por fim, Kogito viu Chikashi e Akari entrando pelo portão de madeira aberto. A mera ideia de gritar parecia aumentar a dor no pé. Com ar muito melancólico e cabisbaixo, Chikashi passou diante dele em direção ao vestíbulo, enquanto Kogito apenas a contemplava. Mas, sensível ao ambiente, Akari parou na metade do caminho e descobriu o pai sentado e abatido naquele local inusitado.

— Ora, ora, o que aconteceu? Ele está sentado sob a árvore! — informou Akari à mãe.

Chikashi se virou em direção ao filho, que exibia um sorriso radioso. Em seu semblante sempre sereno e melancólico, apareceu uma expressão de surpresa, e Kogito procurou mostrar que estava tudo bem. Deixando para trás Akari, que andava com dificuldade por entre as plantas, a mulher se aproximou sozinha, sem perceber o novo surto de gota. Kogito resolveu então dizer à esposa que viera checar o duto do esgoto e que a tampa de concreto havia caído sobre seu pé ao tentar levantá-la.

Tal forma de tratar o incidente escolhida por Kogito — sem denúncia à polícia nem mesmo algum pequeno artigo na coluna policial dos jornais — serviu como justificativa quando, a cada intervalo de alguns anos, era de novo atacado pelos mesmos malfeitores. Kogito chegava a se sentir até cúmplice dos criminosos.

O segundo ataque ocorreu três anos depois. Com a lesão curada e otimista por ter suportado a dor, Kogito se recordava dos agressores com certo humor. Mas a dor ressurgida era tão forte que só poderia ser aceita como algo presente. Se desta vez também não teve vontade de denunciá-los à polícia, foi por continuar a julgar correta a decisão quando do primeiro ataque.

Na base de sua decisão estava a ideia de que o tratamento ao incidente não deveria depender da intervenção de alguém de fora. E essa intuição se ligava ao fato de Kogito até sentir certas saudades dos agressores, provocadas de forma evidente pelo dialeto usado por eles. Ao analisá-las mais tarde, concluiu que se constituíam de dois fatores. Em primeiro lugar, as saudades geográficas, ou seja, o dialeto utilizado era o da mesma região de Kogito. E, como segundo fator, as saudades temporais que datavam de quarenta anos antes. Kogito retornava à terra natal para visitar a mãe quase todo ano e sabia que aquele sotaque, aquele ritmo e aquele tom de voz desapareciam aos poucos da região de florestas onde crescera.

Todavia, Kogito não se lembrava de conhecer os três homens que nem sequer se preocuparam em esconder o rosto por ocasião do ataque. Por mais que sua mente se esforçasse em eliminar o efeito do tempo nos rostos, todos já passados da meia-idade, não havia indícios de que os conhecesse. Mas, sem dúvida, as frases curtas trocadas entre eles estavam firmemente vinculadas ao lugar e ao tempo em que Kogito um dia vivera.

2

As lembranças de Kogito, de quando morava sozinho em Berlim, remontavam a um tempo ainda mais distante. No sétimo ano após o término da guerra, com o Japão ainda ocupado, Kogito tinha dezessete anos e estudava para o exame vestibular na biblioteca do CIE de Matsuyama. Certo dia, um discípulo de seu finado pai apareceu, acompanhado de alguns rapazes mais jovens. Sentados na seção de leitura da ala leste da biblioteca, alguns estudantes folheavam com atenção coletâneas de perguntas de provas. Distraído, Kogito contemplava pela janela as folhas de faia aromática agitando-se ao vento. Pouco depois, notou o olhar de todos na ampla mesa à sua frente se voltar para a porta de entrada às suas costas. Kogito também se virou.

Acostumadas à luz exterior, as retinas perceberam vagamente na semiobscuridade uns homens de pé junto à porta. Os olhos de um deles chamaram sua atenção: pareciam contemplar as brasas remanescentes nas cinzas da palha queimada, como era costume naquela época do ano no entorno do vale da floresta. Sentiu aquele olhar fitando-o. Assentiu ao leve movimento de cabeça do homem, juntou as folhas de rascunho para os cálculos de física e os lápis de madeira baratos comprados na loja da escola e os guardou na bolsa escolar. Foi à estante do lado oeste devolver a edição de capa dura e de agradável aroma de *As aventuras de Huckleberry Finn*, até aquele momento aberta a seu lado sobre a mesa, causa de seus devaneios.

Ao fazer menção de se aproximar dos homens, notou o funcionário japonês com ares de nissei, de calça preta e camisa branca. Do outro lado da divisória de vidro para além da estante, ele espreitava os intrusos que pareciam mesmo peixes fora d'água. No meio do grupo, havia um homem maneta que não se cansava de fitar Kogito. Apesar de pender de leve para um lado, permanecia firme de pé. Vestia uma camisa de gola, enfiada nas calças gastas presas por um cinto que as mantinha no lugar. Não tinha carne em excesso em seu rosto bronzeado, e apenas um dos olhos apresentava um escuro tom hemorrágico. Ainda assim, irradiava um forte lampejo na direção de Kogito. A impressão que teve, da cor de fogo no meio da palha queimada, se devia à hemorragia no olho desse homem.

O maneta e seus amigos mais jovens cumprimentaram Kogito em silêncio. Juntos, desceram as escadas, e, na recepção do andar térreo, enquanto Kogito abria a bolsa para a inspeção, o maneta retrocedeu um único passo para se postar a seu lado, enquanto os demais rapazes guardavam distância. Durante todo o tempo, haviam mantido uma atitude pacífica, apesar de áspera, até que o funcionário japonês, também de camisa branca e calças pretas, apontou para as bolsas que carregavam a tiracolo. Todos recusaram de forma agressiva que fossem inspecionadas, intimidando-o.

Ao deixar o centro, o homem mais velho se pôs de novo ao lado de Kogito, que, por estar próximo, sentiu como se a parte superior do corpo do maneta fosse se inclinar sobre ele. O centro fora construído em Horinouchi, em um local originalmente usado como campo de instrução militar. Liderados por Kogito, tomaram o caminho que levava à cidade até a margem do fosso, local com bancos sob uma alameda de cerejeiras em plena floração. Os rapazes não pareciam nem um pouco impressionados pela abundância de flores.

No meio formado por três bancos, um terreno plano sem grama, havia restos de madeira imunda e chamuscada, resquícios de uma fogueira.

Kogito sentou em um banco de frente para o fosso, e o homem mais velho o seguiu, deixando um espaço entre eles e mostrando-lhe o lado em que a manga da camisa estava enfiada no cinto. Kogito imaginou que o homem escolhia se virar para alguém dependendo de sua intenção de autodefesa. Para além do fosso e do caminho do bonde, mais à esquerda, o prédio de um banco que escapara aos incêndios dos bombardeios aéreos recebia a tênue luminosidade do sol da tarde.

De súbito, o maneta começou a falar com entusiasmo no dialeto do interior das florestas de Shikoku do qual Kogito agora sentia profundas saudades, o mesmo falado pelos três homens que o atacaram havia vinte anos.

— Sou eu, Daio! Gishi-Gishi, como vocês me chamavam. Não lembra? Kogito! Temos algo urgente para contar, apesar de estarmos importunando você! Afinal, você vem estudando para os exames de admissão à universidade! Mesmo assim, você nos trouxe justamente para um lugar com vista para onde o mestre Choko morreu em combate! Estou aliviado que não tenha se esquecido de nós nem daquele dia!

Agora que Daio havia se apresentado, Kogito recordou ser ele um dos que organizavam reuniões frequentes com seu pai quando a derrota do Japão na guerra era iminente. E lembrava-se com clareza de seu nome tão peculiar. A prova de que a mãe de Kogito distinguia Daio dos seguidores do marido era tê-lo apelidado de Gishi-Gishi. Segundo sua irmã, "*daio*" era uma planta da família das urtigas que crescia entre as ruínas de um antigo jardim de plantas medicinais afastado do vilarejo e que os locais costumavam chamar de "*gishi-gishi*".

— Durante os próximos cinco dias, planejo me hospedar em uma pousada na estação de águas termais de Dogo. E gostaria de conversar com você sobre as ideias que venho tendo nos últimos sete anos! Peço que as ouça. Não é mais possível aprender diretamente com seu pai como no passado, mas incentivamos uns aos outros e trabalhamos com afinco. Cultivamos em terras novas, reparamos o centro de treinamento e ampliamos a construção, agora bem maior do que antes. Muita gente pode ser treinada ali. Somos autossuficientes em alimentos e tudo mais. Produzimos nosso próprio saquê artesanal. Trouxemos um pouco, junto com vários outros petiscos locais! Mas como você deve ter herdado o sangue de mestre Choko, jamais deve ter bebido álcool em sua vida, não é verdade?

"Em nosso centro de treinamento seguimos a filosofia de autossuficiência ensinada por seu pai. Não somos apegados a dinheiro, e nosso princípio básico é não precisar dele. Esta viagem, deixando nosso vilarejo para pernoitar em uma acomodação na sociedade de consumo, é uma exceção à regra! Assim mesmo, só eu me hospedo, meus companheiros pernoitam em templos ou santuários. Se decidi permanecer em uma pousada, é para poder conversar com você. À noite meus amigos irão se juntar a nós porque desejam ouvir nossa conversa! Deve haver trabalho temporário na construção civil em Matsuyama, e eles irão me ajudar a pagar os meus gastos de acomodação!"

Naquela mesma noite, Kogito visitou Daio na pousada de Dogo. Mesmo agora, podia relembrar com clareza que naquele quarto exíguo dera ouvidos, bem como os demais jovens, às palavras de Daio. A verdade é que, quando ele se lembrava daquela cena, era quase sempre uma visão revestida de grande arrependimento pelo modo como as coisas acontecem.

Um quarto de seis tatames iluminado por uma lâmpada de quarenta watts num lustre preso ao teto por um fio grosso. A câmera da memória de Kogito captou a vista de uma posição acima da lâmpada. Sobre a mesinha baixa encostada à parede, estava posta a louça do jantar de Daio e Kogito. Daio e seus amigos se sentavam ajoelhados sobre o tatame, com as pernas quase tocando a mesa, na qual havia uma garrafa de saquê de quase dois litros e cinco taças. Apenas Daio bebia o saquê artesanal; Kogito, então com dezessete anos, e os demais rapazes tomavam chá de qualidade inferior. Não se tratava de uma festa ou banquete, mas da realização do seminário de Daio. Somente o conferencista tinha hálito alcoólico, impregnando o lúgubre quarto.

Daio iniciou seu monólogo pelo erro na teoria professada ao final da guerra por mestre Choko — o pai de Kogito — corrigido através de uma nova versão, criada a partir das amargas experiências deles próprios. Daio mantinha sobre os joelhos um livro de capa fina e o abria com frequência para consultas. Encapado com papel japonês, era impossível saber o título, e Kogito sentiu vergonha de perguntar o nome do autor.

Com base nas lembranças das estrofes lidas por Daio — que recitou até mesmo as poesias chinesas citadas no livro —, Kogito procurou por muito tempo a obra, começando pela antiga livraria na entrada da rua comercial principal de Matsuyama. Tentar encontrá-la entre aqueles escritos por partidários da direita era uma busca vã. Só muito depois se deu conta disso...

Era natural para Kogito imaginar que Daio havia se apoiado em um livro de direita e se perguntava onde o teria conseguido. Após a morte do pai, a família cavou um grande buraco no qual queimou as obras nacionalistas que tinham na casa, temendo atritos com o Exército de Ocupação.

Uma vez queimados — Kogito soube depois que nem todos os livros acabaram destruídos —, Daio não teria tido outra alternativa para encontrar a prosa e a poesia que exprimiam ideologias de direita senão buscando as citações críticas de acadêmicos e pesquisadores de esquerda. Tempos depois, Kogito encontrou em um desses livros o poema chinês que, na ocasião, Daio recitou com ritmo e cuidado.

Se a justiça for esclarecida e o coração humano corrigido, não há por que lamentar a decadência política do império.

A SUBSTITUIÇÃO OU AS REGRAS DO TAGAME

Naquela noite, Daio explicou que essa era a primeira estrofe do livro de poesias épicas *Kaitenshishi*, usado na defesa por um dos réus em julgamento pelo chamado Incidente de 26 de Fevereiro.[2] Daio repudiava a ideologia contida no poema; o pensamento e a forma de ação a ele associados constituíam o cerne do erro na teoria de mestre Choko. Apesar disso, Daio recitava inúmeras vezes o poema em voz baixa e emocionada. Havia ainda vários pontos de difícil compreensão para Kogito, e o que é doravante escrito aqui incorpora seus contínuos estudos que, reconstituindo as palavras de Daio, aos poucos elucidaram a parte obscura acerca da ideologia e do movimento dos direitistas e militares durante a guerra.

— Mestre Choko originalmente se opôs ao derrotismo dos oficiais no Incidente de 26 de Fevereiro. Por que derrotismo? Porque não constituíram, após a opção pelo golpe, um plano agressivo com a intenção de tomar o poder. Mestre Choko os chamou de derrotistas e considerou tal posicionamento como sendo a maior fraqueza do movimento. Na realidade, criticou a decisão final de morrer lutando contra as forças policiais municipais de Tóquio que, para ele, equivalia a não ter um plano.

"Por ter participado de tudo, você sabe que o próprio mestre Choko se envolveu no movimento sem um plano definido. Como resultado, ele foi assassinado a tiros pelos policiais desta pequena cidade. Por que ele escolheu esse caminho? É o que temos ponderado nos últimos sete anos. E chegamos a uma conclusão: ele pretendia

---

2. O Incidente de 26 de Fevereiro foi uma tentativa de golpe de Estado que ocorreu entre 26 e 29 de fevereiro de 1936. Foi organizado por um grupo de jovens oficiais do Exército Imperial Japonês, integrantes da facção radical e ultranacionalista Kodoha. Vários políticos importantes foram mortos, e o centro de Tóquio foi brevemente tomado pelos insurgentes antes de o evento ser reprimido. [N.E.]

acabar com o derrotismo existente, desde o monge terrorista Nissho Inoue até os oficiais do Incidente de 26 de Fevereiro. Se o fizesse, sem dúvida seus sucessores poderiam tomar um caminho diferente. Kogito, nós acreditamos que era esse o pensamento de seu pai. Ao refletirmos sobre isso, pretendemos trilhar agora o rumo concebido por mestre Choko!"

Daio prosseguiu o seminário na noite seguinte. Desta vez, também com a presença de Goro, para quem os atrativos principais eram os caranguejos e o saquê artesanal. Com frequência, Daio e os companheiros lembraram-se do levante de mestre Choko no dia seguinte ao término da guerra. Chegaram à conclusão de que ele e seus jovens companheiros não tinham ido à luta liderados por mestre Choko. Sua presença era uma estrela brilhando acima de suas cabeças, uma estrela solitária que explodiu. As atitudes do mestre não haviam superado o nível de Nissho Inoue e dos oficiais do Incidente de 26 de Fevereiro, sem ir além da realização de ações destrutivas, deixando que seus sucessores cuidassem do resto.

Foi o que Daio disse: "No passado, mestre Choko foi discípulo de Ikki Kita, conhecia bem o Plano Geral para a Reorganização do Japão e soube planejar um futuro seguro, distinto do otimismo de Nissho e dos oficiais. Além do mais, o mestre devia ter em mente um projeto particular com base no que assimilou. Mas, comovido pela força das expectativas dos jovens que só tinham concebido um plano descuidado, aceitou se juntar a tão trágica procissão, apesar de estar terrivelmente enfermo..."

Kogito enrubesceu, mais pela expressão "aceitou se juntar a tão trágica procissão" e pela presença de Goro do que pelos argumentos gerais de Daio. O "levante" encabeçado pelo marido no dia seguinte à derrota na guerra era ridicularizado pela mãe, sempre incluindo Kogito por tê-lo acompanhado, mas antes de tudo desdenhando seu "veículo de combate" — uma fedorenta caixa de madeira, usada antes para fertilizante de arenque e enviada de Hokkaido, à qual acoplaram rodas feitas de troncos de madeira cortados. Ela dizia: "Nesse tanque levaram seu pai, um doente terminal de câncer, e você os acompanhou nervoso, como se realizasse uma tarefa grandiosa…"

Na novela que escreveu sobre os acontecimentos daquele dia, Kogito incluiu as palavras da crítica materna e finalizou o texto dando oportunidade para uma diferente conclusão. Quando a novela foi publicada, os agressores apareceram pela segunda vez — haviam se passado três anos desde o primeiro ataque, e o ferimento estava curado. O osso ainda não tinha se deformado quando fizeram cair, uma vez mais, uma diminuta bala de canhão sobre o pé de Kogito. Quem os enviava decerto acompanhava com profunda atenção suas atividades de escritor.

3

Quando Daio apareceu de súbito naquele dia, Kogito já tinha se tornado amigo íntimo de Goro. Um pequeno acontecimento serviu como ponto de partida dessa amizade. Kogito se transferiu para a escola em Matsuyama no início do segundo ano e assistia às aulas de língua japonesa II como matéria eletiva. O professor era um homem muito alto, de cabeça desproporcionalmente pequena, e vestia um colete, algo incomum para a situação do país no período. Na primeira aula do curso, ele perguntou a cada aluno o motivo de haver escolhido o curso de literatura clássica — dando a entender que o curso não era popular. Kogito não tinha nenhuma informação prévia, mas se lembrou de um episódio interessante da literatura clássica japonesa citado pelo pai muito antes do "levante", quando ele ainda costumava conversar com as crianças.

— Acho interessantes as expressões e minúcias dos textos clássicos — justificou.

O professor se enfureceu.

— Deixe de convencimento! Se é assim, dê um exemplo de algo que tenha lhe interessado.

Goro estava na mesma classe e com a fisionomia de quem havia se esquecido por completo de que ele próprio, com frequência, costumava enfurecer os professores, ou talvez, por causa disso mesmo, disse a Kogito:

— Você não é do tipo que leva desaforo para casa, não é? Assim, deixa seu oponente com mais raiva ainda.

Sem se vergar à intimidação do mestre, Kogito citou uma história que ouvira duas ou três vezes enquanto o pai tomava saquê à noite, e, por sabê-la de memória, irritou ainda mais o mestre.

— Por exemplo, a passagem da águia que rapta um recém-nascido e, ao deixá-lo cair em seu ninho sobre uma árvore, o filhote se assusta com os gritos do bebê a ele dado como comida. E então acaba nem bicando, nem comendo o bebê, algo assim.

— O quê? Em que clássico da literatura existe essa tolice? Como é no original, em japonês antigo?

Kogito começava a se sentir farto do professor que o pressionava a ponto de quase o agarrar pelo colarinho, mas respondeu citando o original: "O filhote o olhou, surpreso e temeroso, e não o bicou."

— Deixe de gracinhas. Você não respondeu à minha pergunta: em que clássico da literatura há essa passagem?

Na realidade, Kogito não sabia responder e também estava preocupado. Nunca tivera o livro diante dos olhos, apenas sabia de memória uma passagem cantarolada por seu pai meio bêbado que tinha lhe explicado da seguinte maneira: "O filhote da águia se amedrontou ao ver o estranho ser jogado em seu ninho. A forma de seu pescoço estendido para olhar o recém-nascido está sugerida na palavra 'olhou' em japonês antigo. E quanto mais o autor contava essa história, a expressão ia amadurecendo de forma natural. Essa é uma característica dos bons narradores, mesmo aqueles carentes de instrução."

Kogito temia que o professor mandasse trazer o livro para provar que não mentia. Mas como, se todos os livros de seu pai foram queimados? Em suas palavras, a obra se intitulava *Nihon Ryoiki* [Contos sobrenaturais do Japão]. Mas teria realmente existido?

As estudantes riram da resposta de Kogito, e o professor, com uma expressão de perceptível desprezo, passou ao aluno seguinte. Kogito foi então ignorado pelo mestre até o final do ano escolar. Entre os colegas de classe, apenas Goro — que repetia a série devido à transferência de Kyoto — se dirigiu a ele dizendo: "Seu pai me parece ter sido um homem interessante."

Convidados a jantar na pousada de Dogo, Daio lhes explicou suas ideias e as de seus companheiros, dando a impressão de que apurava a forma de se exprimir à medida que repetia a narrativa. De fato, havia em sua retórica algo de artificial. Kogito sentia agora depreender o motivo de a mãe, que jamais se deixava influenciar pela lábia do marido nem de ninguém, ter dado a Daio o apelido de Gishi-Gishi, que exprimia sua afeição, mas também revelava certo desdém.

A mãe costumava afirmar ser possível classificar em dois tipos a gente da região da floresta em Shikoku. De um lado, os que jamais mentem. De outro, os que mentem apenas por prazer, apesar de as mentiras não estarem ligadas a nenhum efetivo proveito em particular. "Seu pai é um homem sério e discreto, mas acaba sendo um joguete nas mãos de pessoas vindas de fora do vilarejo que o elogiam com mentiras. Ainda que deixe crescer a barba e se pretenda importante, um *daruma* de papel machê não deixa de ser um brinquedo, não?"

O auge dos dois dias de seminário foi o relato da morte do pai de Kogito em consequência do "levante". Como Kogito também estivera presente, a narrativa de Daio se dirigia a Goro, que participava apenas do segundo dia, assim como seus jovens companheiros. Quando a polícia começou a atirar, Daio tentou se fazer de escudo para dar cobertura a mestre Choko que estava no "tanque" feito com a caixa de madeira. Acabou, porém, derrubado por um tiro no ombro esquerdo...

Daio contava com paixão a cena do assalto ao banco, claramente ciente de que era ouvido por Kogito, testemunha do ocorrido. Mesmo com algum exagero, não dava para dizer que o relato fosse de todo inverídico. Poderia haver em sua mente um estoque de lembranças equivocadas? Logo após o término da guerra, Daio demorou a voltar à vida no vilarejo, e Kogito por vezes cruzava com ele nos caminhos ao redor do vale ou às margens do rio. Lembrava que durante a guerra o pai tinha colocado na casa uma cadeira de barbeiro da marca Takara no cômodo de chão de terra do armazém que lhe servia de gabinete, e Daio, já sem o braço esquerdo, costumava ajudá-lo a descer livros da estante ou a organizar a correspondência...

Apesar de beirar os trinta anos, a falta de um braço devia ser motivo suficiente para Daio não ter sido convocado pelo Exército. Os jovens que começaram a visitar o pai de Kogito, já próximo à derrota na guerra, eram militares em exercício gozando dias de descanso.

O "levante" aconteceu um dia após a derrota na guerra. Na véspera, os oficiais do regimento haviam chegado tarde em Matsuyama e pernoitado no andar superior do armazém. No dia seguinte, puseram no caminhão a caixa de madeira transformada em tanque, com o pai de Kogito dentro, e, como nas antigas histórias de rebeliões campesinas, o empurraram até a jusante do rio. Naquela manhã, Daio carregou, envolta em um grande lenço, uma pilha de velhas fraldas e outros objetos variados necessários aos cuidados do pai enfermo. Os oficiais logo ficaram bêbados e passaram a empurrar Daio. Ainda teria ele o braço esquerdo?

O caminhão parou diante do prédio do banco regional de Matsuyama, situado na rua do bonde, bem de frente para o interior do fosso onde hoje se localiza o CIE. Retiraram então o pai de Kogito, que parecia uma pequena estátua de cobre, e oficiais empurraram seu carro de madeira até o portal de pedra. Kogito contemplava a cena de cima da caçamba vazia do caminhão. Tiros logo foram disparados do interior do prédio, e um grupo de policiais invadiu o banco a partir da rua lateral. Kogito estava apavorado e, incapaz de se controlar, atravessou a via quase sendo atropelado pelo bonde elétrico. Ele não pôde ir muito longe. Escorregou pela margem do fosso abaixo, coberto por ervas de verão...

E, conforme sua mãe costumava contar, depois de tudo terminado, Kogito engatinhou para fora, todo encharcado como um rato, e vislumbrou com olhos tremulantes o carro com o cadáver do pai ser trazido de volta para a frente do banco... Mas estaria Kogito realmente nesse estado quando a mãe foi trazida à Matsuyama na viatura dos policiais? Afinal, o trajeto entre o vilarejo no vale e o centro da cidade levava pelo menos duas horas de carro.

De qualquer forma, Kogito voltou para o vale na manhã seguinte acompanhado da mãe. Por ser essa lembrança correta, era indubitável que a mãe, mesmo bastante atrasada, tinha comparecido ao local do incidente. Naquele momento, além do pai morto, havia um outro ferido grave. Se Daio era essa pessoa que levara um tiro no ombro, por que a mãe e Kogito jamais tocaram no assunto?

Somente após formado pela universidade, Kogito encontrou o livro que poderia ser aquele usado por Daio em seu seminário. Seu autor era Masao Maruyama, um historiador do pensamento político. O texto tratava da evolução do nacionalismo japonês durante e após a Segunda Guerra Mundial, em particular as mudanças nos pequenos grupos regionais de direita sob pressão do Exército de Ocupação, nos cinco ou seis anos posteriores ao término do conflito. O livro era uma publicação recente quando Daio recitou o poema chinês.

O autor afirmava que alguns integrantes de grupos de direita do tempo da guerra haviam se suicidado por desespero diante da destruição de seu sistema de valores causada pela derrota do Japão, chegando a fornecer o nome real de seus líderes. Kogito se recordava de dois desses grupos. Na primavera do ano em que completou dez anos, seu pai havia lhe pedido que organizasse sua correspondência, de súbito volumosa, e lembrava-se de ter anotado em um caderno esses nomes — ambos muito estranhos — e os endereços dos envelopes escritos a pincel e de difícil leitura.

O segundo grupo substituiu os letreiros fascistas por "democráticos" e recomeçou do mesmo jeito anterior. Sobre o terceiro grupo, disperso pela região e com atividades socioeconômicas apolíticas, o autor escrevia: "Muitos, em geral, aumentaram a produção de alimentos e se filiaram a movimentos de colonização de terras, refletindo a tendência da direita japonesa de estabelecer o setor agrícola em primeiro plano."

O grupo liderado por Daio se enquadraria nesta última categoria. Após a trágica morte do pai de Kogito nas ruas de Matsuyama, ele criou um centro de treinamentos no meio da floresta e sobreviveu por sete anos cultivando terras novas. Teria procurado Kogito, que estudava para os exames na biblioteca do CIE, com a intenção de usá-lo nesse movimento. Depois de apresentar o incidente como um preparativo para as ações subsequentes do grupo, não apenas a Kogito, como também para Goro, por que teria Daio optado por abandonar o plano para, em companhia dos amigos, proteger o centro de treinamento?

Quando foi atacado com a pequena bala de canhão, o que Kogito, no fundo, mais desejava evitar eram os possíveis desdobramentos. Na polícia ou nos tribunais, seria obrigado a confrontar Daio e seus seguidores que continuavam o negócio conjunto usando o mesmo dialeto interiorano da região da floresta...

No primeiro ataque, ao ouvir nas palavras utilizadas pelos três homens a ressonância do velho dialeto agora perdido nas jovens gerações da terra natal, Kogito intuiu que as pessoas mantinham seu antigo jeito de falar por continuar a agir em um grupo fechado. Era natural então que, ao ouvir aquele sotaque, surgisse em seu subconsciente a imagem de Daio.

O segundo ataque com a pequena bala de canhão ocorreu imediatamente após Kogito escrever a novela *O imperador enxugará minhas lágrimas* acerca do "levante" do pai logo após a derrota na guerra, como descrito até aqui. Goro pretendia adaptar o livro para o cinema.

Enquanto a escrevia, Kogito recordou bem dos dez dias de quando tinha dezessete anos, desde o reencontro com Daio até o incidente no centro de treinamento, sobretudo a segunda noite da qual Goro também havia participado. Kogito, no entanto, evitou inserir na novela qualquer interpretação ou avaliação a respeito de Daio.

Era inegável que Kogito, na época com dezessete anos, tinha dúvidas sobre o que Daio falava sobre si mesmo. Na verdade, poderia ter tornado Daio um personagem de sua novela, inclusive incorporando suas dúvidas. Mas a razão psicológica de não tê-lo feito foi temer a repercussão que poderia ter sobre sua mãe, que continuava a morar próximo do centro de treinamento. Se lhe perguntassem qual o fundamento de seu temor, não saberia com clareza expressá-lo em palavras, o que talvez fosse um sinal de autocensura.

4

Daio não parecia ter um plano muito definido quando foi à biblioteca do CIE procurar Kogito.

Soube pelo jornal local que o filho de seu falecido mestre havia se transferido para uma escola de ensino médio de Matsuyama e, por estar usando com frequência a biblioteca de uma instituição criada pelas forças de ocupação, recebeu dela um reconhecimento especial. Sendo assim, talvez fosse possível contatar militares americanos por intermédio de Kogito. Parecia ser esse o vago e incerto desejo de Daio.

Depois de Daio incitar Kogito a sair da biblioteca, sentaram sob uma cerejeira em flor na margem do fosso — embora não demonstrasse interesse pela paisagem —, e um breve silêncio se seguiu à conversa descrita anteriormente. Como se fosse uma prova importante, Daio mostrou o recorte do jornal local e pareceu decepcionado por Kogito não demonstrar interesse. Mas logo apareceu um sorriso em seu rosto de campesino, curtido de sol, ao se dirigir aos jovens companheiros.

— Não há dúvida de que é o filho de mestre Choko. Não é do tipo que exulta diante de algo do gênero — afirmou com a ênfase de um grande crítico.

O prédio do jornal que publicara o artigo dez dias antes podia ser visto a oeste da extremidade do fosso onde Kogito estava sentado. Na página social da edição matutina, mencionava-se o seguinte: "Um estudante do ensino médio foi agraciado com um prêmio da Secretaria de Educação e Informação Cultural dos Estados Unidos. O secundarista frequenta a biblioteca do CIE e, ao mesmo tempo que estuda para os exames vestibulares, leu um livro inteiro em inglês. A diretora americana do centro foi informada pelos funcionários japoneses de que o estudante entendeu com perfeição o conteúdo do texto. Trata-se do primeiro dos dois volumes ilustrados de *As aventuras de Huckleberry Finn* de Mark Twain. O livro, na realidade, não se destina a crianças, uma vez que os diálogos apresentam peculiar dificuldade por misturar o dialeto dos negros do sul dos Estados Unidos. Sem hesitar, o rapaz traduziu para o japonês a página que lhe foi designada, deixando admirado o oficial da base que atua como conselheiro do centro..."

Com entusiasmo, Kogito havia lido a versão para o japonês da editora Iwanami que sua mãe conseguira ao final da guerra em troca de arroz, acabando por decorar cada linha do texto. Assim que se transferiu de escola, começou a ler a maravilhosa edição original em inglês que encontrou em uma estante da biblioteca do CIE, procurando cotejar o texto com o japonês gravado em sua memória. Se dessa forma conseguiu ou não melhorar sua habilidade no idioma era outra questão, mas durante um ano tinha se empenhado na leitura, chamando a atenção dos funcionários da biblioteca. E o artigo contando essa história atraiu Daio e seus companheiros até o CIE de Matsuyama.

Sem que Kogito mostrasse interesse por esse assunto, Daio se pôs a contar em detalhes como vinha administrando o centro de treinamento seguindo os conselhos do finado mestre Choko. Ele e seus correligionários haviam capinado o terreno das redondezas e ampliado o prédio, segundo o plano original estabelecido.

Ouvindo o relato de Daio, Kogito lembrou que, bem antes do fim da guerra e de militares e jovens estranhos começarem a aparecer no armazém, houve períodos em que seu pai desaparecia

A SUBSTITUIÇÃO OU AS REGRAS DO TAGAME

do vale. A mãe não revelava aonde costumava ir, parecendo até não dar importância à ausência dele em casa. Mesmo quando as pessoas vinham procurá-lo a trabalho, pareciam partir sem obter informações precisas. Recordava a expressão de confusão no rosto delas.

Na época, uma história passada de boca a boca no vilarejo fazia Kogito sentir uma ligação com esse local aonde o pai ia, com ares de contos de fada: "o outro vilarejo". Diziam que seu avô havia incentivado o pessoal do vilarejo a aderir a seu plano de emigrar para o Brasil. Quando o empreendimento se mostrou inviável em meio ao sentimento antinipônico internacional, o avô alterou o plano para constituir um "outro vilarejo" na região, junto daqueles a seu favor. Por coincidência, estava em andamento um plano para estender a linha ferroviária até a cidade vizinha, deixando o vilarejo onde moravam afastado do trajeto. O avô comprou então uma grande extensão de terra abandonada onde, até meados da era Meiji, funcionava um hotel para tratamentos com as águas termais da região.

Diziam também que, como o bisavô de Kogito obtivera sucesso em sufocar uma rebelião campesina, o governador da província teria prometido em segredo ao avô de Kogito construir na nova linha ferroviária uma estação próxima ao "outro vilarejo". Mas o efetivo trajeto da linha acabou por se distanciar bastante do lugar, comparado ao projeto inicial. Mesmo com a construção das estradas rodoviárias provinciais, como havia um túnel próximo à sinuosa garganta na montanha, a esperança depositada no "outro vilarejo" foi em vão. Com os sucessivos fracassos da emigração ao Brasil e do "outro vilarejo", o avô perdeu seu patrimônio e a popularidade, tornando-se o principal alvo das piadas dos habitantes locais. Quando ingressou na escola elementar nacional e fazia de ônibus o percurso do vilarejo para Matsuyama, Kogito tinha o hábito de sonhar com o "outro vilarejo" do avô ao contemplar, antes de entrar no túnel, a vasta e aberta paisagem.

O centro de treinamento comentado por Daio não teria sido instalado nas terras do vilarejo abandonado, herdadas do avô por seu pai? E o "levante" do pai no dia seguinte à derrota na guerra não seria diferente da história na qual, ainda adolescente, tinha acreditado? Em outras palavras, talvez fosse distinta da estratégia disparatada de assaltar um banco para se apossar do dinheiro e anular a proclamação imperial do fim da guerra, bombardeando desde o aeródromo da base naval de Yoshidahama até o monte Ouchi. Percebeu ser mais viável que fossem preparativos para esperar o momento apropriado, tendo um esconderijo no meio da floresta como base de operações. Afinal, Daio e seus correligionários tinham de fato construído lá o centro de treinamento e viviam autossuficientes...

Antes do final da conversa na extremidade do fosso, Kogito já havia prometido visitar a pousada naquela mesma noite, porventura atraído pelas ideias de Daio.

Ao final da primeira noite de visita à pousada, Daio expressou a Kogito sua vontade de conversar na tarde do dia seguinte, um sábado, quando teria aulas apenas na parte da manhã. Kogito não tinha motivos para recusar. No entanto, a partir das cinco da tarde estava programada uma sessão de música, com discos, no CIE de Matsuyama. A única preocupação de Kogito era que às quatro horas o setor de consulta, onde os estudantes do ensino médio se preparavam para os exames, fechava para a retirada de mesas e cadeiras, e arrumação da sala de reuniões. Em dias normais, Kogito estudava até as cinco e meia e costumava retornar à pensão caminhando pela avenida por onde circulava o bonde, para retomar os estudos em seu quarto após o jantar. Mas para a sessão desse dia foram escolhidos, entre os LPs dos norte-americanos, compositores de música de câmara como Mozart e Beethoven, em vez das peças de Copland, Gershwin e Grofé, como era habitual nos concertos do CIE. Kogito tinha visto o anúncio no quadro de avisos da biblioteca, e Goro já lhe confirmara que iria ao evento, embora até então não desse nenhuma importância às obras de compositores americanos contemporâneos, taxando-as de "música de cinema" sem filmes. Devido à popularidade das sessões do CIE entre o público local, o número de ouvintes era limitado, e mesmo Kogito, frequentador assíduo de sua biblioteca, precisaria de convite para entrar. Não haveria como obter ingressos nem mesmo para os frequentadores habituais. Kogito comentou com Goro sobre o programa por ter recebido, conforme publicado no jornal, três convites como prêmio, além de um exemplar do Concise Oxford Dictionary.

As conversas com Daio, na tarde e na noite do primeiro dia, e na tarde do dia seguinte, fizeram o assunto escassear. Eram ainda quatro da tarde, segundo o relógio de pulso Omega, única herança do pai, quando Kogito mencionou o compromisso com o amigo Goro.

Kogito avisou que partiria e deixou a pousada. Daio e seus companheiros o acompanharam até a parada do bonde e, quando o bonde chegou, também subiram. Notando a perplexidade no rosto de Kogito, Daio explicou com tranquilidade:

— O pessoal quer passear por Matsuyama e ver como é sua vida diária. Para ser sincero, eu também!

Kogito se dirigiu então à entrada do CIE acompanhado de Daio e seus seguidores. No lado leste do prédio, onde algumas grandes árvores haviam sido cortadas, viam-se rapazes treinando arremessos numa cesta de basquete ali pendurada.

Lá estava Goro! Alto, com o torso bronzeado à vista, lutava pela bola e driblava os adversários tentando encestá-la. Jovial, repleto de energia, seguro de si. Kogito o observava e se deu conta de que, toda vez que estava de posse da bola, os colegas do time davam cobertura para proteger seu arremesso.

Os outros jogadores eram funcionários japoneses do CIE. Assistiam ao jogo um jovem americano de terno de linho que Kogito sabia se chamar Peter e um rapaz que sempre andava com Goro desde que Kogito tinha começado a estudar para os exames e que, após falhar na admissão à universidade, tentaria uma outra vez. Quando Kogito recebera havia pouco o prêmio pela leitura de *As aventuras de Huckleberry Finn*, Peter foi o oficial com domínio da língua japonesa que veio da base para a cerimônia.

Kogito não estranhou a presença de Peter, mas se espantou ao ver Goro aceito em um treino de basquete com os funcionários japoneses, antipáticos a ponto de discriminar outros usuários do terreno. Até então, Goro havia aparecido no CIE poucas vezes. Além disso, Kogito tinha uma embaraçosa lembrança de algo ocorrido nesse exíguo espaço esportivo. No outono do ano anterior, na medida em que se acostumava a estudar para os exames na biblioteca do CIE, ocorria-lhe que, depois de vir morar na cidade, a exposição direta de sua pele ao sol diminuíra, algo ruim para a saúde. Despiu então a camisa e começou a fazer exercícios naquela área. Em instantes, um funcionário japonês do centro se aproximou correndo, procurando não fazer ruído, e o repreendeu. Kogito sentiu estar sendo observado e, ao erguer os olhos em direção ao andar superior do centro, avistou um americano de altura inferior à média dos japoneses. Era Peter.

A despeito de que algumas pessoas do meio cultural da cidade já estarem de pé com suas acompanhantes na entrada principal ou no estacionamento para a sessão de música, os funcionários do centro toleravam de forma tácita que Goro continuasse de torso desnudo. Mesmo após Kogito e os outros se postarem na lateral da quadra, os arremessos ainda continuaram por algum tempo. Conversando entre si em inglês, os funcionários japoneses deram por encerrado o jogo. Correram até a entrada do lado leste do prédio para devolver a bola a Peter: sendo o administrador das instalações desportivas, era ele quem dava permissão para o uso do local. E uma bola de couro era algo valioso. Apenas Goro permaneceu sozinho de pé, encostado à coluna na qual estava pendurada a cesta de basquete.

Peter se dirigia para a entrada frontal do prédio quando olhou para trás, chamou Goro em um inglês incompreensível para Kogito e lançou a bola em sua direção em uma longa curva. Goro saltou e pegou a bola, e com um meio giro no corpo gingou por três ou quatro passos antes de fazer o arremesso. A bola quicou na tabela e caiu dentro do aro. Apanhou a bola, deu uma volta como se driblasse adversários, tomou uma razoável distância e conseguiu dessa vez lançar direto para dentro da cesta. Com a bola posta debaixo do braço, caminhou na direção de Peter, que a recebeu, parecendo dizer algo ao apontar para o suor brilhando em seus ombros e torso. Do andar de cima, um soldado americano lhe jogou uma toalha grossa, e, com tranquilidade, Goro enxugou a parte superior do corpo.

Como se nada fosse, Goro veio para o local onde estavam Kogito e os outros, todos boquiabertos de surpresa. Recebeu do amigo veterano, aquele que se preparava para repetir o exame vestibular, uma camisa de jérsei de manga longa e a vestiu diretamente sobre o corpo nu; o uniforme da equipe estudantil de hóquei no gelo teria sido presente de um amigo universitário quando estava em Kyoto. O veterano não gostou muito de receber a toalha de Goro, mas mesmo assim foi devolvê-la à entrada do lado leste. Foi então que, pela primeira vez, Kogito viu Goro com uma fisionomia tão sorridente, esbanjando energia após o jogo. Entregou-lhe os dois convites sem receber de volta dele ou do amigo veterano qualquer agradecimento.

Daio, até então silencioso ao lado de Kogito, se pôs à frente de seus jovens companheiros e, exibindo um sorriso intrigante, perguntou com humildade a Goro:

— Você é Goro, o amigo de Kogito e filho do famoso cineasta já falecido... Não gostaria de vir até a minha pousada depois da sessão terminar? Com Kogito! Se for ao evento, decerto não chegará a tempo para jantar em sua pensão, não é?

"Trouxe caranguejos cozidos da montanha... ou seria mais correto dizer que são da montanha e do rio (e, falando isso, exibiu um novo sorriso simpático), além de saquê artesanal. Ontem à noite, não foi possível celebrar de maneira condizente, mas quem sabe se um amigo vier junto, Kogito possa se descontrair um pouco mais? Você poderá comer e beber o quanto quiser!

Nessa mesma noite, houve outro acontecimento. Encarregado do papel de comentarista, Peter estava sentado ao lado de um enorme alto-falante. A seu pedido, um funcionário japonês se aproximou de Goro levando um pequeno livro de encadernação especial com uma página indicada por um marcador.

— Este é um livro de William Blake — informou o homem em uma voz propositalmente contida. — Peter disse que você se parece com este menino de asas.

Goro se endireitou, por um tempo mirando a ilustração a uma certa distância, sem dizer nada. A seu lado, Kogito espiou o desenho. Embora a imagem fosse pequena e não pudesse ver com clareza as feições do menino, achou o jovem que o carregava aos ombros parecido com Peter. A audiência esperava pelo início da audição enquanto Peter, sentado em uma cadeira de tubos metálicos, rara naqueles dias, voltava para Goro seu rosto em formato de coração com grandes olhos um tanto separados entre si.

Muito tempo depois, quando Kogito obteve a edição da Trianon Press de *Canções da inocência e canções da experiência*, de Blake, e viu a ilustração, foi incapaz de visualizar o rosto de Peter no jovem carregando o menino sentado sobre sua cabeça e com os pés em seus ombros. Semelhante a um querubim, o bebê exibido na edição em fac-símile sem dúvida lembrava Goro: testa larga, abundantes cabelos desgrenhados, nariz e boca denotando um caráter obstinado e bem-humorado, o queixo firme. Como descrito por Chikashi, supôs que seriam assim os traços de Goro quando pequeno, de uma beleza irrefutável e amado por todos.

5

Com a sessão de música terminada, as personalidades do mundo cultural se reuniram em uma sala separada para tomar café, mas Kogito, Goro e o amigo veterano foram excluídos. Era algo natural, e havia também o fato de ser incômodo para Kogito encontrar Peter. Os três rapazes saíram então do prédio do CIE e seguiram entre a multidão por um caminho escuro, coberto de cascalho. Kogito sabia do desejo de Goro de aceitar o convite de Daio, no entanto não sabia como se desvencilhar da companhia do veterano. Logo após cruzar a larga ponte sobre o fosso e chegar à parada do bonde, porém, a preocupação de Kogito se resolveu. Daio surgiu da escuridão com o aspecto de quem acabou de sair do banho — talvez tivesse ido aos banhos públicos da estação termal de Dogo — e chamou Goro e Kogito, ignorando por completo o outro rapaz.

— Vim buscá-los, pois apesar de contar com Kogito, imaginei que Goro talvez fizesse cerimônia! Pessoas como vocês, que conversam sobre literatura e música, têm a cabeça de adultos formados. Kogito não bebe, e nada podemos fazer a respeito, mas Goro deve gostar de tomar um saquê artesanal de vez em quando, eu presumo. E os caranguejos de rio podem parecer uma comida sem refinamento, mas no fundo são uma deliciosa iguaria. A pousada informou que só pode fornecer arroz na quantidade de nossos cupons de racionamento, mas demos um jeito nisso! É uma forma de agradecer pelo saquê e pelas refeições oferecidas por mestre Choko e sua esposa. Se possível, gostaria que um dia aquele americano também provasse os pratos de nossa cozinha rústica!

Kogito não bebeu nem uma gota de saquê durante o seminário dessa noite, que logo se transformou num banquete, mas Goro, sem nenhum constrangimento, esvaziou sua taça e pediu uma segunda dose da garrafa de dois litros. Até comentou que o saquê era de qualidade superior àquele que havia tomado em um bar frequentado por escritores e poetas em Kyoto, levado por uma editora admiradora de seu pai. Com entusiasmo quase inocente, Goro também devorou os caranguejos, sem responder ao que lhe perguntavam por um tempo.

Pouco depois, Daio afastou os grandes pratos de caranguejos vazios e colocou no centro dos assentos a maleta de couro vermelha que, na noite anterior, Kogito avistara encostada à parede, reconhecendo-a como um objeto do antigo escritório do pai. Daio então estendeu longamente seu único braço e destravou o fecho com um clique. Mantendo a mão sobre a mala, virou o rosto oleoso e de brilho escuro em direção a Goro e Kogito.

— Nós chamamos esta mala de arsenal portátil, mas há algo aqui de que, sem dúvida, você se lembra, Kogito.

E, sentado no tatame com um dos joelhos erguido, voltou-se de novo à mala, procurando com seu único braço algo em seu interior. Enquanto isso, Kogito se sentia suspenso no ar, envergonhado diante de Goro. Kogito imaginou que seria retirada da mala a espada trazida por um dos empregados da família que lutara na Guerra Russo-Japonesa. Com dez anos na época, Kogito levou sob o braço a espada de cor fosca e enferrujada ao acompanhar o veículo de ataque em que seu pai, de fralda para suas fezes hemorrágicas, se encontrava. A cena por certo faria Goro rir sem pudores…

Todavia, o que Daio retirou da mala, daí a demora, foi algo semelhante a um grande inseto feito de bambu e arames grossos e que devia ter se enganchado e custava a sair: o arpão de bambu, arame e borracha que Kogito usava para mergulhar no rio à cata de enguias!

 Atualmente as margens do rio Kame estão cercadas por muros de concreto, mas quando Kogito era criança, as moitas de bambus ao longo do rio formavam uma barragem natural. Como disse Goro, caçoando dele ao lhe presentear com o Tagame tempos depois, Kogito costumava se isolar dos meninos de sua idade. O arpão com uma raiz de bambu fora feito pelo patriarca de uma família coreana, trazida para o local para o transporte de madeira da floresta. A mãe de Kogito cuidava da alimentação das três famílias coreanas instaladas no local, que acabaram assim se tornando próximas. Mas Kogito acabou de novo vítima de chacota das crianças, já que a lança de arame, inserida dentro do bambu oco e disparada por uma borracha, não tinha a ponta afiada. Pensando bem, Kogito recordou que fora Daio quem tinha levado o arpão torto ao ferreiro longe da cidade para trocá-lo por um outro menor, de arame mais grosso.

 Kogito consertou seus velhos óculos de natação e, embora ainda entrasse um pouco de água neles, mergulhou no rio até uma rocha. Na realidade, não procurava enguias, e ao menos na aparência queria imitar as brincadeiras que as crianças menores faziam tão bem. Em uma longa fenda que separava a margem da parte mais funda, encontrou uma enguia do tamanho de um dedo, expelindo água límpida ao redor. Com seus olhos negros muito separados, a enguia fitou Kogito de volta. Depois de erguer várias vezes a cabeça em busca de ar, ele aproximou a ponta do arpão da nadadeira da enguia e soltou a trava de disparo. A enguia agitou o arpão, que a atingiu por um curto período, até que, de repente, quedou inerte. Kogito se ergueu e, ajoelhado na correnteza, olhou para a enguia morta, pendurada na ponta do arpão como um pedaço de lixo, e então sentiu vergonha de si mesmo.

A partir desse episódio, Kogito nunca mais levou o arpão em suas brincadeiras no rio. Não tinha ideia de como Daio havia se apossado dele, integrando-o ao "arsenal" do centro de treinamento. Só algum tempo depois Kogito imaginou que as enferrujadas balas de canhão do levante campesino estariam guardadas ali também.

De maneira infantil, Goro se divertia puxando a borracha e disparando o arpão, apesar da advertência de Daio para não apontá-lo na direção das pessoas. Pouco depois, quando com insistência pediu que lhe devolvesse o objeto, Goro o jogou a um canto e disse com a voz estridente já maculada pela embriaguez do saquê artesanal:

— E vocês chamam isso de arma?

Daio reagiu com seriedade.

— Suponha que haja um pequeno orifício na porta de entrada ou na parede de madeira por onde a luz vaze. Não acha natural que qualquer pessoa que queira saber o que se passa aqui dentro se aproxime e espie pelo buraco? E se houvesse um arpão fino nesse mesmo buraco, pronto para ser disparado? O que acha?

— Sinto nojo só de pensar.

— O que estamos fazendo agora é resistir às tropas de ocupação! Se tivéssemos acesso a armas mais sofisticadas, esteja certo de que não travaríamos uma guerra "nojenta"!

Daio começara a falar com tal franqueza que até Kogito se deu conta de que ele se interessava em ter Goro como uma melhoria para o seu "arsenal". Por sua vez, sem desvanecer o rosto sorridente e extasiado pela embriaguez, Goro reagia de forma difícil de julgar. Daio aos poucos tinha definido sua meta, chegando a perguntar se Goro não poderia se tornar amigo do tal oficial que dominava a língua japonesa. Enquanto isso, Daio servia um prato de origem coreana, de arroz cozido com alho e pedaços de carne de porco, incorporado à dieta dos habitantes do vilarejo no tempo em que a mãe de Kogito servia comida às famílias de trabalhadores vindos da Coreia. No caminho de volta, os rapazes concordaram que aquele foi o prato mais excitante que tinham experimentado nos conturbados sete anos após o término da guerra.

Ao final da festa, Daio de súbito começou a falar sobre a procedência do nome de Kogito. Lógico que o nome se inspirava na filosofia ocidental de Descartes, mas isso não era tudo. Na época, a região mantinha negócios com Osaka, e não eram poucos aqueles que frequentavam a Kaitokudo, uma escola de comerciantes versados no confucionismo que incorporava também o antigo pensamento de Jinsai Ito em seus princípios acadêmicos tradicionais.

— O sogro do senhor Choko, nosso mestre no centro de treinamento, fracassou nas tentativas de emigração para o Brasil e na construção do "outro vilarejo". Quando criança, estudou na Kaitokudo os *Analectos* de Confúcio e na juventude aprendeu, em francês, o *Cogito ergo sum*, do filósofo e estadista Chomin Nakae, da região de Tosa. É o tipo de nome apropriado para a família Choko, não acha?

Goro caiu na gargalhada fazendo Kogito sentir certo rancor, o qual, porém, com a complacência comum aos jovens, logo retomou o bom humor e com efusividade conversou com o amigo ao longo do caminho de volta.

Capítulo IV

Cem dias de *quarantine*
(Parte 2)

1

A estada em Berlim entrava em sua segunda metade. Kogito sentiu que a vida na Alemanha se assentava em uma base mais sólida que nas outras ocasiões até então. Chegava a imaginar com estranheza as experiências de viagens realizadas quando jovem, sem dinheiro suficiente, para cidades do exterior desprovidas de infraestrutura turística e onde não tinha amigos nem conhecidos.

A estabilidade da vida se devia ao fato de o Centro de Pesquisas Avançadas da Universidade Livre de Berlim ter tomado todas as medidas necessárias para recebê-lo, apesar de sua decisão tardia em aceitar o convite. Com certa tristeza, Kogito também admitia outro motivo: estar perdendo a energia vital para atos que o levassem a ultrapassar os próprios limites.

Na manhã do domingo anterior à Berlinale, cujo início estava previsto para o meio da semana seguinte, ele se dirigiu para um hotel na Potsdamer Platz. E então, pela primeira vez durante sua permanência na cidade, sentiu pisar um terreno incerto, algo muito familiar durante suas viagens para fora do Japão.

Naquela manhã, de pé a um canto da calçada diante de seu apartamento, Kogito esperava pelo professor assistente Iga, do

Departamento de Língua Japonesa, que viria buscá-lo de carro. Passados trinta minutos do horário combinado de dez horas, ele não havia aparecido, e Kogito decidiu então subir as escadas de volta a seu quarto, onde o telefone tocava com insistência. Não conseguiu atendê-lo, mas, pouco depois, tocou uma segunda vez. A impaciente voz de Iga do outro lado da linha lhe informou que a senhora Böme Azuma tentava sem sucesso entrar em contato. Na véspera, tinham combinado que ela pegaria de carro primeiro Iga e em seguida Kogito, mas pela manhã havia surgido um trabalho urgente, impedindo-a de participar das gravações da entrevista daquele dia. Se Iga passasse para apanhá-lo de carro não chegariam a tempo e, portanto, propôs que cada um pegasse um táxi até o hotel.

Apesar da mudança de planos, Kogito pôde se encontrar com o professor no saguão do hotel. Iga foi logo falar com o pessoal na recepção da Berlinale, mas como nem ele nem Kogito tinham sido registrados, não lhe deram muita atenção. Embora protestasse, só conseguiu ser passado de um funcionário para outro. Um pouco afastado, Kogito observava a cena já por quase uma hora até que um homem desceu com vagar do andar superior pela ampla escadaria — parecia alguns anos mais velho do que Kogito e tinha um ar cândido e inteligente — e se aproximou para falar com ele.

— As gravações em Frankfurt há dez anos foram divertidas, mas você recebeu em Tóquio o vídeo daquela época?

O homem passou o braço de maneira amigável por sobre o ombro de Kogito insistindo para que o acompanhasse escadas acima. Mesmo preocupado com Iga, Kogito foi incapaz de resistir ao convite e se deixou levar até a entrada do auditório do festival no andar superior. A partir deste, todo os andares pareciam ocupados pela organização da Berlinale. O homem ostentava no peito um crachá oficial, mas, apesar de Kogito e Iga — que notando o que se passara, subiu às pressas as escadas atrás deles — não terem identificação, o atendente na entrada os deixou passar fingindo não ver. Caminharam ao lado desse homem pelo corredor que conduzia ao auditório principal, com uma grande porta semiaberta onde alguns homens de pé impediam o avanço. Bastou seu guia se aproximar para ser convidado a entrar sem ter de pronunciar uma só palavra.

O amplo auditório possuía um vão livre de dois andares de altura. A um canto do palco, os preparativos continuavam. Próximo à entrada, havia uma cadeira com quatro ou cinco casacos empilhados, número correspondente aos homens que repartiam o espaço com pequenas divisórias e instalavam luminárias. Outros equipamentos de gravação já estavam preparados.

Mesmo se tratando de um glamouroso festival de cinema, uma moça de compleição forte em jeans cáqui entregou a Kogito, que permanecia de pé, uma xícara de café com um sachê plástico de leite e um pacotinho de açúcar, algo bem ao estilo alemão. Ela não lhe dirigiu a palavra, apesar de em geral os jovens e inteligentes trabalhadores alemães dominarem bem o inglês. Enquanto isso, Iga conversava com o homem mais velho, levado até a parte inferior da tela. Até onde Kogito podia ver, Iga parecia se empenhar em resolver algum problema de última hora.

O homem, que no final das contas era o diretor de cinema que iria entrevistá-lo, conduziu Kogito com naturalidade, indicando-lhe a cadeira da direita entre as duas posicionadas em frente à tela. O técnico de som colocou um microfone em Iga que, sentado do lado esquerdo, aparentava estar um pouco confuso. Depois que o mesmo foi feito com Kogito, o diretor tomou assento junto à câmera e instruiu uma pessoa próxima. O monitor, empurrado para uma posição na qual poderia ser visto por Kogito e Iga, foi ligado. Apareceram cenas muito bem produzidas com atores japoneses, criando em Kogito a falsa impressão de se tratar de um dos primeiros filmes de Akira Kurosawa.

Um terreno descampado e muito amplo, ladeado por densos bosques de cedros frondosos. À frente via-se um acampamento com bandeiras desfraldadas e samurais em pé, de armaduras e elmos, com lanças em punho. De ambos os lados, guerreiros a cavalo estavam alinhados. Todos aguardavam, tensos.

A câmara recua e, distante do acampamento, surgem as costas e cabeças de um grupo de camponeses seminus vistas de trás. Numerosos, eles continuam a avançar e, devido ao ângulo da câmera, preenchem todo o quadro. Do outro lado, samurais se preparam para o confronto. Quando ambos os grupos estão prestes a colidir, a cena muda por completo. Vê-se a transmissão de uma partida inflamada de rúgbi entre os times da Inglaterra e da Alemanha. Aqui também uma das forças intensifica o ataque e avança em direção ao campo adversário. Um resoluto contra-ataque põe os dois times em luta violenta. No auge, um jogador mais à frente recebe um passe fantástico e corre pelo lado direito do campo adversário. Segue sozinho.

A cena volta a mudar, e o grupo de camponeses invade o terreno cercado por cedros onde estão os samurais. À frente deles, há uma caixa com rodas de madeira e um homem de pé em seu interior, a cabeça ovalada e grande demais em relação ao corpo, envolta por camadas de um pano imundo e remendado. O carro-caixa é empurrado para frente, sendo logo cercado pela multidão de camponeses insurretos. Inúmeras lanças de bambu são levantadas em direção ao céu, e gritos se fazem ouvir.

Quando a cena desaparece do monitor, o *cameraman* começou a filmar e o diretor da entrevista se dirigiu a Kogito fazendo-lhe uma pergunta por trás de um sorriso tímido. Iga começou a traduzir, mas fez uma pausa para indagar constrangido:

— O senhor é livre para responder às perguntas da maneira que for mais conveniente... Porém a conversa aqui me parece outra, bem diferente do que o diretor tinha me explicado inicialmente. O que devemos fazer? Em vez de responder logo, pedimos que parem de filmar para termos uma conversa preparatória?

Kogito não compreendeu a situação. Só viu a câmera continuar a rodar, o técnico de som olhando em sua direção com atenção e a moça em jeans cáqui tomando notas em um caderno. O clima se mostrava difícil para que fosse solicitado ao diretor de aspecto gentil e inteligente suspender por um momento os trabalhos. De pronto Kogito se recusou.

— Traduza as perguntas, por favor, e eu irei respondê-las.

A entrevista teve início, e a primeira pergunta foi sobre como Kogito avaliava o filme em fase de produção baseado em seu longo romance intitulado em alemão *Der Stumme Schrei* [O grito silencioso].

— Em primeiro lugar, gostaríamos de saber sua opinião como autor da obra e ouvir seus comentários sobre Goro Hanawa, que com dedicação incentivou, começando pelas orientações à adaptação do livro, o esforço de jovens cineastas alemães em meio às grandes dificuldades econômicas do projeto. O senhor era amigo de longa data do diretor, que se suicidou de forma tão trágica, além de seu cunhado.

Kogito respondeu:

— O título em japonês *Jogo de rúgbi em 1860* é uma metáfora que vincula a importante revolta camponesa no período da "segunda abertura ao exterior" do Japão aos movimentos cívicos de oposição ao Tratado de Cooperação Mútua e Segurança nipo-americano, cem anos mais tarde. Parece interessante que tenham entendido e mostrado a analogia em imagens literais. Se foi Goro quem sugeriu essa abordagem aos jovens alemães, fico impressionado com sua crítica humorística e o talento dos cineastas para expressá-la realisticamente na tela.

"O poder dos clãs no sistema feudal condenou à morte o líder da primeira revolta camponesa. Os camponeses recuperaram a cabeça do líder conservada em salmoura e, na segunda revolta, a recolocaram no cadáver do líder e avançaram em direção à cidade ao redor do castelo, localizada na jusante do rio. Essa ideia, que elaborei de forma metafórica no romance, também foi transportada para a tela.

"O líder, assim renascido, está de pé na caixa com rodas de madeira. Trata-se aqui de uma referência a um incidente ocorrido logo após a derrota japonesa na guerra, importante para mim, tanto como indivíduo quanto como membro de minha família. Escrevi sobre isso em minha novela *O imperador enxugará minhas lágrimas*.

"Por último, desejo enfatizar que as cenas da floresta no vídeo retratam fielmente minha terra natal. Um arquiteto, meu amigo, escreveu um artigo em que analisa as características topológicas em meus livros. Senti que essas imagens correspondem à representação visual da teoria contida nesse espetacular artigo.

"Vinte anos atrás, quando eu vivia na Cidade do México em companhia de minha esposa — que, como você mesmo mencionou, é a irmã mais nova de Goro —, ouvi dizer que ele tinha visitado a casa de meus pais para uma pesquisa de campo. Os resultados são visíveis no filme. Expresso meu respeito aos jovens cineastas alemães por uma transposição para a tela de forma tão similar e vibrante, sem dúvida, seguindo os pormenores fornecidos por Goro."

Em seguida ao comentário de Kogito, o diretor-entrevistador indagou, mostrando uma franca tensão derivada de seu plano secreto:

— Presumo que, como autor da obra, o senhor teria o firme desejo de ver o filme concluído. Os produtores perceberam uma falha no contrato com o autor apontada por seu agente. Soma-se a essa falha o esgotamento dos recursos para a produção, forçando o projeto a uma interrupção prolongada. O senhor tem intenção de cooperar para que essa adversidade seja superada?

Tendo traduzido a segunda pergunta até esse ponto, Iga replicou ao diretor em inglês, de forma que Kogito pudesse entender.

— Ao se referirem a intenção e cooperação, exatamente que tipo de ação concreta eles esperam?

— Vou ser mais claro... Existe uma opção contratual, e eles não detêm os direitos de adaptação cinematográfica da obra. Não seria possível conceder-lhes os direitos sem ônus? Temos informações de que o espólio do diretor Goro Hanawa alcança cinco milhões de marcos. O senhor não poderia convencer os herdeiros a investir nesse filme?

Depois de traduzir a explicação, Iga acrescentou às pressas para Kogito:

— Qualquer pessoa de fora pode perceber que esse não é o tipo de pergunta a ser respondida durante a gravação de uma entrevista. Essa conversa é muito conveniente para eles. E, se não bastasse, desconfio de que o propósito aqui é fazê-lo se comprometer e deixar isso gravado como prova. Que acha de interromper a entrevista neste momento?

"Mas se, ao contrário, for seu desejo ajudá-los a concluir o filme que está parado e manifestar seu apoio... Pessoalmente, considero um bom projeto e, pela parte finalizada até o momento, como o senhor mesmo apontou, de excelente qualidade. Terei prazer em traduzir sua posição."

Kogito decidiu levar adiante a entrevista. Em resposta à pergunta induzida pelo diretor, comprometeu-se a ceder sem ônus os direitos de adaptação aos jovens cineastas alemães com a condição de continuarem o filme de forma coerente com o estilo da amostra que haviam lhe apresentado. Após ter visto o vídeo, Kogito teve certeza de Goro ter dado instruções sobre o roteiro e a direção, com base nas explicações e ideias nas conversas deixadas pelo Tagame antes de o amigo partir para o outro lado. Kogito sentiu sincero arrependimento por não ter trazido o Tagame, por desejar comparar várias fitas com o filme que acabara de assistir. Deixou claro não deter poder decisório sobre o uso da herança de Goro nem possuir nenhuma intenção de se intrometer no assunto...

O diretor de meia-idade terminou a entrevista voltando a exprimir a fisionomia suave do início. Enquanto acompanhava Kogito e Iga até o saguão para as despedidas, afirmou:

— Este último comentário servirá de estímulo positivo aos jovens artistas que almejam a reconstrução da indústria cinematográfica alemã — o chanceler também emitiu uma mensagem de apoio ao festival de cinema —, e foi realmente ótimo termos gravado a manifestação positiva de Kogito, justo no local onde se preparava o evento."

No meio do caminho para casa, Iga disse, como se complementasse as palavras do diretor:

— Ele foi um dos líderes do novo cinema alemão. É lógico que deseja apoiar a nova geração que enfrenta as severas condições econômicas atuais. Mas estaria Goro consciente da profunda colaboração prestada aos jovens cineastas alemães? Eles tinham começado as filmagens sem nenhum contrato relativo aos direitos de adaptação da obra para cinema. De forma involuntária, não teria Goro se envolvido no estratagema deles que visava criar um fato consumado?

— A senhora Böme Azuma parece também tê-los ajudado, mas poderia ignorar todas as circunstâncias? Ou justamente por saber, não poderia ter contribuído para a consumação do fato?

— Quem pode dizer? Certo é que é uma cinéfila. Eu a vejo com frequência nas pré-estreias de filmes experimentais de jovens diretores na Berlinale. Mas seria capaz de participar até em maquinações jurídicas para a realização de um filme?

"Ela começou como atriz e parece que, quando Goro foi lançado como uma cara nova, ela contracenou com ele como uma veterana. Eu a ouvi se vangloriar disso."

— Ela se reencontrou com Goro na Berlinale e mantiveram certa relação, eu presumo... Mas como isso estaria conectado à história da filha da senhora Böme Azuma?

— O senhor ouviu como ela costuma falar mal da própria filha? Mais do que se opor ao relacionamento, suas críticas se dirigiam principalmente à filha. A jovem teria ajudado Goro de diversas maneiras em Berlim, sobretudo no início da estada dele na cidade. Aqueles que precisavam se aproximar de Goro chegavam a comentar com maldade que ela o estaria monopolizando. Por isso, a mãe teria se sentido responsável, dando início à discórdia com a filha. Após o que aconteceu com Goro, o jornalista de uma revista semanal de Tóquio veio fazer uma matéria com a filha, enfurecendo a senhora Böme Azuma. Ouvi mesmo dizer que as desavenças com o jornalista podem ir parar nos tribunais.

— Mas por que as coisas teriam se agravado dessa forma entre as duas?

— Parece que a senhora Azuma aconselhava a filha a não exagerar nos cuidados com Goro para não passar por uma *Mädchen für alles*; se continuasse a agir daquela forma, logo ele se cansaria. A filha perguntou a uma amiga o significado dessa expressão em língua alemã e, sentida, não perdoou a mãe por ter dito aquilo. Foi o que me contaram. A filha crescera no Japão com o pai, ex--marido da mãe, até que esta se casou de novo com um alemão, passando a morar aqui. Era por isso que não falava nem uma palavra de alemão.

— Pelo que vejo, você está muito bem informado.

— A amiga que lhe falou sobre o significado da expressão em alemão veio se certificar comigo. Depois de ter explicado, ficou preocupada...

— Com que nuance você explicou a expressão?

— Minha mulher, que nasceu em Berlim, afirmou nunca ter ouvido essa expressão ser utilizada em casa. A senhora Böme Azuma casou com um empresário bem-sucedido e mais velho do que ela. A expressão teria vindo do vocabulário do marido, criado em uma família tradicional.

"Essa amiga também comentou que, quando aquilo aconteceu com Goro, a filha da senhora Böme Azuma teria insistido na ideia de que o cineasta fora assassinado pelos yakuzas por ter aceitado realizar uma reportagem para a TV estatal NHK em que revelava o domínio da organização sobre as incineradoras de dejetos industriais."

O mais estranho é que, a partir de então, a senhora Böme Azuma não deu mais sinais de vida, restando a Kogito apenas o vídeo com a gravação de sua promessa de ceder aos jovens cineastas alemães os direitos de adaptação de seu romance para o cinema, sem nem mesmo saber o nome do grupo a que pertenciam.

2

A *quarantine* de Kogito abarcou cem dias, ultrapassando de maneira substancial os quarenta designados pelo vocábulo de origem italiana. Kogito sabia que, apesar de não ter sentido os efeitos do fuso horário na ida, ao voltar da estada em Berlim sem dúvida padeceria do problema por dez dias. Durante esse tempo, procurou uma forma de voltar com firmeza à realidade — decidira não colocar pilhas novas no Tagame — e, por vezes, deitado em sua cama de campanha na biblioteca, imaginaria telefonar para algum amigo.

E Kogito perceberia a dura realidade. Conforme Goro criticara pelo Tagame, não havia ninguém a quem pudesse telefonar: colegas íntimos mais jovens, o profesor Musumi, Takamura ou mesmo amigos com quem pudesse se descontrair.

Ademais, também não encontrava nenhum livro que aliviasse a sensação de cabeça pesada causada pela diferença de fuso horário. Desfez os pacotes empilhados na entrada da biblioteca e, enquanto lia trechos de alguns livros, sentiu-se atraído pelo estilo da tradução para o japonês de Proust, que talvez incitasse a vontade de relembrar com doçura o passado. Foi assim que Kogito pensou, com inusitada serenidade, sobre a própria morte como um acontecimento não tão longínquo — imaginou que não suportaria viver quinze ou vinte anos mais — e chegou a refletir em sua cabeça latejante que, em vez de *O tempo redescoberto*, o volume deveria se chamar *A morte redescoberta*.

— Sim! A morte é o tempo!

Era algo a que se oporia se estivesse bem desperto, mas nesse momento pensou ter feito uma descoberta convincente. Podia sentir sua morte como algo ocorrido num passado não muito distante. E o passado recente retrocedia o próprio tempo com enorme velocidade. Afinal, não parecia que a morte de Goro acontecera havia uma centena de anos? E ao lado do amigo, morto havia tempos, seria natural que ele permanecesse adormecido como alguém também morto fazia um tempo.

Ao pensar nisso, Kogito, resignado à insônia devido à diferença de fuso horário, na realidade estava dormindo, e tudo não devia passar de um leve sonho. No dia seguinte, como tinha pressentido no sonho, a ideia de que a morte é o tempo se tornava ambígua. Os ecos dessa descoberta, porém, logo deveriam ressoar em novos sonhos.

3

Kogito se convenceu de que a *quarantine* em Berlim tinha dois objetivos: voltar à situação anterior ao início das conversas com Goro através do Tagame e se disciplinar até torná-lo possível. Os resultados começaram a aparecer aos poucos e, quando esperava em seu escritório até o início de uma aula ou em outros momentos em que se encontrava sereno, organizava os pensamentos buscando se persuadir de que a comunicação mantida entre ele e Goro, depois de o amigo ter partido para o outro lado, não passava de um jogo autoconsciente.

No entanto, não imaginava que, por se tratar de um jogo, fosse destituído de propósito. Era perceptível que só pelo Tagame atingia tal aprofundamento de consciência. A partir dos quarenta, Kogito reconheceu o papel do jogo em contraposição ao ritual, zombando de si ao se autodenominar um "estruturalista tardio", ao reavaliar alguns dos argumentos que começavam a ser esquecidos por sagazes antropólogos.

A prova de que os diálogos pelo Tagame formavam um jogo eram as regras criadas e observadas por Kogito e também obedecidas por Goro, embora a forma de condução das coisas não lhe permitisse mesmo qualquer tipo de desvio...

Ademais, a comunicação mantida pelo Tagame, de dinamismo nos diálogos até certo ponto contido, pressionou Kogito a novas perspectivas até então inimagináveis. Ao mesmo tempo, estava ciente de ambos não infringirem as regras do jogo. Por exemplo, por mais que os diálogos se inflamassem, respeitavam a regra de não trocarem sugestões sobre futuros trabalhos conjuntos.

Por isso, quando Kogito relembrava, em seu apartamento em Berlim, os diálogos mantidos com Goro, podia distinguir com clareza os que haviam se dado por meio do Tagame daqueles por telefone, enquanto Goro ainda estava deste lado, próximo do dia de sua súbita partida para o outro lado.

— Chikashi me disse que quando você fizer sessenta e quatro anos, Akari terá trinta e seis. A idade dos dois irá somar cem anos! Segundo seu misticismo dos lastimáveis tempos de Matchama, você deveria se tornar um "sábio" ao completar cem anos. E os cem anos vividos... Não sei qual era a base para o cálculo, mas, incluindo os cinquenta anos anteriores e os cinquenta posteriores, você terá obtido a visão perfeita da vida...

"O que eu penso agora é que, junto com Akari, você terá vivido cem anos, ou seja, sessenta e quatro mais trinta e seis, não?"

— É verdade que eu e Akari colaboramos até agora, e sinto que vivemos cerca de uma centena de anos. E quando 1999 chegar, devo perceber com ainda mais clareza, mas se pegará mais no meu aniversário ou no dele, aí é outra história...

— As datas de aniversário de vocês são muito distantes uma da outra? Quando conversei com Chikashi, tive a sensação de que tinham nascido na mesma data. Chikashi está longe de ser arrogante, mas decerto suas convicções não combinam com a imagem de humildade da mulher japonesa em geral. Ela deve ter se convencido de que deu à luz você e Akari no mesmo dia. Ou seja, ambos são filhos dela!

"Na realidade, ela é do tipo maternal. Quando eu e ela morávamos no anexo do templo em Matchama, ela era mais maternal do que nossa própria mãe."

Kogito quase perguntou em tom de brincadeira "segundo sua psicologia, seja positiva, seja negativa, o papel de sua mãe é grande, porém qual a relação disso com o que você afirmou?", mas acabou engolindo as palavras... Não deveria ser fácil ter de suportar duas mulheres no papel de mãe!

O breve silêncio de Kogito durante a conversa serviu de oportunidade para Goro passar à sugestão sem dúvida preparada ainda antes do telefonema.

— Em Matchama, quando você disse aquilo, não senti vontade de replicar, mas imaginei vagamente que, ao se tornar um "homem sábio", teria a visão dos cem anos vividos, dos cinquenta anos anteriores e dos cinquenta seguintes. E no meu caso? Você com cem anos e eu com cento e um: mesmo que eu vivesse tudo isso, não acredito que ainda estaria trabalhando...

"De qualquer forma, havia certo atrativo no pensamento de viver até cem anos. Pela primeira vez, imaginei que você não se tornaria um erudito, mas uma pessoa criativa.

"Lembra que, quando escreveu *Jogo de rúgbi em 1860*, eu telefonei para você de Veneza? Na época, as ligações telefônicas, caríssimas, eram feitas pelas operadoras do hotel; minha mulher ficava furiosa comigo. Eu ainda não lera o livro, mas um jornalista que veio cobrir a Berlinale disse ter se entusiasmado com a última parte da obra.

"Perguntei a você detalhes do romance. Sou incapaz de resumir romances ou filmes, como você mesmo costumava criticar...

"Naquela ligação internacional eu me tranquilizei ao saber que o *Jogo de rúgbi...* diferia da ideia do 'homem sábio'. Apesar de filmar no exterior, eu não era tão admirado no Japão. E sendo um ator inexpressivo, acalentava o desejo ingênuo de participar com meu trabalho de seu plano de chegar aos cem anos.

"Na realidade, pretendia fazer dessa ideia algo concreto. Concebi uma série de TV que acompanhava o fluxo de modernização desde a era Meiji, como uma forma pessoal de buscar sua visão do 'homem sábio'.

"Desde então, continuei meu esforço de pôr em filme cento e cinquenta anos de história deste país. Escolhi sua casa na floresta como modelo para a tarefa. Imaginei também voltar no tempo cento e cinquenta anos a partir de um determinado momento futuro, na hipótese de escrevermos juntos o roteiro. Se afinal for impossível, podemos sempre discutir o plano entre nós.

"Há doze anos, faço filmes e acredito ter encerrado uma fase de minha carreira. Neste momento, me senti motivado ao ouvir sua nova forma de entender os cem anos. Até agora, pensava haver tempo até você completar seu centenário... na realidade, fazia pouco caso, imaginando ainda uma eternidade à frente. Mas, desde os tempos de Matchama, você fazia mágicas com os números, ou melhor, jogos de cálculo. Somando sua idade e a de Akari, temos cem anos! Foi um golpe para mim. Quero saber o que você pensa agora sobre tudo isso."

— É por isso que telefonou?

— Exatamente — declarou Goro, com tamanha sinceridade que chocou Kogito.

"Tenho pensado sobre a essência do que seria se tornar um 'homem sábio' aos cem anos. Além disso, não creio que você viverá ao acaso os cerca de quarenta anos até lá. Segundo Chikashi, você não tem talento para viver na indolência.

"Chegará o dia em que você, ainda em idade que possa trabalhar, irá escrever sobre o que construiu visando os seus cem anos, começando por *aquilo*. Estou convencido de que não poderia evitar escrever sobre nossas experiências, não? O mesmo acontece comigo. Você não seria capaz de chegar a uma conclusão sobre aquele episódio me deixando de lado. Se deseja usar *aquilo* como conclusão de sua carreira de escritor, não permitirei que o faça sozinho."

4

As lembranças dos diálogos pelo Tagame começavam a esvanecer. No apartamento do bairro residencial de Berlim, o mais silencioso possível, Kogito preparava sua própria comida, degustando vinhos espanhóis ou italianos, sem receber visitas. Enquanto enfrentava a pressão do pronunciado inverno berlinense, lembrou-se da conversa ao telefone com Goro, uma das últimas.

Ao olhar para além dos galhos negros, finos e entrelaçados, o céu sombrio já pela manhã dava indícios de que nevaria e o fez recordar-se do diálogo com Takamura enquanto contemplava o céu nublado de Tóquio pela janela do quarto de hospital.

Nesse dia de inverno, Kogito foi ao hospital de Akasaka visitar Takamura e ouviu dele sobre sua grave doença. Em um *check-up* médico dois anos antes, haviam descoberto células cancerosas em seus rins. Não que Kogito não tivesse se dado conta dos graves indícios, mas continuava a acreditar que o amigo compositor, a quem considerava um gênio e no qual confiava desde a juventude, superaria a crise.

Takamura lhe mostrou então um caderno com linhas finas como desenhos de plantas, semelhantes às de sua escrita sobre a pauta musical. "Plano de composição para o restante de minha vida." A conversa com Kogito tomaria o formato de notas acrescidas ao plano no caderno. Sua condição não era promissora e considerando os graves efeitos colaterais do tratamento com anticancerígenos e o desgaste físico para aguentá-los, precisou reduzir o plano de trabalho mantido até então. Se Kogito não concluísse a encomenda do libreto de ópera em seis meses, Takamura seria obrigado a desistir da criação da peça musical.

— Creio que já sabe que existe um libreto criado por um jovem escritor americano. Como a ideia é usar a sua criação como base, enquanto não concluir seu trabalho, não será possível continuar com a ópera nesta lista... Você tem previsão de terminá-lo até a primavera?

— Não — respondeu Kogito, pesaroso.

— Foi o que imaginei que pudesse ocorrer depois de todas as nossas conversas. Sendo assim, parece que, mais do que criar algo novo, seja o caso de escavar coisas enterradas. Mas talvez algo enterrado com muita profundidade seja impossível de ser escavado rapidamente...

De estatura não tão baixa, Takamura tinha uma cabeça grande em relação ao restante do corpo, mas havia indubitável energia e elegância em seus movimentos. Vestia um pijama de pontos minúsculos, do mesmo tecido das camisas sociais, e uma boina de lã sobre a cabeça, careca devido à quimioterapia. Fitava Kogito com um olhar penetrante e imóvel. Kogito desviou o olhar.

— Estava em vias de desistir, mas um jornalista americano que me visitou ontem disse ter ouvido de Goro sobre a ideia da ópera. Imaginei que, se você contou a Goro, seria por estar perto de concluí-la e renovei minhas esperanças.

— Quando pensei em escrever a história com base naquele tema, contei de imediato a Goro. Afinal, era algo que ambos havíamos vivenciado. Ele disse que se eu fosse escrever sobre *aquilo* em um libreto de ópera, significava que estaria próximo o dia em que ele o transformaria em filme...

— Vocês devem ter conversado muito sobre esse projeto.

— Goro tinha dezoito anos, e eu, dezessete quando aconteceu... Houve um longo intervalo de mais de quarenta anos... Nenhum dos dois tem uma noção completa sobre o que aconteceu. Há insinuações, tentativas de explicações, mas ainda não sou capaz de compreender bem a história.

— Segundo o jornalista, Goro contou uma recordação terrível de quando era jovem... Insistiu que seria breve o relato por ser muito longo o filme que desejava rodar. Ignoro se estaria falando sério, mas o jornalista afirmou que o filme teria mais de dez horas de duração. Mas um filme tão longo... mesmo não sendo impossível, foge ao estilo dos filmes de Goro, não acha?

— As obras de Goro como estudante são de natureza muito diversa daquelas bem-sucedidas comercialmente. Em um de seus filmes, dois jovens estão em uma sala, e um deles exercita sem parar uma peça no violino, enquanto o outro apenas ouve em silêncio. A cena perdurava por meia hora.

Pela primeira vez nesse dia, Takamura esboçou um sorriso de crítica destrutiva, visto nele com frequência antes da doença.

— Que peça ele tocava?

— A Partita nº 1 de Bach... Por vezes, aquele que escutava lhe perguntava algo, mas sem esperar resposta...

— Falando nisso, Katsuko também comentou sobre esse filme curto. Quando a mãe dela, que financiou os custos da produção, perguntou a Goro o que planejava filmar em seguida, ouviu dele com serenidade que pretendia criar algo com a mesma técnica, mas dez ou quinze vezes mais longo.

"Mesmo após se separar de Goro, Katsuko lhe prometia que, se ele deixasse de fazer filmes preocupado apenas com a bilheteria, pediria à mãe novo financiamento e ela própria seria a produtora. Ela me pedia para compor a trilha até pouco antes de sofrer o derrame cerebral..."

— Acha que Goro conversou com esse jornalista sobre sua ideia, mesmo que fosse apenas uma sinopse parcial? — perguntou Kogito.

Takamura meneou a cabeça coberta pela boina de lã, grande e justa. Seus olhos e lábios deixavam entrever um leve sorriso amargo.

— Eu também gostaria de fazer essa pergunta, apesar de achar que não passava de um sonho. Se você tivesse contado a ele a história da ópera, mais que depressa ele a teria posto no papel... Seria um verdadeiro sonho espiar essas anotações e descobrir se tratar do libreto pelo que eu tanto almejava...

Emocionado, Kogito fitou Takamura.

— Mas o jornalista parece não ter ouvido quase nada de Goro. Por vezes, surge no sonho uma maneira de resolver inesperados impasses como esse, mas me dei conta de que nos últimos tempos tenho sonhado acordado.

Kogito não teve escolha a não ser voltar a abaixar os olhos ao ouvir essa forma franca de falar, incomum a Takamura.

— Mesmo que a doença progrida a um ritmo mais lento do que os médicos esperam... não poderia dizer se a responsabilidade pela não conclusão da ópera seria sua ou minha. O que desejo lhe dizer hoje é que tenho uma visão sobre essa ópera que não irei concluir.

"Após minha morte... eu não reclamaria se você começasse enquanto estou vivo... bem, depois de eu partir, desejaria que você algum dia terminasse de escrever a história.

"Espero que o mesmo ocorra com o filme de mais de dez horas de duração de Goro. Gostaria que minha ópera formasse o terceiro vértice do triângulo com seu romance e o filme dele.

"Imagino minha ópera, estimulada pelo prisma criativo do trabalho de cada um de vocês, surgindo por combustão espontânea em um dos vértices desse triângulo, mesmo depois de minha carne e espírito desaparecerem. Você pode estar inquieto pelo uso impreciso de minhas palavras, mas...

"Sobre a definição das palavras, lembra que você me explicou há tempos sobre a teoria do descanso da alma de Nobuo Origuchi? Se seu romance e o filme de Goro são dois vértices do triângulo, se você puder invocar minha ópera para ser o terceiro, não constituiria assim o descanso da alma nos moldes de Origuchi? Você conhece a palavra *jimeikin*. É a tradução em japonês de *orgel*, caixinha de música. Se os dois vértices, a sua obra e a de Goro, se influenciarem e fortalecerem aos poucos a eletricidade estática, fazendo o *jimeikin* do terceiro vértice começar a soar a ária da ópera... sei que é uma história sentimental, mas assim você faria minha alma repousar."

Em seu apartamento em Berlim, Kogito compreendeu que Takamura, que prosseguiu falando até o cansaço se vislumbrar em seus olhos, lhe dedicara palavras de incentivo, pesaroso de deixar as pessoas para trás neste mundo.

5

Em apenas uma de suas fitas para o Tagame, Goro falou sobre o longo filme que idealizara, mostrando existir uma relação não muito simples entre a preparação dos diálogos gravados e seu plano de se atirar do alto de um edifício.

— Hoje, os aparelhos de vídeo estão difundidos nos lares, e há jovens que assistem ao mesmo filme uma ou duas dezenas de vezes. Mas seria oportuno à apreciação da obra de arte ver um filme à exaustão em vídeo e dentro de um cômodo? Na sua área de atuação, existem bibliotecas para os livros, mas geralmente as pessoas os mantêm em suas estantes. Mesmo que alguém demonstre interesse em determinado escritor ou obra, seria possível ler um livro várias vezes num curto espaço de tempo? Há casos em que a pessoa volta a ler determinada obra após um intervalo. Mesmo assim, em uma vida, ela poderia ler *A montanha mágica* no máximo cinco ou seis vezes, não acha?

"Em relação ao cinema, eu me incluo entre os frequentadores de salas especializadas em clássicos que, depois de um longo tempo, acabam vendo o mesmo filme uma quantidade razoável de vezes. Como *A dama oculta* de Hitchcock, a que assistimos juntos em um cinema na periferia de Paris. Mas os jovens cinéfilos de agora assistem a um mesmo filme repetidas vezes em vídeo e podem falar sobre todos os pormenores de determinadas cenas. Pela minha experiência, nunca aprendi nada de produtivo nessas discussões.

"No caso de um filme, mesmo se o mais banal dos homens assiste a ele inúmeras vezes em um curto período, irá adquirir uma visão multifacetada de uma cena. Ele pode, por exemplo, falar tediosamente não só sobre o protagonista em primeiro plano, como também do movimento dos personagens coadjuvantes. É simplesmente ridículo.

"Embora esteja sendo repetitivo, seria essa a forma adequada de vivenciar um filme? É possível chamar de experiência vital cada instante do fluxo de quase duas horas de uma obra? Sua apreciação pode ser de verdade aprofundada ao se rever uma cena para confirmar o que não havia sido percebido na primeira vez? A partir da segunda, não se trataria mais propriamente de um *metafilme* do próprio filme? Se assim for, assistir a um novo filme não seria apenas uma experiência emocional distinta? Ou seja, uma experiência secundária do *metafilme*...

"Por isso, quero produzir um filme que não seja necessário assistir repetidas vezes. Um filme que possa ser entendido por inteiro ao ser visto uma única vez com olhos frescos. Esteja certo de que não irei lançar mão de métodos torpes como *close-ups* (Goro pronunciou corretamente em inglês a palavra) em excesso para indicar o que o espectador deve ver. Adoto como princípio filmar a cena em sua totalidade usando todo o quadro, oferecendo aos espectadores o tempo para que vejam todos os detalhes com atenção.

"Desnecessário dizer que não será nem um pouco parecido com os filmes que lancei até o momento. Aqueles foram apenas filmes parciais. Quem vir meus filmes na totalidade, não precisará vê-los outra vez, pois terão sido capazes de apreendê-los. Fora isso, por meio dessa experiência única do todo, a visão de mundo do espectador mudará..."

Bem, falemos sobre o jornalista de Los Angeles. Ao visitar Takamura, contou sobre uma possível relação entre a concepção do filme de Goro e o libreto da ópera que Kogito planejava escrever. Mesmo não tendo conhecido esse jornalista, Kogito sabia que Goro confiava no sujeito e lhe dedicava um tratamento especial. Lembrou-se de ter se admirado, chegando à Califórnia vindo da costa leste, ao ler em um jornal de Los Angeles o artigo detalhado sobre o ataque a Goro pelos yakuzas. Esse jornalista mencionava que Goro havia chegado de madrugada em casa e estacionado seu adorado Bentley na garagem e, justo quando retirava um embrulho do banco traseiro, foi atacado pelas costas por dois homens armados. Enquanto um deles segurava seus braços por trás, o outro lhe rasgou a face com um objeto cortante sem que Goro oferecesse resistência. O jornalista enfatizava esse fato. Em seguida, Goro teria se movimentado com grande violência até repelir com força os dois meliantes. Ainda se agarrou ao que tentava fugir procurando dominá-lo. O malfeitor, buscando se desvencilhar a qualquer custo, teria chegado mesmo a brandir sua arma às cegas...

Com empatia, o jornalista esclarecia por que Goro tinha de súbito começado a reagir após ter se submetido com passividade a ser imobilizado por um dos malfeitores enquanto o outro lhe feria o rosto. O motivo foi que o bandido destruiu até mesmo o assento do carro com a mesma faca que o ferira. Enfurecido, Goro reagiu com violência sem se deixar intimidar pela grande quantidade de sangue, e, diante da impossibilidade de contê-lo, a reação dos dois agressores foi a fuga...

Kogito compreendeu bem o motivo da raiva que levou Goro a se agitar. Com certeza achara absurdo que um carro luxuoso como um Bentley fosse vandalizado daquela forma. Quando Goro ainda não era um ator de sucesso, investiu o primeiro cachê recebido pelo trabalho em um filme estrangeiro na compra de um Jaguar; ele e Katsuko viviam juntos em um hotel em Paris, com tudo custeado pelos pais dela. Um ano depois, enviou o veículo para Tóquio tratando-o com imenso zelo. Com o passar dos anos, o Bentley se tornou a manifestação de seu sucesso como diretor de cinema, e nada na vida real de Goro se equiparava como objeto material — e tampouco espiritual — pelo que pudesse nutrir tamanha paixão. Durante muitos anos, Kogito sentiu uma espécie de dissimulado niilismo no estilo de vida de Goro.

O niilismo não estaria evidente também na atitude passiva de Goro de não ter reagido ao primeiro ataque por parte dos criminosos? Desde os tempos de juventude, Kogito percebera esse traço do temperamento de Goro e, com sinceridade, se preocupava. O amigo tinha tendência a se lançar em situações de perigo que poderiam destruí-lo. E, mesmo que não chegasse a exercer atração por elas, parecia não evitá-las de maneira voluntária.

Kogito recordou que vários professores tinham antipatia por Goro, tomando seu temperamento excêntrico por insolência. O professor de educação física era um homem enorme, de rosto sinistro e lustroso como bronze, que diziam ter sido enviado como atleta de luta livre aos Jogos do Extremo Oriente antes da guerra. Todo ano, por ocasião da abertura da piscina, ele ficava de pé em uma plataforma diante de um choupo e explicava as regras. Uma delas era que todos os que se posicionassem na lateral da piscina deveriam estar descalços. Goro, no entanto, sempre aparecia calçando sandálias de solado de borracha. O piso de concreto nas laterais da piscina era mal-acabado, e Goro odiava sentir dor na planta dos pés. Além disso, Goro passava na frente do professor de educação física sem se importar com o barulho emitido pelas sandálias, acabando por ser imediatamente retirado à força da fila. Por vezes, recebia tapas. Devido ao grande número de alunos e ao tamanho reduzido da piscina, cada um só tinha oportunidade de nadar três ou quatro vezes a cada verão, e sempre que Goro aparecia calçando sandálias, levava bofetões.

Kogito tinha a mesma sensação de perigo no tocante aos relacionamentos de Goro com mulheres. Antes de seu primeiro matrimônio e no período entre o divórcio e seu casamento com Umeko, as acompanhantes de Goro que por acaso Kogito havia conhecido eram moças de aspecto terrivelmente sombrio. Com qualquer uma delas, Kogito imaginava um futuro infeliz para o relacionamento ou, se não chegasse a tanto, problemático. Justamente por essas circunstâncias complexas é que parecia se apegar a moças sem nenhum atrativo em particular. E quando Kogito soube que Goro fora ferido por yakuzas, logo lhe veio à mente seu relacionamento com essas mulheres.

6

A neve começou a cair enquanto ainda conversava com Takamura no quarto do hospital universitário e se lançou contra seu rosto e peito ao sair pela entrada principal do prédio, intensificando-se aos poucos. A custo conseguiu encontrar um táxi e, no percurso até em casa, as ruas asfaltadas estavam todas brancas. No dia seguinte, continuou a nevar e a escuridão da noite parecia sem fim. Kogito e Akari ouviam rádio enquanto contemplavam a neve cair incessante. Sentiam entre eles uma grande e indefinível apreensão. Foi então que o locutor anunciou a morte do compositor Toru Takamura.

Um ano depois, também em uma noite em pleno inverno, Chikashi veio despertar Kogito que dormia na cama da biblioteca com a notícia do suicídio de Goro. Kogito viu-se sozinho no único vértice do triângulo que permaneceria imaginário.

Kogito tinha começado sua carreira de escritor aos vinte e poucos anos, escrevendo novelas. No vigésimo quinto ano de sua carreira, deu-se conta de haver chegado a um ponto decisivo. Não era algo compreendido olhando para o futuro, mas resultado do acúmulo de experiências passadas... Se fosse possível dobrar sua vida até o momento, duas partes mais ou menos iguais iriam se sobrepor: o antes e o depois de ser escritor.

Durante os vinte e cinco anos como escritor — salvo os primeiros anos em que não refletia com lucidez sobre *como* escrever —, Kogito entendia *o que* e *como* escrever como duas trepadeiras entrelaçadas, e o ato de escrever se constituía para ele em ir aos poucos desembaraçando-as.

Em determinado momento, sua consciência do *escrever* se tornara tão hipertrofiada que começou a impedi-lo de se aventurar a novos projetos. Nessa difícil situação, Kogito buscou uma maneira de continuar a escrever e descobriu uma fórmula desesperada. Na realidade, não se pode confirmar a sensação concreta de *como* escrever até começar de fato a fazê-lo. Urgia, portanto, começar de imediato a escrever, mesmo estando o caminho a tomar ainda vagamente definido. Se não o fizesse, jamais começaria outros romances.

E se analisasse cada linha do que havia escrito, poderia estabelecer um *como* escrever. Uma vez que se certificasse sobre o que *escrever*, o *como* escrever não seria mais tal qual uma rede lançada à superfície de águas sombrias... Observando esse método, Kogito foi capaz de seguir na tarefa.

Quando Takamura lhe pediu um romance que se tornasse material para uma ópera, Kogito tomou uma decisão. Apenas iria se lançar ao trabalho após ter uma visão clara de *como* escrever, já que, nesse caso, *o que* escrever estava definido desde o início. Kogito estava resolvido a colocar no papel o acontecimento que vivenciara aos dezessete anos. Desde então, poucos tinham sido os dias de sua vida em que não se lembrava do ocorrido. Especialmente no período em que se formou na universidade e ia se casar com a irmã de Goro; direcionava a mente para outras coisas apenas para não pensar *naquilo*, motivo subjacente a todas as suas ideias. De alguma forma, Kogito tinha vivido até então sem transpor *aquilo* para um livro.

Essa fora uma decisão consciente. Mantivera sempre o intuito de escrever abertamente sobre *aquilo* e estava bastante preparado. Não poderia pôr um ponto-final em sua carreira sem escrever sobre *aquilo*. Pensando assim, sentiu confirmar que havia se tornado escritor para contar *aquilo*.

Uma forte simpatia lhe acometeu ao ouvir Goro dizer: "Em última análise, o motivo que me levou a ser diretor de cinema foi fazer um filme longo tendo aquele acontecimento como tema."

E quando Takamura pediu que escrevesse uma história que servisse de material para compor sua ópera, Kogito exultou, acreditando ser o momento de escrever sobre *aquilo*. Telefonou para Goro e se encontraram, algo que havia muito não faziam, e Kogito transmitiu sua decisão. Apesar de Goro não ser do tipo precipitado ao falar sobre seus planos, Kogito acreditou que naquele momento o amigo também decidiu produzir um filme sobre *aquilo*.

Agora, ocorria algo a Kogito com bastante clareza. Goro enviara as trinta primeiras fitas cassete que gravara para o Tagame logo após a morte de Takamura. Enquanto esperava que Kogito escrevesse o romance que se tornaria o libreto da ópera a ser criada por Takamura, Goro também já devia ter iniciado os preparativos para a produção do filme, sem lhe restar mais tempo para continuar a gravação das fitas.

Goro devia ter até mesmo imaginado que, dali em diante, em substituição a Takamura, seria obrigado a assumir o primeiro plano e encorajar Kogito a escrever. Mas agora também ele passara para o outro lado. A vida em Berlim, durante a qual cortou relação com o Tagame, fez Kogito sentir uma real solidão.

Na última semana da *quarantine*, Kogito já tinha terminado todas as suas aulas na Universidade Livre de Berlim e teve tempo suficiente para ir ao Konzerthaus, na antiga Berlim Oriental, ouvir as *Quatto Pezzi Sacri* de Verdi.

A orquestra reverberava em intensidade máxima sem nenhuma distorção ou redundância. A magnífica e sólida sala de concertos abrigava o som de forma necessária e condizente. Com suas poderosas faculdades vocais, o coro comprovava a grandiosidade da voz humana em uma estrutura musical que refletia a totalidade do universo, por vezes exibindo uma graciosa combinação como se fossem brinquedos dos filhos dos deuses... Era o que Kogito costumava pensar.

E desejava escrever sentenças como as palavras sendo agora cantadas, mas obviamente acreditava que a tarefa estava além de sua capacidade. Falecido Takamura, não restava mais nada a fazer senão, antes de sua própria morte não tão distante, aceitar no fundo de seu coração que Takamura e Goro haviam partido e enfrentar *aquilo* de frente. Assim, fantasiou que poderia, por fim, escrever as palavras que uma pessoa pode produzir uma única vez na vida. Sem dúvida, estava inebriado com a música de Verdi...

Capítulo V

Tartaruga experimental

1

No voo de Berlim para Narita, com escala em Frankfurt, Kogito não parava de pensar em uma questão. Quando, de volta à sua casa em Seijogakuen, fosse dormir na cama de campanha da biblioteca, como agiria em relação ao Tagame, do qual tinha se libertado por cem dias?

Quando ponderava agora sobre o assunto, a decisão de não levar o Tagame para Berlim decorrera da pressão sentida e que sem dúvida havia produzido efeito real. Se seria ou não capaz de passar a noite na biblioteca sem tocar no Tagame acomodado na estante ao lado era outra história.

Não teria suportado uma centena de dias sem o Tagame por saber que, no retorno a Tóquio, poderia retomar de imediato os diálogos com Goro? Esse pensamento o encheu de emoção desde o momento em que tomou o jatinho no aeroporto de Tegel antes de trocar para um jumbo no aeroporto internacional de Frankfurt. Uma emoção que beirava a inocência! Prova foi, com o pretexto de se livrar das moedas de marco do bolso, comprar um pacote de seis pilhas de fabricação alemã em uma loja do aeroporto.

Além do mais, Kogito refletiu sobre um novo motivo para reiniciar os diálogos pelo Tagame. Não se tratava apenas do desejo de contatar Goro pela saudade que sentia, mas da necessidade de responder às críticas gravadas nas fitas cassete. Durante o tempo em que o amigo passara deste lado, a relação entre ambos consistia principalmente do intercâmbio de críticas. Não seria deliberada negligência não ouvir os francos conselhos deixados por Goro ao Kogito de agora e do futuro?

Desde a publicação de sua primeira novela no jornal da universidade, Goro jamais elogiou Kogito sem fazer reservas. Essa postura permaneceu inalterada até passar para o outro lado. De sua parte, Kogito logo assistia a cada novo filme de Goro e reconhecia não haver outro diretor no Japão capaz de criar obras como as dele, mas, ao ouvir suas explicações simplórias em programas de TV para promover seus filmes, sentia que seu linguajar se vulgarizava cada vez mais. E comunicou isso de forma direta para Goro. Foi o bastante para que parasse de pedir a opinião de Kogito sobre suas novas obras.

Era assim a relação entre os dois na época. Mesmo considerando que seus filmes eram interessantes e sem igual no Japão, questionava se Goro não deveria criar obras mais originais. De acordo com a visão de Goro, Kogito apenas perpetuava os mesmos defeitos em todos os seus livros, provocando-lhe uma persistente insatisfação.

Como sempre, Goro era muito mais franco do que Kogito. Isso se estendia às falas pelo Tagame.

— Quem você acha que lê seus livros agora? Desde que se tornou um escritor em ascensão, até certa idade não contava com um número muito grande de leitores, ainda que, para um escritor de literatura pura, suas tiragens fossem excepcionais. Mesmo agora, consegue manter uma vendagem de livros que lhe assegura uma vida razoável. É o que você quer dizer, certo? Justamente por isso, falta a você considerar que tipo de público lê seus livros agora e como será a situação no futuro, além da necessidade do esforço editorial para atrair novos leitores.

"No cinema, ninguém pode manter tamanha serenidade. No meu caso, não pertenço a nenhuma empresa cinematográfica — digo isso, mas todas patinam no vermelho nos últimos tempos — e se repito um fracasso, lá se vão minhas perspectivas de rodar o próximo filme. Conversando com Chikashi sobre isso, você teria dito: 'Que nada, isso com certeza não aconteceria com Goro', o que mostra uma percepção equivocada de sua parte sobre a situação atual. Meus filmes não são de consumo fácil, como a série de comédias de *Tora-san*, e o público está sempre mudando; saber como conquistar novos espectadores é um aspecto urgente. Mesmo assim, não pretendo fugir a meus princípios de filmar do meu jeito temas de meu interesse…

"Se pensarmos bem, é surpreendente que você, Kogito, nestes quase trinta anos, não tenha mostrado sinais de escolher temas e formas de escrever levando em consideração os leitores! Depois de concluir o primeiro manuscrito de um livro, você passa dez horas todos os dias a reescrevê-lo, não é isso? É evidente que o texto se torna hermético. Pois sem dúvida está burilado, mas não respira com naturalidade, é como uma música artificial. E tem também esse método de 'dissimilação' em que o leitor se vê a cada página confrontado com imagens de difícil assimilação e acaba desmotivado a comprar outro livro do mesmo escritor.

É o seu método, mas o *travail* deve ser realizado pelo escritor, não ser imposto ao leitor.

"Além do mais, essa sua mania de fazer referências a si próprio! Ao contrário das críticas frequentes, eu não chegaria a dizer que é impossível compreender suas novas obras sem ter lido as anteriores. É do seu temperamento, mas pelo menos você as escreve de forma que sejam compreensíveis. É honesto de sua parte.

"Mesmo assim, você deixa claro o tempo todo para o leitor que o autor do novo livro é o mesmo Kogito Choko que até agora escreveu todas as outras obras. Por que essa necessidade de se apegar a isso? Afinal, você é apenas mais um escritor, não?

"Em um de seus romances, você escreveu que, quando Ma estava na escola primária, costumava carregar no bolso um texto que descrevia tudo o que havia se passado na vida do irmão. Aquilo não seria uma herança paterna de O?

"Na realidade, você estava consciente disso e descobriu uma frase em latim que O repetia para enfado do irmão (Kogito se lembrou de ter lido em um livro de um autor italiano uma citação a Cícero: *Omnia mea mecum porto* [Tudo o que tenho levo comigo]).

"O que você precisa entender é que, quando lançar o romance que está escrevendo agora, os leitores que visitam a livraria irão em busca de um livro interessante e não necessariamente da nova obra de Kogito Choko. Esteja certo de que são raros os leitores que leram todos os seus livros e aguardam ansiosos pelo próximo. Você não consegue compreender isso. Talvez sua cabeça entenda, mas não consegue se desvencilhar dos antigos maus hábitos. Afinal, é difícil mudar depois de velho!"

Sentado na classe executiva do jumbo, lembrou-se de Chikashi ter comentado que, em um momento raro, Goro tinha elogiado um de seus romances. Chamava-se *Recordando os anos nostálgicos* e descrevia a discordância de Goro quanto ao casamento de Kogito e Chikashi, razão que a fez parar de ler seus livros.

— Ele disse que o desfecho do romance é de uma beleza invulgar. Osechi e Asa haviam puxado o corpo afogado do irmão Gii para a ilha do grande cipreste na bacia de Ten e aguardavam pela chegada da polícia. Comentou também que a cena era ao mesmo tempo densa e serena, quando uma moça parecida comigo e Akari ainda pequeno colhem ervas do campo. Goro disse que, se filmasse com tempo e esmero, poderia criar uma imagem de profunda expressão...

"E que, ainda assim, as últimas frases eram próprias de um romance, e a imagem não poderia substituí-las, pois as palavras possuem uma considerável força própria."

Na noite em que ouviu isso, Kogito levou para a cama o *Recordando os anos...* e releu as frases em questão.

"Olhe, irmão Gii, vou lhe escrever muitas e muitas cartas dirigidas a nós que vivemos em um tempo eternamente circular, dentro desses anos nostálgicos. Começarei agora e doravante será o trabalho até o fim dos meus dias, escrever para você deste mundo onde não mais está."

Após o retorno a Tóquio, Kogito não retomaria os diálogos pelo Tagame. "Para mim agora, não seria Goro um outro irmão Gii a me contatar a partir dos anos nostálgicos?" Quando Kogito tentou abafar o lamento em sua garganta, a comissária de bordo, que da penumbra o observava com atenção, se aproximou.

— Perdão, senhor, sente algo?... Quero dizer... Está tudo bem?

O reestruturar da frase parecia ser um vislumbre do interior particular da atendente, o que agradou a Kogito. Mas logo em seguida ela se aprumou, retomando o protocolo profissional.

— Gostaria de tomar um drinque? Isso o fará se sentir mais animado!

2

Passado mais um tempo do voo — o jato se aproximava da extremidade leste da Sibéria —, Kogito procurou reavaliar sua relação com Goro de uma nova perspectiva. *Aquilo*, de que Kogito não pudera até então escapar e que tinha como tema central de sua vida, também teria pesado como uma preocupação constante para Goro? Seria verdade que consideraria *aquilo* como tema de seus filmes de maneira geral?

A certa altura, Kogito começou a denominar de *aquilo* — e Goro também o chamava dessa forma — a experiência comum aos dois. O acontecimento se tornou um dos principais da vida de Kogito, ao lado do "levante" no dia seguinte à derrota japonesa na guerra, quando acompanhou seu pai. No entanto, teria sido *aquilo* algo de fato tão importante para Goro? Desde cedo, essa dúvida o atormentava. O primeiro indício foram os três volumes de uma coleção de livros da editora Iwanami postos na biblioteca. Tudo ocorrera logo após sua publicação, e o colofão indicava como data o verão, nove anos após a derrota na guerra, ou dois anos depois do incidente. Apesar de naquele período Goro não demonstrar particular interesse pelos livros, Kogito soube graças aos diálogos pelo Tagame, passados quase quarenta anos, que Goro ainda se lembrava deles.

Kogito sentiu certa estranheza na eloquência de Goro. Pensando bem, nos dois anos logo após *aquilo*, Goro retornou à casa da mãe, agora casada pela segunda vez, e quando voltou para Matsuyama, Kogito é quem havia partido para o curso preparatório para o vestibular em Tóquio; assim, os dois não tiveram oportunidade de conversar face a face. Diante dessas circunstâncias, Kogito enviou a Goro a coleção de livros, talvez em um impulso pueril de tentar confirmar as lembranças comuns. E quando Goro apenas fingiu interesse, Kogito teve a sensação de ele estar se esquivando.

— Sempre houve algo de incomum em suas leituras — Goro tocou no assunto pelo Tagame de forma natural. — Lembra como você esperou com impaciência a publicação de um clássico da literatura alemã traduzido pela editora Iwanami? Foi na ocasião de seu ingresso na Universidade de Tóquio, após um ano de preparação.

Kogito apertou o botão de parada do Tagame e respondeu em um misto de surpresa e saudades.

— *O aventuroso Simplicissimus*, de Grimmelshausen.

— Você queria ler alguma obra do barroco alemão por causa das aulas de história da literatura alemã do currículo comum da faculdade. Naquele ano, minha mãe cismou que você dispunha de tempo livre e pediu para procurar nos sebos a coleção de poemas

Manyo, lançada em edição de bolso antes da guerra pela Iwanami, e *Ursinho Pooh*. Você conseguiu até *Ursinho Pooh constrói uma casa* e enviou para Ashiya, marcando o início de seu relacionamento com Chikashi. Mas você estava mais ansioso pelo lançamento da história de Simplicissimus anunciado para o outono. Lembra que você apareceu no escritório de desenho comercial onde eu trabalhava, do irmão de meu padrasto, um pintor? Disse que queria muito ler um dos episódios da obra... Depois de lançado, conversamos um pouco mais, e você me emprestou o livro. Foi bastante interessante.

"Simplicissimus se torna um bufão devido às tramas ardilosas do comandante e seus subordinados, e, ao se dar conta disso, está vestido como um bezerro. Fingindo acreditar, procura agradar ao comandante e aos soldados. Essa era a cena. Ele, no entanto, nutria em seu âmago um sentimento de insubordinação.

Kogito então apertou o botão de pausa e retirou da estante os três volumes, tão velhos que a capa de papel parafinado estava escurecida pelo tempo.

"Pensei comigo: 'Excelência, aproveite agora para olhar bem. Fui treinado atravessando o fogo do inferno. Vamos ver com calma quem vencerá esse jogo de farsas mútuas.'

"Bakhtin também enfatiza como são formidáveis os bufões, não? Você já havia atentado a isso antes mesmo de assistir às aulas sobre Rabelais do professor Musumi. Era porque, no fundo, seu temperamento tem algo de bufão. O'Brien, que reencontrei há pouco em Londres, me confidenciou que jamais tinha visto um oriental com veia cômica tão refinada quanto você. Contudo, queixou-se de que as traduções em inglês de suas obras são muito sérias... Eu mesmo não chegaria a tanto. Expliquei a ele que,

A SUBSTITUIÇÃO OU AS REGRAS DO TAGAME

ao conversar em inglês, você costuma se libertar das amarras do idioma japonês e se põe mais à vontade para se entregar a bufonarias."

Após o diálogo dessa noite pelo Tagame, Kogito pegou *O aventuroso Simplicissimus* para ler e descobriu então uma novidade. Havia uma diferença entre a impressão deixada pelas aulas de história da literatura alemã e do que se lia efetivamente na tradução. Quando emprestara o livro a Goro, alertara sobre as passagens que queria que lesse. Algum tempo depois, Goro o devolveu apenas com o comentário: "É de fato interessante, mas não entendo por que você aguardou por ele com tamanha ansiedade."

Desde o princípio, nas aulas sobre as obras barrocas alemãs, Kogito se sentiu atraído pelo processo que leva um jovem a perder a razão e ser transformado em um bufão por seus chefes. O rito começa na cena em que o jovem é conduzido ao inferno pelos soldados disfarçados de demônios. Obrigam-no a beber grande quantidade de vinho espanhol — decerto insinuando se tratar de um produto barato —, e, depois de ele ser severamente torturado por vômitos e evacuações, acaba adentrando o paraíso. Pelo que Kogito havia entendido das aulas, ao fim desse bizarro périplo, o jovem desperta em uma gaiola de gansos, vestido com uma pele de bezerro.

E Kogito se imaginou coberto pela pele de bezerro ainda morna, encharcada de sangue e gordura.

A cena despertou nele a lembrança do que os jovens do centro de treinamento fizeram em meio *àquilo*. Kogito e Goro estavam sentados em um banco alto e instável, e colocaram à força sobre seus ombros a pele de um bezerro recém-despelado do tamanho de um tatame. Cobertos pela membrana pesada, grossa e úmida, eram incapazes de respirar, e, com os braços imobilizados, passaram a dar chutes, tomados pelo pânico... Apenas após o corpo de Goro, já sem forças para se debater, tombar sobre o peito de Kogito é que afinal se viram livres da pele de bezerro. Envoltos pelo riso dos jovens embriagados, Kogito se limpou do sangue e da gordura do animal misturados às lágrimas. Ao se voltar para Goro, que acreditava estar desmaiado a seu lado, deparou-se com seus olhos se abrindo com o vagar de uma criança mal-humorada...

No texto da tradução do livro de Grimmelshausen que Kogito leu, quando Simplicissimus desperta após ter se tornado um bufão, ele não é coberto pela pele recém-despelada, mas veste uma roupa feita com a pele. Mesmo assim, não teria Goro se lembrado daquele fedor insuportável ao ler a expressão "vestimenta de pele de bezerro"? Era disso essencialmente que Kogito suspeitava.

Mas, aos dezenove anos, Kogito não tinha coragem de perguntar a Goro se já não se lembrava *daquilo*, assim como de diversas coisas triviais de Matsuyama, ou então como teria sido possível esquecer...

Depois de acompanhar Goro e a si próprio em suas lembranças, Kogito apertou o botão chamando a atendente, mesmo sabendo que o serviço de bordo estava encerrado. No fundo, desejava que não fosse a mesma de antes, de quem havia recusado a bebida. Decidiu pedir um uísque, que não tomara em toda sua estada em Berlim — puro.

3

Nesse dia, Kogito tomou o ônibus no aeroporto de Narita, que o levou até Shinjuku e chegou à casa em Seijogakuen antes do entardecer. Ainda era manhã em Berlim. Durante longo tempo, Kogito deitava para logo em seguida levantar, buscando assim passar o dia, e acabou envolvido no recebimento de um pacote expresso com um endereço de remetente próximo à residência de sua família em Shikoku e a indicação da data em que deveria ser entregue. Dentro, havia uma tartaruga viva.

Acompanhava o pacote a carta de alguém cujo nome Kogito não se recordava. Não era a escrita de uma pessoa de muita idade, e o formato das letras denotava treino em caligrafia.

> Em pleno inverno, alguém por nós amado e respeitado por longo tempo — e que o senhor conheceu — veio a falecer. Esta tartaruga de água doce foi capturada na noite em que nosso Mestre desfrutou sua última pesca noturna, usando como isca uma truta fatiada em três. O Mestre declarou o desejo de que essa tartaruga fosse enviada ao senhor assim que retornasse de Berlim, e por isso a mantivemos em um viveiro. O envio só foi possível por termos encontrado a informação sobre a data de seu retorno ao Japão na página de seu fã-clube na internet. Nosso Mestre se admirou ao ler em um jornal que o senhor gostava de cozinhar tartarugas. Peço-lhe que prepare um prato com esta, cumprindo o último desejo do falecido. Na realidade, encerraremos as atividades de nosso centro de treinamento no mesmo dia deste envio. Esperamos doravante não mais perturbá-lo…

Embora soubesse ser apenas psicossomático, Kogito sentiu uma dor pungente na segunda falange do polegar do pé esquerdo. Era também uma sensação de provocação. A falta de sono e o efeito do fuso horário, em particular na primeira noite, provocavam uma conduta de tensão e excitação quando retornava do exterior. Kogito tentou se autodisciplinar, mas, nas altas horas da madrugada no Japão, não resistiu à vontade de cozinhar a tartaruga.

O animal chegara dentro de um engradado de madeira grossa firmemente pregada. Com sessenta centímetros de largura, dez de profundidade e vinte de altura, era possível entrever pelas frestas as plantas marinhas resistentes que Kogito jamais tinha visto antes e a sólida construção que não deixava vazar água pelo fundo.

Pelo peso da caixa, já se imaginava ser incomum o tamanho do animal. Depois de removidos os pregos da tampa e afastadas as espessas plantas marinhas, de folhas como dedos de lagartixa, apareceu o casco negro-azulado do réptil. Tinha trinta e cinco centímetros de comprimento por vinte e cinco de largura, um tamanho jamais visto, fazendo surgir à mente, em vez de "cozinhar", a palavra "manusear" como mais adequada a um trabalho de força. Kogito pressentiu a provável dificuldade da tarefa. No fundo da caixa, a tartaruga não podia alongar muito o pescoço devido ao espaço exíguo, mas era visível sua cabeça enorme e gorda. Quando Kogito, como preparação para a tarefa, inclinou a caixa procurando aproximá-la de um canto da cozinha, o animal emitiu um ruído alto, pisando e arranhando a madeira com suas patas robustas.

A primeira providência de Kogito foi alertar Chikashi, ainda acordada lendo um livro no quarto, de que não deveria entrar na cozinha, pois naquela noite ele iria lidar com um temível oponente. Sem dar mais explicações a ela, aparentemente incapaz de absorver o que acontecia, Kogito voltou à cozinha e colocou sobre a pia a caixa pesada com a tartaruga.

Pegou em seguida uma faca grande e pontuda, e um sólido facão chinês. Segurando um em cada mão, avançou em direção ao réptil, mas seu plano se deparou com um impasse. A caixa na qual estava a tartaruga era um pouco maior do que a cuba da pia de aço inox e, não cabendo totalmente ali, se inclinava para o lado, de forma que a tartaruga enfiava a cabeça no canto mais baixo. Kogito pôs ambas as mãos sobre o casco do bicho e tentou devolvê-lo à posição horizontal. Mas o corpo era muitíssimo pesado, e com as três unhas tenazes de cada pata — Kogito lembrou que em francês aquele tipo de tartaruga era chamado de *trionyx* devido a essa característica — arranhava o fundo da caixa, transmitindo uma força espantosa às mãos de Kogito. Era um oponente difícil. Ao deixá-lo cair com um baque sobre a madeira do fundo da caixa, Kogito olhou de cima a baixo o corpo sem feridas e o casco de bordas amarelo-claras que lhe davam a impressão de juventude.

Quando menino, certa vez Kogito viu no remanso do rio do vale uma tartaruga do tamanho de sua cabeça, inerte e com a mesma cor do lodo ao redor. Sentiu-se impaciente por não ter como capturá-la, mas, vista do alto de uma rocha, a tartaruga apresentava várias lesões no corpo, e a carapaça parecia envelhecida. Apesar de seis vezes maior em área de superfície, esta outra era mais jovem e intrépida, e seu casco tinha uma luminosidade azul-escura de ferro polido.

Como teria vivido até alcançar aquele tamanho sem nenhum ferimento no corpo? Teria passado seus dias, sorrateira, no remanso do rio, nas profundezas da floresta, afastada dos seres humanos? Talvez tivesse sido arrastada por uma enchente até uma área povoada, atraída então pela isca de truta fatiada em três?

Kogito ergueu a caixa e a colocou no espaço entre o refrigerador e a porta dos fundos, o mais plano de toda a cozinha. Com a extremidade da caixa suspensa, a borda do casco da tartaruga escorregou até atingir o canto mais próximo a Kogito. No instante seguinte, ela começou a arranhar a madeira com as três unhas das patas dianteiras. Aproveitando a oportunidade, Kogito encostou com toda a força o facão pontiagudo no pescoço proeminente da tartaruga. Exibindo uma resistência tenaz, ela se livrou da faca sob a pele macia e frouxa, e rapidamente enfiou a cabeça para dentro da carapaça.

Sem perder tempo, a tartaruga recolocou a cabeça para fora e tentou avançar. Sangue enegrecido jorrava de um corte na lateral do pescoço em forma de lua crescente, do tamanho de uma unha. Seu silêncio até então foi substituído pelo som agudo de respiração. Expressava visivelmente sua raiva.

A fúria a fez deixar de lado a cautela. Manteve o pescoço bem estendido. Kogito avaliou a folga entre a parte interna da caixa e o facão posto em perpendicular, e partiu para um novo ataque enérgico. O pescoço do réptil estava equipado com elasticidade para repelir o golpe. Se não bastasse, com parte de sua cabeça posta dentro do casco, avançou de súbito até a extremidade da caixa arranhando com as unhas a madeira da superfície interna, procurando subir a todo custo. Com o facão em uma das mãos, Kogito colocou os dedos nas laterais da tartaruga para trazer de volta a cabeça. Com a mesma força de antes, o facão penetrou mais fundo no pescoço, mas não o suficiente para impedir que a cabeça recuasse com vigor para dentro do casco.

Agora a tartaruga resfolegava como em desafio, antes mesmo de pôr a cabeça para fora do casco.

O embate entre a tartaruga e Kogito prosseguia. Apesar de Kogito atacar de maneira unilateral durante toda a primeira metade da luta, sentia ser uma batalha perdida. Era algo insólito, pensou. Estava habituado a preparar pratos com tartarugas enviadas pelo marido de sua irmã mais nova. Nessas ocasiões, o primeiro passo era cortar a cabeça do bicho, procedimento complexo, mas não impossível. Apoiava com uma das mãos o casco sobre uma grande tábua de cortar carne e enfiava o facão no pescoço estendido do animal.

Lembrando-se desse procedimento, Kogito se deu conta do motivo — na realidade, bastante simples — de encontrar tanta dificuldade. Com a tartaruga posta sobre uma tábua de cortar carne, não havia nada do outro lado, nem obstáculo deste lado, que impedisse o movimento de seu braço, do pulso até o cotovelo. A mão com o facão ficava livre, e a visão de Kogito se mantinha perpendicular em relação à tartaruga, permitindo mirar o pescoço com convicção.

Todavia, a tartaruga estava agora em uma caixa de madeira funda. Se golpeasse o pescoço com o facão, a ponta poderia atingir a borda da caixa, e o punho se encontrava limitado pela beirada próxima. E o fato de espiar o pescoço do bicho no fundo da caixa quase diretamente de cima tornava incerto o cálculo da profundidade com base nessa vista aérea.

Em vez de aumentar a velocidade dos golpes, decidiu se valer da contundência do peso do facão. Baseando-se no princípio de mv^2, aprendido havia muito tempo nas aulas de física, tomou o pesado facão chinês. Mas Kogito se questionava se, comparado à velocidade ao quadrado, o peso assim alterado contribuiria mesmo para aumentar a força. Ao fazer uma tentativa, o facão chinês conseguiu penetrar a madeira do fundo da caixa apenas ao deixá-lo cair. Mas quando o segurou com ambas as mãos e mirou o pescoço da tartaruga, o cálculo a olho se mostrava difícil, sendo o instrumento pesado e volumoso. Depois de vários fracassos, o resultado da luta foi uma ferida na ponta do focinho, diminuto se comparado ao corpo, cortada como haste de grama. Com a cabeça para fora do casco, o animal resfolegava sem parar.

Por fim, Kogito sentou-se exausto ao lado da caixa de madeira na qual a tartaruga bufava com intensidade. Os golpes com o facão não surtiram o efeito desejado, mas serviram para feri-la, como comprovava a poça de sangue de cor clara formada no fundo da caixa de madeira.

Desejando descansar um pouco no sofá da sala de estar, Kogito saiu da cozinha sem nem mesmo lavar as mãos, com a camisa de jérsei de mangas longas salpicada de sangue. Deparou-se com Chikashi de pijama, sentada em uma cadeira na sala de jantar, com uma expressão de medo no rosto sem maquiagem, o que lhe dava um ar de menina.

— Se estiver dando muito trabalho, não seria melhor levá-la até o córrego? Lembra que outro dia você foi com Akari soltar algumas que Asa nos mandou?

— É muito tarde para isso — Kogito respondeu, incapaz de conter uma forte excitação na voz. — O que aconteceria se libertássemos um animal ferido em água tão poluída?

Chikashi se apressou para o quarto como se fugisse, enquanto Kogito se deitou no sofá com a respiração agitada. Depois de chegar de Berlim, tinha passado o dia desfazendo as malas, concentrado em telefonemas; sem tempo para uma verdadeira conversa com a esposa, essa foi a única troca de palavras entre os dois. Logo após começar a tarefa, Kogito se viu tomado de crescente e profundo arrependimento, com a arraigada sensação de que seria impossível retroceder. Não havia outra escolha senão continuar até o fim. Sentiu em seu corpo o odor nauseabundo do sangue do animal. Se desistisse agora, a tartaruga, ferida na ponta do focinho e em outros locais, acabaria por fixar residência na cozinha. Sem dúvida Chikashi lhe daria comida, e, cada vez que Kogito aparecesse, o bicho o reconheceria e começaria a resfolegar de forma ameaçadora. Suportaria ele uma rotina dessas?

Por fim, Kogito retomou a tarefa e decidiu abandonar a ideia de cortar o pescoço da tartaruga com um único golpe. Era como se em um filme de faroeste, em lugar do duelo com pistolas, usasse uma metralhadora. Golpeou repetidas vezes a lateral do casco com o facão chinês, bem na altura do pescoço, abrindo um ferimento amplo pelo qual o sangue escorria. Quando a tartaruga parou de enfiar a cabeça para dentro da carapaça, Kogito a decepou! Seguia a ordem costumeira de desmembramento, mas, a cada vez que pretendia amputar uma das patas, a tartaruga, ou melhor, a pata escolhida, mostrava uma extrema e tenaz resistência. Após finalmente amputar os quatro membros do réptil, Kogito virou o casco de cabeça para baixo. Quando tocou o grosso rabo triangular, surpreendeu-se ao ver surgir por baixo o pênis curvo e rígido como um osso, do tamanho do dedo anelar de um adulto. Concluído todo o trabalho, uma poça de sangue de cerca de três centímetros de profundidade se formou no fundo da caixa. Passava das três da manhã quando Kogito terminou de limpar o sangue espalhado ao redor e lavou a caixa na pia.

Guardou na geladeira um pedaço grande da carne cortada para preparar cubos empanados fritos. Separou a parte mole do casco que juntou com os ossos e o restante da carne em uma grande caçarola. Sentia as pernas pesadas de cansaço, mas continuou de pé ao lado da enorme panela em ebulição, retirando a espuma que se formava. Adicionou um pouco de saquê, fatias finas de gengibre e sal. O resultado foi uma quantidade de sopa que, como cozinheiro, o fez se sentir enganado. Sem vontade de prová-la, também não poderia oferecê-la a Chikashi e Akari.

Depois de já ter se deitado na cama da biblioteca — podia sentir até ali o cheiro nauseante da carne na panela —, Kogito se levantou, vestiu as roupas com odor de sangue e desceu de volta à cozinha. A custo, jogou o conteúdo da caçarola na lata de lixo. Descartou também a carne guardada na geladeira.

Começava a amanhecer, mas na penumbra o severo ar frio o envolvia. Quando levou a pesada lata de lixo para fora da cozinha, sentiu como se do céu sujo e turvo descesse um riso de escárnio daqueles que haviam revelado seu âmago violento. Primeiro, ouviu o resfolegar selvagem da indignada tartaruga… E depois uma voz a lhe dizer: "Se para essa tartaruga-rainha não há alma após a morte, tampouco imortal será a sua quando a hora chegar."

4

Kogito se envergonhou de ter assustado Chikashi e Akari com sua grande e sangrenta aventura na cozinha desde a madrugada até o amanhecer no mesmo dia em que retornara de Berlim. A partir do dia seguinte, sua cabeça parecia queimar pela falta de sono e pela diferença de fuso horário; apesar de dormir só por um curto período, desceu para a sala de estar e se empenhou em pôr a correspondência em ordem. Não conversou com Chikashi sobre o que havia acontecido em sua ausência. Os detalhes de suas atividades em Berlim já enviara por fax. Akari, por sua vez, pressentindo o estado de hermetismo do pai, ouvia rádio FM com o som baixo, agindo como se Kogito ainda não tivesse retornado. Por vezes o espiava, desejoso de mostrar que estava ouvindo o CD que ele lhe trouxera de presente. Kogito não mencionou a Chikashi e Akari, por consideração a eles, que vinha resistindo à tentação de pôr pilhas no Tagame, aparentemente à sua espera na biblioteca. E então, como forma de superação e alívio da diferença de fuso horário, Kogito passava os dias ali, a contemplar nas prateleiras os livros de inegável relação consigo próprio. Como se procurasse escapar aos olhares de censura que Chikashi e Akari lhe lançavam em silêncio, instalou-se na cadeira de braços usada para leitura e passou o tempo admirando a estante. Mesmo sentado, podia ver na prateleira mais alta o volume com a coleção das obras e a biografia de Frida Kahlo. Um quadro reproduzido no livro lhe veio à mente e sentiu que a imagem serviria de modelo para explicar sua ligação com aqueles livros. A visão tornou-se bastante nítida para ele.

  Sentado diante dos muitos volumes, visualizou um coração vermelho no interior de seu crânio. Dele saíam veias finas em profusão, diretamente ligadas a uma das válvulas cardíacas. Olhando bem, cada uma delas alcançava um dos livros da estante, e Kogito sentia um alívio profundo por esse vínculo entre ele e os livros por meio das artérias. Mas esse alívio era acompanhado por um triste sentimento de perda.

Tudo poderia não passar de um sonho em sua cabeça inflamada pelo sono entrecortado.

Um tempo depois, bem desperto ao folhear o livro com as obras de Frida Kahlo, Kogito se deu conta de que o quadro real diferia de suas minuciosas memórias. Supunha que no quadro as artérias saíam do peito — do coração — de Frida, alongada sobre um leito, e se conectavam aos vários *objetos* ao seu redor... uma criança como um feto, um minúsculo caracol, um enorme torno mecânico. Ao ver esse quadro, intitulado *Hospital Henry Ford*, confirmou a presença de cada elemento imaginado, mas os fios conectados a cada elemento eram segurados por Kahlo junto a seu baixo-ventre. Como a hemorragia vaginal manchava o leito, sem dúvida Kogito asssociava aquilo a veias estendendo-se para fora do corpo a partir do coração. No autorretrato *As duas Fridas*, com densas nuvens ao fundo, os corações de cada imponente Frida são mostrados nitidamente — um dentro do peito, o outro fora da blusa —, unidos por uma artéria comum. Kogito talvez tivesse confundido a veia exibida fora do corpo com os fios vermelhos interligando os vários elementos do quadro anterior...

A volta à sua biblioteca em Tóquio causava alívio a Kogito por não haver no apartamento em Berlim livros que fizessem jus a ser assim chamados. Quando residia no exterior, trabalhando em cidades nas quais podia adquirir livros em inglês ou francês facilmente, em pouco tempo as estantes de sua residência se tornavam repletas deles. Todavia, em Berlim, não lhe agradou a seleção de obras em inglês e francês das livrarias especializadas em importados listadas no guia do Centro de Pesquisas Avançadas.

Natural que, não dominando o alemão, ele não comprasse livros neste idioma. Por isso, viveu esses cem dias sem se sentir protegido por uma barreira de livros. Agora, o coração dentro de seu crânio reconectava suas artérias aos velhos livros de sempre…

Entretanto, essa sensação de alívio vinha acompanhada de um sentimento de perda, pois Kogito estava ciente de sua idade e de que viveria o restante da vida incapaz de liberar o coração cerebral dessa profusão de livros. Pouco antes de terminar de pôr em ordem sua correspondência, Kogito passou a organizar as publicações que havia retirado dos invólucros. Leu capítulos de algumas delas e também os principais ensaios e debates em revistas literárias e de interesse geral. E descobriu que muitas vezes era difícil para ele entender os temas e o estilo adotado nessas publicações. Durante todo o tempo de sua curta estada recente no exterior, Kogito tinha vivido como professor e pesquisador. Nesses cem dias, constatou a distância entre o mundo literário e crítico japonês e ele próprio. E notou que a sensação de melancolia parecia ter uma raiz comum com o alívio anterior.

Essa sensação de afastamento! Apesar de estarem na mesma pista, sentia correr uma volta atrás dos jovens que o ultrapassavam em bando. Para relaxar ainda mais entre os livros de sua casa em Tóquio, desistiu de tentar alcançar os líderes, passando a valorizar o que brotava com espontaneidade dentro de si. Certamente era uma sensação de melancolia, difícil de distinguir de uma prazerosa calma… Sentiu que poderia viver solitário os dias vindouros, em meio a uma tênue luz crepuscular, com a serenidade de um morto…

Mas, certa noite, deitado na cama de campanha da biblioteca, Kogito descobriu que seu braço se movimentava devagar na escuridão, avançando e recuando, embora variasse um pouco o ângulo. Não tentava dissimular que procurava o Tagame enfiado entre os livros da estante, mesmo sabendo que havia retirado as pilhas do aparelho e também estando certo de não ter intenção de se levantar da cama para inserir as pilhas e a fita cassete.

Kogito movimentava o braço como as antenas de um grande inseto à procura de um outro menor, tentando achar o Tagame. Depois de mais de cem dias, fingia implorar para ouvir a voz de Goro. Essa necessidade se baseava na conscientização que não tivera até aquele momento. "Goro, se a morte chega como algo comum a nossas vidas, você não precisava se suicidar atirando-se do alto de um prédio, despendendo aquela imensa energia física, mental e emocional... Mesmo que tenha bebido uma grande quantidade de conhaque." Entre alívio e sofrimento, Kogito chorou de modo sereno, desejando esse implorar fingido.

Ao acordar de novo após o sono leve, apesar de continuar a sentir vontade de implorar, ainda afundado na sensação de perda, estava satisfeito por não ter inserido pilhas no Tagame.

5

Em um desses dias que se seguiram com Kogito nesse estado, ele lia um livro deitado no sofá quando Chikashi se postou diante dele trazendo uma bolsa fina de couro de cor caramelo-avermelhada que lembrava ter visto Goro portar. Kogito sentou e abriu a seu lado espaço para a esposa. Voltou a sentir que a ida para Berlim havia sido uma *quarantine* para evitar uma doença contagiosa, ao entender que Chikashi desejava falar algo refreado por todo o tempo de sua estada.

— Eu me surpreendi ao vê-lo na noite em que voltou da Alemanha. Você parecia alguém completamente diferente do Kogito que conhecia até hoje. Procurei me convencer de que o motivo foram as diversas reflexões durante sua estada em Berlim. Embora não expresse em palavras, Akari aparenta estar mais tranquilo por você não ter recomeçado a falar sozinho em seu escritório a altas horas da noite — declarou Chikashi. — Umeko comentou ter encontrado alguns escritos que Goro vinha organizando. Ela enviou, achando melhor que nós verificássemos. Se eu os mostrasse a você naquela noite em que lutava com a tartaruga, coberto de sangue, seria como jogar gasolina no fogo... Receosa, hesitei.

"Mas há quase uma semana, pelo contrário, você está quieto demais e até me leva a supor que esteja deprimido... Por isso, pensei: se Goro desejava que você lesse seus escritos, não sou eu quem deve impedir. São lembranças redigidas na forma de roteiro... Ignoro se tinha a real intenção de transformá-lo em filme."

Apesar de totalmente atraído pela bolsa posta sobre os joelhos de Chikashi, a resposta de Kogito foi anticlimática.

— Durante os mais de dez anos de trabalho de Goro com cinema, seriam tão poucos os seus roteiros inéditos a ponto de caber nessa bolsa? Com seus filmes, costumava publicar o roteiro junto com o lançamento, como se fosse uma transmissão simultânea...

— Ele parece ter deixado muitos outros cadernos de anotações. Para Umeko, são valiosas as notas explicativas sobre as cenas escritas para ela, e os documentos preparatórios dos dois processos judiciais estão guardados com Taruto. Há também um grande volume de notas e reportagens para um documentário de TV que planejava, e parece ser intenção de Umeko doá-las a um museu em memória de Goro e de nosso pai. Assim que tiverem sido concluídas as formalidades para trazer o dinheiro que ele guardava para produzir um filme nos Estados Unidos, o projeto do museu deve efetivamente começar. A produtora de Taruto já tinha adquirido um terreno que havia tempos, preparando-o para a instalação do museu.

"Depois de organizar as coisas no escritório, Umeko me trouxe estes escritos acreditando haver sido especiais para Goro.

"Antes de partir para Berlim, você fez o que lhe pedi — que era também o desejo de Akari — e agora deve estar se preparando para escrever sobre o que aconteceu com você e Goro em Matsuyama, estou errada?

"Se você estiver a sério considerando escrever sobre o que houve, o roteiro e os *storyboards* deixados por Goro dentro de sua bolsa predileta deverão ser úteis, apesar de no geral não obedecerem a uma sequência e não estarem finalizados."

Kogito se admirou ao pensar naquilo que deveria escrever e no livro que Chikashi parecia imaginar que ele escreveria. E perguntou, procurando uma temporária escapatória:

— Seria esse o método de Goro? Ele se preparava para produzir um filme, desenhar os *storyboards* das partes concluídas, mesmo tendo apenas partes do roteiro?

— Não é do estilo dele. Também estranhei e questionei Umeko sobre isso. Goro era um profissional que dominava todo o processo de criação cinematográfica. Não desenharia os *storyboards* sem ter definido por completo a distribuição dos papéis e entrado na fase de início das filmagens.

"Goro talvez desejasse realizar o filme, mas julgava ser impossível dadas as circunstâncias reais… Suponho que deixar os escritos represente uma espécie de compensação… Da mesma forma que produziu e enviou as gravações depois de decidir morrer, não teria resolvido pôr todas as suas memórias no roteiro e nos *storyboards* com a intenção de lhe mostrar? Seja como for, dê uma olhada."

Dizendo isso, Chikashi se levantou, colocou a bolsa diante de Kogito com um gesto formal aferente a um estranho, e saiu.

Nessa noite, terminado o jantar e após Chikashi e Akari assistirem a um programa de música clássica da TV estatal NHK e seguirem para seus quartos, Kogito permaneceu na sala contemplando a bolsa posta sobre o vidro espesso da mesa de ferro que havia frente ao sofá — era tudo o que preenchia sua mente —, incapaz de estender o braço para tocá-la.

Levando em conta o tom seco de Chikashi ao falar sobre o assunto, Kogito sentiu-se na obrigação de, ainda na mesma noite, abrir a bolsa e verificar o conteúdo. Se fosse dormir na biblioteca sem fazê-lo, na manhã seguinte Chikashi sem dúvida se aborreceria ao descobrir a bolsa sobre a mesa. Desde o caso da revista semanal, bastaria um simples comentário sem nenhuma malícia de Kogito ao falar sobre Goro para que ela se sentisse ferida em seu amor-próprio como se estivesse sendo atacada…

Mas aos poucos Kogito começou a se sentir receoso de ler o que a bolsa guardava. Até então, tinha refletido sobre *aquilo* incontáveis vezes. Apesar de haver partes do acontecimento além de sua compreensão, jamais tivera coragem de confirmá-las diretamente com Goro. Se tais partes estivessem ali, contadas de maneira vívida — e, ainda por cima, acompanhadas de *storyboards* —, não haveria embutida nelas alguma acusação contra Kogito? Na noite anterior, quando esteve prestes a implorar via Tagame, não queria uma justificativa?

Kogito levantou-se do sofá com indolência e apanhou a bolsa cuja cor e formato lhe pareceram mesmo aprazíveis, admirando-a por um longo tempo, como se fascinado. Ao abrir a aba de couro frontal de largura idêntica ao corpo da bolsa, havia um papel de textura como de um pergaminho, colado na parte de trás. Nele, constava a íntegra de uma inscrição em francês na saudosa caligrafia de Goro, inclusive com as letras em itálico. Kogito leu com atenção e, emocionado, soltou uma exclamação.

"... *J'en ai déjà trois, ça coûte tant! Enfin voilà! Au revoir, tu verras ça.*"

Era a passagem de uma carta de Rimbaud que Kogito se lembrava de ter lido quando Goro lhe ensinava poesia francesa em Matsuyama. A parte em itálico parecia difícil não só para Kogito, um completo iniciante, mas mesmo para Goro, com bom domínio do idioma. Consultando o pós-escrito que acompanhava o texto, Kogito interpretou que, como o valor dos selos era caro, o escritor não enviaria as três histórias concluídas. Goro, porém, traduziu como "Lê-los vai lhe custar um bom dinheiro, esteja certo". Em uma nova tradução que Kogito possuía constava o seguinte: "Já tenho três histórias concluídas, mas não as enviarei a você. O custo é muito alto! Afinal, é isso. Adeus; um dia você as verá."

Kogito permaneceu imóvel por instantes com a bolsa colocada de pé sobre os joelhos. Depois, pôs com vagar o conteúdo sobre a mesa, como se procedesse a um trabalho manual passível de falhas caso não fosse realizado com tempo. Goro não tinha utilizado um formato único de papel. Havia vários tipos, a começar por folhas tiradas de um caderno de esboços, um bloco de anotações coberto com capa dura e um outro caderno do tipo favorito de Goro quando criança, com páginas de diversas texturas e cores, preso com uma fita elástica. Havia também panfletos de pré-estreias de filmes e concertos de música, com largas margens em branco para anotações. O monte de papéis não parecia ter saído de uma bolsa tão estreita e, ao colocá-lo sobre a mesa, exalou um nostálgico odor de cigarro.

Kogito decidiu que naquela noite apenas se limitaria a retirá-los da bolsa, sem ânimo para examinar e ler. No entanto, ao ver a página com quatro ou seis ilustrações esboçadas ao jeito peculiar de Goro, sentiu-se instintivamente atraído a estender o braço para alcançá-la. Não precisou ler o roteiro anexado ao *storyboard* por um clipe de linda cor — embora a intenção de Goro devesse ter sido oposta, anexar o roteiro ao *storyboard* — para saber que a história contada pela sequência de desenhos era dotada de uma peculiar densidade. Pensou em arrumar os papéis ao lado da bolsa de forma a mostrar sua boa intenção a Chikashi quando ela se levantasse. Kogito decidiu responder ao chamado de Goro. Devia arregaçar as mangas e se lançar com afinco à tarefa. Todavia, com o mesmo sentimento de um jovem inexperiente, temia não saber como lidar quando precisasse de fato enfrentar os escritos póstumos do amigo. Kogito percebeu se intensificar a sensação de suspensão no espaço, como se até o momento não tivesse acumulado experiências em sua vida. A reprodução do código que lhes era bastante comum — a carta de Rimbaud — servia como uma espécie de alerta para o que viria adiante. Ao imaginar ser essa a intenção de Goro, Kogito sentiu o desencorajamento se tornar ainda mais complexo.

6

A partir do dia seguinte, Kogito aos poucos se concentrou em avançar na leitura do roteiro e dos *storyboards*. Do ponto de vista da técnica de um romancista, causou-lhe interesse a forma de criação narrativa de Goro, um diretor de cinema. Supôs até ter descoberto uma faceta nova do amigo como ser humano. E embora parecesse contraditório, ao mesmo tempo sentiu com força que Goro não havia mudado desde que se conheceram. Até quando se opôs a seu casamento com Chikashi, Kogito previa esse tipo de atitude e sabia que não se sentiria traído, ferido ou decepcionado.

Nos doze anos em que os filmes de Goro foram sucessos de bilheteria um após o outro, Kogito não mudou sua ideia acerca do amigo. Pelo contrário, apenas reconhecia algo que também vira nele na adolescência. Quando acontecia de encontrar alguém dos tempos do ensino médio, o colega sem falta dizia, com surpresa e uma visível ponta de inveja, que "não esperava que Goro fosse tão talentoso". Tendo se transferido para a escola em Matsuyama e se tornado amigo de Goro, então com dezoito anos, Kogito acreditou que o talento dele suplantava o do pai, mesmo que na época tivesse lido apenas uma coletânea de ensaios. Além do mais, esperava que os dons do amigo se expandissem para domínios mais amplos que o cinema…

Conforme avançava na leitura, Kogito foi tomado pela impressão renovada de que, apesar do roteiro e dos *storyboards* serem característicos de Goro, eram fruto de seu fazer artístico como cineasta, aprimorado em uma carreira curta, mas produtiva. Um exemplo é o personagem no roteiro chamado Líder, inspirado em Daio.

Nos esboços, as feições e o aspecto do Líder não correspondiam ao Daio que Kogito rememorava. Remetia-o mais a uma das comédias bem-sucedidas de Goro em que um humorista fazia o papel de um comerciante que caía em prantos — na realidade, um choro fingido — quando tinha sua sonegação fiscal descoberta. Apesar disso, a orientação de cena no roteiro, anexado com um clipe, descrevia, de maneira ainda mais precisa, a imagem de Daio, mesmo se comparada à visão de Kogito que o tinha observado durante as duas semanas que *aquilo* durou.

> *O Líder era um homem de traços de obstinação no olhar e cujo entorno da boca denotava ódio. Entregava-se de corpo e alma a tudo em que se empenhava. Agia de acordo com suas convicções. Jamais desistia, insistindo repetidas vezes, sem nenhum constrangimento, até realizar seu intento.*
>
> *Difícil saber se essa persistência do Líder era real ou mera brincadeira. Desde o princípio, não estaria convencido de que não conseguiria executar seu plano? Ainda assim, lançava-se com todas as forças contra obstáculos insuperáveis, acompanhado de seus jovens correligionários. A motivação do Líder para ações reais planejadas, desenvolvimento das ideias do mestre Choko, tinha lógica. Por outro lado, apesar*

de conter um argumento bastante sincero, soava como frívola fanfarronice de uma brincadeira de mau gosto. No meio do caminho poderia abandonar tudo dizendo simplesmente: "Desisto!" Mas se por acaso acabasse realizando seu intento, uma atrocidade sangrenta e irreversível ocorreria.

Se depois de esse plano risível se tornar realidade o Líder sobrevivesse, com que cara enfrentaria a situação? Talvez incorporasse à expressão de bufão anterior ao incidente a fisionomia dramática do momento de consecução de seu intento. Ou vice-versa. Aí reside a questão-chave da representação.

O plano de ação de Daio estava no roteiro, exatamente conforme ouvido por Kogito e Goro:

LÍDER: O tratado de paz já assinado entrou em vigor às dez horas e trinta minutos da noite de 28 de abril. O que isso significa? Que a era da ocupação aliada irá terminar sem nenhum movimento de resistência armada dos japoneses contra o Exército americano. Desde a derrota do Japão na guerra e durante todo o período de ocupação, uma foto irá simbolizar, por toda a eternidade, a relação entre os Estados Unidos e o Japão. Tirada na embaixada americana em 27 de setembro de 1945, ela exibe o marechal MacArthur de camisa e calças de cores claras e mãos na cintura e, de pé a seu lado, o imperador vestindo um fraque preto. A cena se assentou na memória dos japoneses indicando que jamais chegaria o dia em que o imperador teria restaurada sua posição divina.

Kogito se lembrava bem de Daio apresentando, no meio do jantar, o resultado de sua profunda análise. Assim como Goro caracterizara o Líder em seu roteiro, seus gestos expressavam a precisa combinação entre seriedade e frivolidade que fazia com que pairassem dúvidas sobre suas palavras assim que proferidas. Daio, inclusive, imitou a postura do imperador em pé e a expressão exibida na foto. Kogito presenciava a cena não sem certa sensação de repugnância, enquanto Goro — também por conta da embriaguez com o saquê artesanal — apenas gargalhava.

Era óbvio que Daio, herdeiro dos ensinamentos de mestre Choko, não poderia fazer vista grossa a uma ocorrência tão infame. Nas três semanas restantes, ele e seus camaradas tramaram um ataque armado ao acampamento do Exército americano para reescrever uma suposta última página do derrotismo que permeava a história dos tempos de ocupação.

Para conseguirem alcançar o acampamento, precisavam formar um pequeno esquadrão de elite, vestindo-se como cidadãos comuns para que não fossem interceptados pela polícia japonesa. Almejando que os guardas a postos no portão principal respondessem de imediato aos confrontos que estourassem na cidade, o grupo de assalto teria de se armar e atacar com rapidez logo ao se aproximar da entrada. Para que os vigias acreditassem ser uma ação séria, bastaria usar o mesmo tipo de armamento. Os dez membros precisavam então conseguir armas do almoxarifado do acampamento americano.

> PETER: Mesmo que apenas por hipótese, seria impossível roubar dez rifles automáticos do acampamento.
> LÍDER: As armas defeituosas usadas na Guerra da Coreia estão amontoadas a céu aberto... Não foi você mesmo quem disse?

PETER: Um amador não seria capaz de consertar os rifles automáticos danificados em combate.

LÍDER: Mas quem disse que precisariam de conserto, Peter? Basta serem rifles automáticos do Exército americano. É suficiente que, ao ver os dez membros do grupo avançarem portando essas armas, o pessoal do acampamento acredite se tratar de um ataque verdadeiro.

PETER: Se julgarem que são armas reais, vocês serão exterminados.

LÍDER: *Why not*? Mesmo que não seja assim, estamos afinal travando uma batalha contra um acampamento de milhares de soldados, correto? No instante em que nos lançarmos à empreitada, não haverá como retroceder!

PETER: E se desmascararem vocês como um bando de loucos apenas brincando de guerra?

LÍDER: (*despindo de súbito o* yukata[3], *permanece vestido apenas com uma tanga japonesa típica da região de Etchu*) Nesse caso, retrocedemos com uma dança *bon-odori*.[4]

A primeira metade desse diálogo se originou na noite em que Kogito e Goro foram levados à pousada após a sessão de música. A metade final se dera no jantar da terceira noite, e até Peter havia sido convidado. Kogito se surpreendeu com o poder de

---

3. Tipo de quimono mais leve e casual, em geral feito de algodão ou tecido sintético estampado, usado principalmente nos festivais de verão, em hotéis tradicionais e em banhos termais. [N.E.]

4. Dança folclórica amplamente praticada nas noites de Obon, festividade tradicional da crença budista que homenageia os espíritos dos antepassados, celebrada ritualisticamente por todo o território japonês. Ocorre anualmente durante o verão, entre julho e agosto. [N.E.]

observação do jovem Goro e com seu talento quando adulto para combinar os diálogos em uma cena de filme. Segundo a memória de Kogito, Goro era apenas um jovem inocente de rosto risonho, embriagando-se com saquê naquela noite em Dogo...

De qualquer forma, após essa sequência de três jantares, Daio e seus companheiros deixaram a pousada em Dogo, e Kogito começou a se sentir culpado pelo seu tempo despendido em companhia de Goro. Temendo aos poucos reiniciar o hábito de se divertirem juntos, de imediato voltou a sua vida de visitas à biblioteca do CIE com os colegas de estudos.

No horário de encerramento do expediente da biblioteca, o mesmo funcionário japonês que, durante o intervalo da sessão de música, havia lhe mostrado o livro com a ilustração de Blake, veio até a área de leitura informar a Kogito que Peter o esperava na quadra de basquete. Aliada ao usual tom de superioridade, a insatisfação do funcionário em ser obrigado a atender o pedido de um americano para a trivial tarefa de transmitir um recado a um mero estudante de ensino médio japonês era perceptível.

Quando Kogito desceu, Peter estava sozinho sob a tabela de basquete, cabisbaixo e pensativo. Sobre a bola que segurava com o braço direito contra o peito, pousavam pétalas de flores de cerejeira que começavam a cair. Na nuca de Peter, linhas dividiam a pele alva da parte corada de sol. Quando Kogito se aproximou, ele ergueu a cabeça com uma estranha fisionomia. Devia esperar que Goro tivesse vindo junto. Comprovando a suposição, Peter perguntou abertamente:

— Seu amigo Goro não está com você?

Kogito se calou, e Peter prosseguiu:

— Goro me contou que, após estudar, todos vocês, alunos de Matsuyama, costumavam ir se divertir nos banhos termais de Dogo... É verdade?

— Dogo é uma estação termal, mas os banhos são públicos e há problemas de higiene... Ouvi dizer que está fora dos padrões para os soldados americanos — replicou Kogito.

— É mesmo? Sendo assim... Neste fim de semana, no sábado, ou se preferir no domingo, posso pegar um carro emprestado. Que tal darmos um passeio? Você, eu e Goro... *Mister* Daio me convidou para ver sua escola de *kendo*.

Peter se calou em seguida, mas seu olhar continha a malícia de um pássaro, e, por algum motivo, ele enrubesceu. Kogito respondeu escolhendo as palavras com cuidado, como havia feito antes.

— Se for um passeio de carro, estou certo de que Goro aceitará com prazer. Daio também nos convidou e pediu para lhe reiterar o convite. Amanhã ou depois de amanhã... Você está aqui a cada dois dias, não é?... Respondo depois de consultar Goro.

— Esta semana virei todos os dias. Quando se encontrar com ele, diga para vir me visitar, por favor.

Nesse momento, um grupo de funcionários japoneses acompanhado de moças americanas veio em direção à quadra de basquete fazendo barulho ao tentar pegar as pétalas de cerejeira trazidas pelo vento. Segurando a bola com ambas as mãos em frente ao peito, Peter deu um passo à frente para recepcioná-los.

— Caso eu não esteja amanhã, deixe a resposta na mesa da secretária. Você pode escrever a carta em japonês, até mesmo usando ideogramas — completou.

Tendo perdido o interesse por Kogito, começou a gingar sozinho pela quadra e fez um arremesso de uma boa distância, sem conseguir encestar. Recuperou a bola que bateu na tabela, girou o corpo e lançou-a em curva no meio do grupo, que o aplaudiu com fervor. Kogito voltou para a biblioteca mal-humorado. Mesmo assim, antes de retornar à seção de leitura, olhou para além do vidro divisório da biblioteca e do escritório para confirmar o local da mesa da secretária.

Capítulo VI

Os *voyeurs*

1

Durante o intervalo de almoço no dia seguinte, Kogito conversou com Goro acerca do convite e, depois das aulas, passou no CIE para deixar a resposta: YES. A secretária, que devia ter cerca de trinta anos, olhou-o de cima a baixo bufando ao receber o envelope. Essa mulher foi a única japonesa em toda a sua vida que o atendeu de modo tão rude. Mas logo o próprio Peter apareceu para chamar Kogito, que tinha voltado à seção de leitura a fim de pegar um texto para estudar para as provas. Ele o conduziu até seu escritório e, sem se importar com a secretária, que como sempre os ignorava, disse para telefonar para Daio no centro de treinamento. Assim como Peter, Daio estava de bom humor e chegou mesmo a se oferecer para, caso fossem realmente visitá-lo, ir até o CIE para acertarem os detalhes.

No roteiro com os *storyboards* anexos, Goro desenhou a viagem de carro do fim de semana. Saíram logo após o almoço em um Cadillac verde-claro com inúmeros riscos na lataria dirigido por Peter, com Goro ao lado do motorista e Kogito no banco de trás.

A primeira imagem descrevia a cena do Cadillac partindo do estacionamento atrás do prédio da biblioteca. Para um estudante do ensino médio, Goro era um grande conhecedor de carros e aparentemente se recordava da espetacular viagem no veículo em meio à situação do país, pouco antes da entrada em vigor do tratado de paz. O centro de Matsuyama conservava vívidas as ruínas causadas pelos bombardeios aéreos, mas logo passaram a ruas de áreas não destruídas pelas chamas. O Cadillac parecia tomar toda a via, com as antigas casas emendadas de cada um dos lados. Mesmo sendo impossível captar em imagens a cidade de Matsuyama da restauração pós-guerra, ainda subsistiam locais ao longo da estrada apropriados para rodar o filme. Os *storyboards* descreviam com paixão essas paisagens.

    Saindo da cidade, chega-se a uma longa ladeira em meio à paisagem bucólica, com residências, templos e santuários dispersos pelo campo. Restam poucas flores das cerejeiras Yoshino, mas as cerejeiras de pétalas duplas estão em plena floração e ladeiam o caminho profusamente. À medida que o Cadillac aos poucos avança, aparecem vilarejos de montanha e densas plantações de tangerina de cores vivas, sem as estufas de vinil de hoje. O carro se dirige à entrada do longo túnel próximo ao cume da garganta montanhosa. Daio e seus companheiros esperam em um caminhão estacionado do outro lado do túnel. Guiados por eles, o Cadillac avança, largo a ponto de resvalar ambas as margens da estrada cobertas de ervas, sem se importar com o ruído de seu fundo baixo tocando o caminho acidentado. Depois de um suave aclive, entre um bosque à esquerda e um grande e profundo vale à direita, a via começa a descer.

    Olhando o roteiro e os *storyboards*, Kogito estranhou que Goro tivesse descrito em detalhes a condição ruim da estrada por onde rodava o Cadillac, mas feito apenas esboços da flora local.

O próprio Kogito fora criado no vale rodeado de bosques, e era de seu temperamento com frequência vagar pela floresta. Além da rara sensação da viagem de carro, podia se lembrar do panorama de árvores ainda jovens, de densas folhas e repletas de flores.

A área não se situava longe do vilarejo de Kogito no vale, mas havia algo que lhe era estranho no formato do terreno e nos vilarejos. Era sensível a esse tipo de coisa, afinal, tinha crescido naquele ambiente fechado. Nas excursões com os colegas da escola fundamental nacional, subiam um afluente do rio que flui pelo vale e cruzavam um pequeno monte. Ao descerem, Kogito era tomado de temor diante da paisagem do vale, como se perdido em um país estrangeiro desconhecido, apesar de ainda estarem dentro dos limites do vilarejo. Pressentia que, a qualquer momento, do fundo dos arrozais cercados por silenciosas árvores, surgiria um bando de demônios para persegui-lo brandindo varas de madeira. Mesmo aos dezessete anos, o pavor daquela época persistia em Kogito.

De acordo com suas lembranças da viagem ao centro de treinamento de Daio, após sair do túnel do lado de seu vilarejo, o grupo subiu uma encosta no lado norte de um lindo bosque, com diversos tipos de árvores que pareciam banhadas por novos brotos. Em seguida, desceu por uma floresta de ciprestes, antiga e sombria. Em alguns pontos, o acostamento tinha deslizado em direção ao rio de águas velozes e espumantes que cortava o vale. Peter dirigia tenso.

Saindo dali, o carro tomou o caminho ao longo de um rio com arbustos em ambas as margens que, embora amplo, não era tão copioso. O céu, sobressaindo em meio aos aclives abruptos dos bosques de cedros, era de um azul-límpido. No terreno plano e pouco extenso entre o rio e a estrada, havia um largo arrozal de aspecto abandonado, como também campos e barracões em uma clareira mais elevada do bosque. Não se avistavam residências. Após a partida dos desbravadores do terreno, teriam as casas sido cobertas por heras e várias camadas de vegetação densa e alta que, com o passar do tempo, igualmente envolveram as velhas árvores? Era o que Kogito imaginava aos dezessete anos.

A estrada logo voltou a apresentar um aclive, até que alcançaram uma altura da qual não se avistava mais o rio, dissimulado pelo vale profundo. Na margem oposta, havia um espaço aberto, cercado por um bosque de cedros, e, um pouco acima, algumas edificações parecendo armazéns. A partir de uma larga clareira, a estrada descia em direção ao rio, e mais à frente via-se uma ponte suspensa por cabos de ferro. No lado da estrada voltado para a montanha, encontrava-se um albergue de três andares que parecia desativado e um pequeno santuário com a estátua da divindade local, tendo ao fundo a floresta de árvores densas e folhas largas.

Daio e seus correligionários estacionaram o caminhão em um local descampado e fizeram sinal para que Peter parasse o Cadillac atrás deles. Em seguida, o grupo desceu a pé uma ladeira íngreme, cruzou a ponte suspensa e subiu por um aclive coberto de grama bem verde.

Goro tinha feito um esboço do grupo de pé no topo de um declive, entre um prédio grande e a sede do centro de treinamento. Correspondendo a esse *storyboard*, havia o seguinte diálogo no roteiro:

PETER: Aquele arbusto de flores vermelhas é uma camélia, e o do lado dela, com muitos botões, um corniso. É curioso, pois são os mesmos que tenho no jardim de minha casa nos Estados Unidos.

KOGITO: Minha mãe cultiva várias árvores que dão flores. Creio que meu pai as trouxe da casa no vilarejo.

LÍDER: Mestre Choko atraía as moças da vizinhança graças a essas árvores floridas. Foi para nós motivo de grande felicidade.

KOGITO (*ignorando o tom jocoso do Líder*): Aquelas com brotos caramelo-avermelhados são romãs. Minha mãe costuma chamar aquela ao lado, com brotos, de romã ornamental. Ouvi pessoas falando mal porque apenas nossa casa tinha esse tipo de romã que não é comestível...

PETER: Você é realmente um especialista em plantas, Kogito!

GORO (*também em tom jocoso, mas crítico*): Kogito, você é um homem extraordinário. Lembra-se de tudo que já leu, de dicionários a livros ilustrados de botânica. Logo irá se tornar uma enciclopédia ambulante!

PETER (*rindo*): *An Encyclopedia Boy*!

Kogito se lembrou de algo. Certo dia, antes de iniciar as conversas pelo Tagame, Goro indagou ao telefone: "Diga o nome das árvores que dão flores na floresta onde você cresceu. Nada de árvores corriqueiras, como pessegueiro ou ameixeira, mas as do tipo que se identifica ao vislumbrar seus brotos na primavera." Kogito recordou com saudades os tempos em que vivia no vilarejo, quando ainda não tinha conflitos com a mãe, e respondeu: "As de folhas novas brilhantes e flores discretas são faias. Bem, há também romãs comestíveis e ornamentais, além de cornisos."

No momento do telefonema, Goro teria achado que Kogito fingia não recordar a conversa com Daio no centro de treinamento?

Ou teria entendido que ele vasculhava suas memórias precisas sobre *aquilo*, fornecendo com exatidão os nomes das árvores necessárias à elaboração do roteiro?

Inspiradas por Goro, as lembranças de Kogito acerca da paisagem lhe voltaram à mente, fazendo-o recordar as cerejeiras silvestres que floresciam sob a baixa temperatura em amplas áreas elevadas da montanha. Peter estava à frente de uma velha cerejeira de pétalas duplas, repleta de flores, com galhos que cobriam o prado diante da sede do centro de treinamento. A seu lado, Kogito explicava sobre a vegetação dos arredores. Conversava com Peter como se tivesse um relacionamento ainda mais íntimo do que Goro com o americano...

Irritado com o desenrolar dos acontecimentos, Daio deu instruções claras para a execução de seu plano. Interrompeu a conversa de Kogito e sugeriu a Peter e Goro tomarem um banho, apontando para o edifício da fonte termal atrás de si, para lavar a poeira depois da longa viagem de carro... E para Kogito, igualmente sujo, disse que gostaria de mostrar o cômodo onde mestre Choko costumava passar o tempo lendo.

Peter se animou com a proposta de Daio, e os jovens correligionários levaram ele e Goro até os banhos, onde toalhas e *yukatas* já estavam preparados. De sua parte, Daio se incumbiu de conduzir Kogito por um estreito caminho de pedras redondas até uma edificação de dois andares que, apesar de estar ligada ao edifício da fonte termal, tinha a entrada situada no lado oposto.

No roteiro, não havia diálogos sobre o que se passava em seguida, apenas a explicação sobre o movimento dos personagens. O esboço no *storyboard* mostrava a cena do adolescente americano e do rapaz japonês nus na sala de banhos. Antes de adentrarem, os dois lavavam o corpo diante da banheira retangular.

> *Peter entra na banheira enquanto Goro está de pé no local designado ao banho. Imerso no fundo da banheira, Peter estende o braço e tenta tocar o pênis de Goro por trás, entre suas coxas. Goro se recusa. Peter não insiste. Em seguida, quando Peter lava as costas de Goro com uma toalha ensaboada, interrompe de súbito o movimento do braço. Coloca a toalha no chão e, com a mão cheia de espuma, lava as costas de Goro acariciando-as até a cintura. E, com um movimento contínuo e gentil, tenta inserir a palma da mão na abertura entre as nádegas de Goro, que se ergue em um movimento resoluto e, de pé, derrama a água quente do balde por sobre o corpo. Mesmo recebendo respingos d'água, Peter apenas sorri com serenidade. Goro sai para o vestiário. Peter o segue.*

Foi exatamente assim, Kogito pensou. Ele e Daio estavam deitados de bruços sobre as tábuas sólidas do sótão acima da sala de banhos, em um espaço de um metro de altura, cada qual com a cabeça sobre um orifício, espiando. Kogito fora conduzido até lá por uma passagem pela parte inferior do armário do quarto contíguo à sala de banhos, no segundo andar do edifício. Daio permaneceu calado enquanto Kogito contemplava um azevinho, logo abaixo da janela, no gabinete do pai. Manteve-se de pé ao lado da escrivaninha, olhando com atenção o reduzido espaço aberto sob a árvore frondosa. Ao receberem o sinal de um jovem que ali apareceu, Daio e Kogito se transferiram para o exíguo sótão acima da sala de banhos. E apesar de Kogito se sentir coagido a praticar algo impróprio, acabou espiando pelo orifício iluminado por uma luz dourado-pálida apontado por Daio. E o roteiro de Goro descrevia com exatidão a cena por ele vista.

Após espiar Goro e Peter saírem da sala de banhos, Kogito sentiu algo atrás de si e, ao virar a cabeça, viu Daio se aproximando, avançando com o cotovelo dobrado de seu único braço como se remasse um barco. Em seguida, deitou-se de lado no chão e estendeu seu braço então livre para tocar as nádegas de Kogito. Quando Kogito repeliu o braço, Daio perdeu o equilíbrio e tombou de costas, como um besouro virado e sem forças.

De volta ao gabinete do pai, Kogito se pôs a contemplar as fileiras de livros nas prateleiras das estantes. Daio saiu por fim engatinhando com o rosto escuro, parecendo sujo de carvão e suado pela umidade.

— Mestre Choko costumava dizer: "Sendo alguém jovem que está nu, não me importa se é homem ou mulher." Ele apenas espiava, sem de fato fazer nada. Você, Kogito, assim como seu pai, pretende não revelar seu verdadeiro caráter por toda a vida até morrer? Deixe-me adverti-lo de que essa maneira de viver é sem graça! Não, estou brincando, é só uma brincadeira!

2

Kogito estava furioso. Mas, como estudante do ensino médio, não se sentia confiante de ter entendido bem a "brincadeira" do homem de meia-idade que ria com sarcasmo. Naquela circunstância, decidiu ocultar sua raiva.

No desenho seguinte do *storyboard*, via-se um salão espaçoso forrado de tábuas de madeira e tamanho desconhecido. Era do tipo que aparecia com frequência em filmes de samurais e que o pai de Goro parodiava de forma consciente. Havia tatames estendidos apenas no centro, estando o restante vazio. Sem dúvida, o centro de treinamento fora improvisado como salão de festas. Uma estranha amplidão sem nada ao redor! Em outro quadro, Peter e Goro estão sentados em uma posição de destaque, com Kogito ao lado. No assento diante dos três, encontra-se Daio, ladeado pelos jovens do centro de treinamento sentados em linha. Em outro esboço, o único de cores claras, estavam desenhados vários pratos grandes de comida chinesa. A mente de Kogito não tinha gravada uma lembrança de comida chinesa tão deliciosa como aquela, nem antes, nem depois…

E havia muita comida. Embora fossem apenas os quatro pratos do esboço de Goro, Kogito não sentiu que fossem insuficientes. O primeiro continha uma suculenta fritura de verduras com as carapaças, patas e pinças de caranguejos vermelhos de rio, idênticos aos levados por Daio à pousada em Dogo. Outro prato, tofu frito, costumava ser preparado e vendido nas cidades e vilarejos das proximidades, como única forma de obtenção de receitas pelo centro de treinamento. O terceiro era um ensopado de carne de cordeiro, criado em fazenda e depois abatido, assado, cortado e distribuído em pedaços pequenos, com alho e generosa quantidade de cebolinha. Por último, guioza cozido em uma grande panela aquecida em um fogareiro de telhas quebradas e enfileiradas sobre carvão. Tão logo o prato de cordeiro esfriava e a gordura endurecia, era trocado por um mais quente.

Para espanto de Kogito, quem carregava o enegrecido wok chinês, segurando o cabo de aço com ambas as mãos e espalhando o cheiro de fumaça e alho, além de servir mais guioza fervido, era um velho conhecido seu, Okawa.

Quando Kogito e Daio, em silêncio após o ambíguo incidente de cada um, desceram dando a volta pela lateral da sala de banhos em direção ao edifício principal, havia um homem que observava Kogito, postado à porta da cozinha, anexa ao centro de treinamento onde a festa se realizava. Embora Kogito o tivesse percebido, foi somente depois de Daio passar que o homem deu um pulo à frente. Kogito logo reconheceu Okawa. Ele, repetidas vezes, curvou o corpo alto em saudação, enquanto Kogito procurava recordar se aquele rosto tão tristonho era mesmo o de Okawa, que então lhe sussurrou:

— Perdoe-me, perdoe-me! Acabei partindo da casa de sua mãe, apesar de toda a generosidade dela. Perdoe-me, perdoe-me!

Estranhando, Daio voltou a cabeça ao mesmo tempo que Okawa entrou de um só salto na cozinha, de onde exalava um cheiro de fumaça e alho...

Desde que a festa começara, Okawa vinha com frequência da cozinha ao salão do centro de treinamento para substituir os pratos frios e acrescentar mais comida da panela. Cabisbaixo, de rosto coberto pela pele lívida sobre os protuberantes ossos da face, passava sem nem mesmo procurar olhar para as pessoas.

Kogito não via o rosto de Okawa havia muito tempo, mas não era surpreendente encontrá-lo ali, no centro de treinamento de Daio, por se tratar do local onde seu pai residira durante a guerra.

Ele tinha carregado as malas de mestre Choko em sua volta da China continental. Antes da casa de Kogito se transformar em um lugar de reunião de pessoas estranhas e de militares provenientes de Kansai ou Matsuyama, Okawa costumava aparecer todos os dias para executar tarefas domésticas simples. Kogito sentia saudades de uma celebração de Ano-Novo dessa época, quando as mulheres das redondezas se reuniam em sua casa para a refeição. Okawa estava sentado junto ao fogareiro cavado no chão, contíguo à cozinha, com o entorno dos olhos tingido pela pequena dose de saquê ingerido. Por causa da guerra, algumas dessas mulheres haviam sido evacuadas a áreas distantes, e a mãe de Kogito sugeria que cada uma contasse histórias de sua região, a começar pela avó, então viva, que animava o ambiente com seu jeito habilidoso de narrar. Em sua vez, Okawa contou sobre um dragão vermelho que descia das montanhas. Uma professora, locatária do andar superior do armazém onde mais tarde o pai de Kogito iria se confinar, quis saber pormenores sobre a terra natal de Okawa. Do mesmo jeito que faria com Kogito, suplicou: "Perdoe-me, perdoe-me, mas não me pergunte isso."

    Ao tentar agora relembrar esses dias passados, Kogito se convencia de que a festa, com iluminação tão escassa, parecia uma cena surreal de um filme antigo. O *storyboard* de Goro não indicava nada além de lugar, personagens e comidas daquela noite, refletindo seu estilo cinematográfico. Suas obras eram conhecidas pelas muitas ideias originais, todas constituídas pelos detalhes de suas experiências e observações da vida real. Por esse motivo, e à parte seu enorme sucesso nas bilheterias, *Dandelion*, composto de *sketches* visuais humorísticos, foi mais apreciado pelos intelectuais europeus, como Kogito pôde confirmar durante sua estada em Berlim.

Na festa dessa noite, contudo, Goro foi incapaz de realizar observações. Ao contrário do que sempre ocorria, embebedou-se rapidamente, sentindo-se estranho e cochilando durante o jantar, sentado em seu assento. Muito tempo depois, ao assistir a Goro bêbado na TV, Kogito desligou o aparelho justamente por se recordar dessa noite. Kogito, que nem sequer tocara na primeira taça do saquê artesanal, teve então de apoiar Goro, cujo corpo balançava com inocência. Quando afinal caiu deitado de barriga para cima e começou a roncar alto, Kogito zelou pelo sono do amigo. Ao dar por si, notou que, do outro lado da mesa, Peter contemplava ambos com um olhar lascivo. Nesse momento, a palavra *voyeur* lhe surgiu na mente, relacionada ao orifício no teto da sala de banhos. A palavra provocou nele uma profunda sensação de repulsa.

Com a voz quase rude, Kogito vociferou:

— Goro, Goro, levante-se. Se não consegue ficar sentado, é melhor dormir em outro lugar.

Adormecido sobre o tatame na penumbra, não muito afastado do centro da sala, Goro abriu os olhos e lançou a Kogito um olhar de escárnio.

— Goro, vá dormir em outro lugar — Kogito repetiu, sentindo-se de novo tomado pela raiva.

— Ele está certo. Goro, há um pequeno quarto contíguo. Por que não dorme um pouco e depois toma outro banho, e volta a beber? Faça o que quiser... A noite é uma criança — sugeriu Daio. — Não acha, Peter?

Peter, que até pouco antes se divertia com a situação, descruzou e flexionou as pernas até os joelhos tocarem seu peito. À pele pálida de seu rosto largo, misturavam-se a vermelhidão do sangue que se espalhava devido à embriaguez, e algo de pueril na forma de movimentar o corpo e a enorme cabeça. Peter ignorava as palavras de Daio. Com sua típica expressão de altivez e arrogância infantil, agora se dirigia a Goro, adormecido, a quem até havia pouco fizera proferir vocábulos em inglês, sem necessidade, uma vez que todos falavam em japonês, apenas para elogiar sua pronúncia.

Kogito se irritou ainda mais e sacudiu rudemente os ombros de Goro, conseguindo fazê-lo se sentar. Uma vez nessa posição, Goro perguntou, retomando a fisionomia normal:

— Onde vou dormir? Você não sabe? Mas foi você quem me acordou!

Olhando de soslaio para Kogito, que era incapaz de dar uma resposta precisa, Goro se levantou e seguiu caminhando às pressas até tropeçar e, com estrondo, cair ajoelhado na passagem para um corredor ainda mais escuro. Kogito correu para ajudá-lo. De súbito, os jovens explodiram em gargalhadas, após terem se mantido sentados e calados, se abstendo de tomarem saquê durante todo o jantar.

Goro voltou a andar rápido e entrou no banheiro no final do corredor, deixando a porta de madeira aberta. Kogito a fechou e permaneceu ali de pé, imaginando onde poderia deixar o amigo dormir um pouco. Naquele momento, diante de seus olhos surgiram dois homens do espaço entre um lavatório e uma cerca de um arbusto conhecido como bambu celeste. Kogito se assustou. Um deles era Okawa, com o rosto amarelado pela luz pálida proveniente da janela do banheiro.

— Melhor você voltar para casa esta noite com seu amigo! — sussurrou em seu jeito habitual de se expressar. — É mais aconselhável, Kogito, só por esta noite! Este rapaz levará vocês até seu vilarejo em uma caminhonete de três rodas!

Goro finalmente saiu do banheiro após vomitar, com o rosto pálido na penumbra da noite. Alguém trouxeram sua camisa e suas calças para a varanda, em frente ao lavatório; os sapatos, tanto os dele como os de Kogito, estavam alinhados sobre o degrau de pedra. Trocando a roupa para um *yukata*, Goro parecia estar se recuperando da bebedeira, sendo desnecessário explicar o que iriam fazer. Em silêncio, os jovens — Okawa já havia desaparecido — desceram a ladeira coberta de ervas que parecia refletir a luz que banhava a floresta de cedros, atravessaram a ponte suspensa e subiram até o terreno baldio ao lado da estrada na qual a caminhonete estava estacionada.

3

Kogito se lembrava agora de ter contemplado, ao atravessar a oscilante ponte suspensa, o reflexo intenso da lua sobre a superfície do rio, semelhante ao fundo de um grande buraco; de estarem ele e Goro sentados não na caçamba da caminhonete, mas como se grudados em precários assentos parafusados em uma placa metálica ao lado do motorista; de como, a cada guinada mais forte do veículo, aproximava-se dele a nuca de pele bronzeada e esquelética do jovem taciturno na direção; e de como ele próprio estava receoso de puxar conversa, limitando-se a contemplar o perfil do então dócil Goro sob os raios do luar. Kogito percebeu seu entusiasmo em se dirigir para casa tendo Goro só para si, ainda que Daio pudesse segui-los em seu pequeno caminhão e Peter devesse estar insatisfeito ao saber que Goro tinha deixado o centro de treinamento.

Embora Kogito aos dezessete anos experimentasse em um único dia diversas ocasiões de irritação, raiva e inquietação, e divagasse sobre as intensas relações humanas entre Goro, Peter e Daio, não ponderava a fundo sobre nada.

A caminhonete passava por entre os ramos de árvores que de noite pareciam balançar com mais impetuosidade do que durante o dia, enquanto Kogito apenas contemplava a superfície da estrada iluminada pelo feixe dos faróis. Chegaram a uma bifurcação ao lado do túnel para a rodovia provincial, de onde se viam os montes e vales profundos ao longe, e o luar fazia brilhar a superfície de um estreito rio.

De súbito, Goro abriu a boca, com a voz de um menino aturdido diante da densa escuridão que a caminhonete penetrava:

— É a verdadeira *profundeza da montanha* — declarou. — Sabia da existência dessa expressão, mas nunca me pareceu tão apropriada.

— E ainda vamos adentrar mais fundo — replicou Kogito. — Estamos em um local alto, as montanhas estão bem distantes da estrada e não temos a sensação de confinamento, mas em meu vilarejo é diferente.

Goro se calou, e Kogito sentiu pela primeira vez evocar tal silêncio no amigo. Não que fosse produtivo, mas sentiu certo orgulho.

Então, ocorreu a Kogito dizer algo a Goro e abriu a boca, tomado por uma sensação de urgência:

— A respeito da minha mãe, saiba que, no lugar onde deveria haver uma orelha, ela tem um pedaço de pele no formato de barbatana, como a de peixes ou répteis. Por isso, sempre tem um turbante enrolado na cabeça, como é costume em países estrangeiros. Achei melhor avisar. Já é tarde da noite, e, se ela aparecer com a cabeça descoberta, você poderá se assustar.

— Não se preocupe, não vou me espantar — declarou Goro com frieza, mas demonstrando visível interesse no que Kogito disse.

— Mais do que se espantar... se reagir de forma natural, não irá magoá-la. Quando estava com boa saúde, ela chegava a brincar com a situação. Sem saber detalhes, é difícil de entender...

— Então me conte tudo — pediu Goro.

Um dos desenhos do *storyboard* representava a imagem visual que havia se fixado em Goro a partir da conversa com Kogito: uma mulher de idade com um enorme caracol grudado no lado esquerdo da cabeça.

Kogito começou narrando como seu bisavô dera à sua mãe o nome Hire, que significa "barbatana". Durante os quarenta minutos que a caminhonete levou desde a bifurcação na saída do túnel até sua casa, teve tempo suficiente para contar a história. Esse bisavô morrera no inverno em que a mãe, sua única descendente direta, contava sete anos. Por ocasião da revolta de 1860, ele era um oficial do vilarejo e se viu forçado a matar seu irmão mais novo, líder da rebelião. Viveu longo tempo após a Restauração Meiji, em 1868, e quando sua neta, mãe de Kogito, nasceu, a parteira se encarregou de espalhar pelo vilarejo a notícia sobre a deformidade de uma das orelhas da criança. O caso foi interpretado como castigo pelo assassinato do próprio irmão pelo avô. Sem aparentar perturbação, ele lhe deu o nome de Hire. Sentada em seu colo, a menina nunca esqueceria as histórias do grande homem, apesar de sua idade não ser apropriada. "Graças aos avanços da medicina ocidental, não será difícil consertar o formato de sua orelha, mas deve mantê-la do jeito de quando você nasceu, Hire! Entre as antigas palavras da região, há inúmeras que continuam sendo usadas ainda hoje. *Hire* é uma delas. Com o tempo, recebeu as conotações de talento e bela aparência, entre outras. No *Gyokujinsho*, há uma citação sobre como em geral pessoas sem predicados costumam se fazer passar por talentosas e bem-apessoadas. Você é uma menina com *hire*, ou seja, talento e atrativos físicos. Se os homens dos arredores não desejarem tomá-la como esposa devido à deformação de sua orelha, vá tão distante quanto for preciso para encontrar um homem capaz de enxergar além dela."

— Talvez sua mãe tenha inventado essa história por estar preocupada com as suas grandes orelhas, Kogito. Mas sem dúvida seu bisavô era um homem culto.

— Minha mãe cresceu ouvindo passagens de livros como o *Gyokujinsho*, mas não se lembra de detalhes. Só procurei em dicionários posteriormente.

— Você de fato usa dicionários com frequência... Mas pelo que ouvi até agora, há histórias em sua família que Kafka escreveria!

Após estacionar a caminhonete na estrada privada ao longo do canal, perto da casa de Kogito, o rapaz ao volante abriu a boca pela primeira vez para dizer a Goro, em um tom que mostrava ter refletido sobre o assunto:

— Ele exagera sobre a história da orelha da patroa!

Kogito e Goro atravessaram a ponte de pedra sobre o canal. Pelo caminho ladeado por um muro de pedras, chegaram a uma construção comprida com um portal de madeira decrépita. Como medida de emergência, haviam pregado uma placa de latão da qual pendia uma lâmpada que iluminava de forma débil o caminho à frente. Kogito gritou para o rapaz que continuava de pé ao lado da caminhonete.

— Você pode retornar!

— A patroa está acordada. Quando vocês dois entrarem na casa e ela dispensar meus serviços, irei embora!

Aproveitando a luz do luar, Kogito guiou Goro pelo caminho de pedras que subia suave até a edificação principal da velha casa. Quando os dois atravessaram a área para carros em frente à residência, deteriorada pelo tempo e pela falta de uso, a buzina da caminhonete soou três vezes em um ritmo convencional.

Como em resposta, uma luz se acendeu na casa simples anexa ao armazém. Ao chegarem e se postarem diante da porta principal, uma pessoa espreitou por uma fresta na porta lateral — Kogito percebeu não ser sua mãe, mas Asa, sua irmã mais nova — para logo em seguida abri-la por completo, pondo para fora um dos ombros, vestindo um suéter amarelo.

— Kogito? Por que está chegando tão tarde? — resmungou.

— Trouxe um amigo... Já jantamos — disse o irmão.

A irmã recuou, deixando Kogito passar pela porta estreita e observando Goro com uma expressão de curiosidade. De saia e calçando sandálias de madeira, ela permaneceu de pé na parte sem assoalho que se estendia até o lavatório dos fundos. De sua parte, Goro piscou os olhos de surpresa ao ver o suéter amarelo quase cáqui, mas fez algo como uma saudação, ao que Asa se apressou em responder com um leve movimento de cabeça.

— Vocês pretendem dormir logo? Vou estender os futons no cômodo dos fundos, mas devem querer cumprimentar mamãe, não? Chu já está dormindo.

Ignorando as palavras da irmã, Kogito convidou Goro a passar para a varanda que ligava o anexo à parte da casa principal ainda em uso. Os dois seguiram pelo corredor de assoalho irregular, e, pouco antes de chegar ao fundo, Kogito viu uma luz se acender por trás do *shoji*[5] de um dos lados, sinal de que a mãe havia acordado. Depois de indicar a Goro a localização do lavatório, Kogito se dirigiu até seu quarto de quatro tatames e meio. Asa se adiantou a eles e foi arrumar o cômodo dos fundos, contíguo ao quarto de Kogito e do lado do canal.

Goro sentou-se em frente à escrivaninha e contemplou o papel pregado à parede em que Kogito transcrevera um dos poemas da *Coletânea de poesias* de Rimbaud na tradução de Hideo Kobayashi. Kogito sentiu-se incomodado. Embora a intervalos mais espaçados desde que tinha começado a estudar para o vestibular, Goro lhe ensinava francês usando a edição da Mercure de France de *Poésies*. Após reunir algumas cartas e outros materiais relacionados a Rimbaud, Goro propôs que deixassem de lado os textos traduzidos para o japonês.

"Adieu", traduzido por Hideo Kobayashi, era um dos poemas preferidos de Kogito, mesmo antes de ser transferido para a escola em Matsuyama. Goro possuía dois exemplares de *Poésies*, e Kogito, assim que recebeu um deles, apressou-se em verificar se incluía "Adieu". Caso Goro lhe perguntasse a razão de a poesia estar na parede, poderia explicar as circunstâncias. Imaginou também

---

5. Painéis ou portas de correr estruturados em madeira e revestidos com papel translúcido. [N.E.]

como reagiria se Goro implicasse com o fim da primeira metade do poema: "*Porém, nem uma mão amiga! E onde obter socorro?*"

No entanto, como certamente a mãe o esperava, não podia perder tempo com essas divagações. Kogito esboçou apenas um gesto em direção a Goro e, aproveitando o ruído da irmã estendendo com vigor os futons para além da porta corrediça, foi até o quarto da mãe.

A mãe estava sentada no exíguo espaço entre a porta corrediça e o futon estendido em frente ao oratório budista. Com esmero, vestia um quimono forrado e tinha a cabeça envolta em um turbante do mesmo tecido. Kogito se lembrou dos tempos de criança quando, apesar de saber sobre a orelha da mãe, sempre sentia estranheza diante do turbante. Ele se sentou no desnível entre o tatame e o corredor e a cumprimentou, sem fechar a porta corrediça, sinalizando a intenção de voltar logo para onde estava o amigo.

— Tinha pensado em vir amanhã... acabei chegando tão tarde.

— O amigo que o acompanha é Goro, de quem você tem falado tanto nos últimos tempos? Asa me disse que, apesar de estar na escola de ensino médio, ele fedia a saquê! Parece que vocês voltaram na caminhonete da fazenda de Daio, mas por que afinal você estava lá?

— Há pouco tempo, Daio leu o artigo no jornal, soube que eu frequentava a biblioteca do Exército de Ocupação e então apareceu para me ver. Um dos oficiais de lá demonstrou interesse em visitar a fazenda.

Kogito explicou de forma breve, aproveitando-se da palavra "fazenda" que a mãe tinha usado em lugar de "centro de treinamento".

— Não jogue a culpa sobre os outros... Se você me contasse que tinha interesse na fazenda de Daio, eu não iria me opor! Com um oficial do Exército americano como convidado, claro que haveria mais saquê à mesa. Aposto que Daio não cansou de se vangloriar até sobre ter um cozinheiro chinês. Mas, pensando bem, sinto pena de Okawa...

Kogito permaneceu calado. Previa que, a um questionamento direto, ela preferisse apenas expor seu pensamento. Mas a mãe não levou a conversa adiante. Ergueu a cabeça e, depois de fitar Kogito, voltou a baixá-la.

— Bem, procurem dormir bastante esta noite, você e seu amigo — aconselhou a mãe. — Diga ao rapaz, o motorista da caminhonete de Daio, para esperar mais uma meia hora. Leve a ele alguns bolinhos de arroz envoltos em folhas de carvalho e chá-verde!

Esta última ordem era dirigida à irmã de Kogito, que viera pelo corredor e espiava pelas costas dele. De forma infantil, Kogito pensou que ele e Goro também poderiam comer os bolinhos, mas retornou ao quarto, passando pela irmã com o semblante sério para que ela não adivinhasse seus pensamentos.

A porta corrediça entre o seu quarto e o espaçoso cômodo dos fundos estava aberta por inteiro, e, para além dos dois futons estendidos um ao lado do outro, Goro esperava por Kogito, já vestindo *yukata*.

— Mesmo parecendo trazer sentimentos pessoais do tradutor, aquela tradução é de fato excelente!

— É verdade! — respondeu Kogito sem se preocupar em conter a alegria em sua voz.

Quando transcrevia esse poema dois anos antes, Kogito leu na primeira linha *"se nos empenhamos na descoberta da claridade divina"* e sentiu não haver em sua vida um amigo a quem chamasse de *nós*.

  Kogito imaginou que agora havia ali uma parte do *nós* se comovendo com o mesmo poema. Apesar de a primeira metade do poema terminar daquele modo, a alegria de Kogito não arrefeceu. Goro concluiu, como que endossando essa alegria:

  — Sinto como se nosso futuro estivesse escrito naquele poema. Rimbaud é de fato notável!

  Sem refletir no que estaria pensando Goro ao se referir a "nosso futuro", a animação de Kogito foi redobrada por suas palavras. O vocábulo que melhor descreveria seu sentimento seria *flattered* [lisonjeado], descoberto no Concise Oxford Dictionary que costumava consultar, além daquele usado durante as aulas na escola.

  — Transcrevi apenas a primeira metade do poema. Se quiser ler o restante, tenho a coletânea comigo — sugeriu Kogito, também de *yukata*, retirando da estante e estendendo a Goro a antologia publicada pela editora Sogensha.

  Goro logo se enfiou no leito e começou a ler a *Coletânea de poemas* de Rimbaud sob a luz do abajur posicionado entre os dois futons. Kogito sentiu orgulho ao ver Goro estendido sem preocupações sob a colcha, sobressaindo apenas sua cabeça oblíqua, o pescoço cilíndrico e a maravilhosa mandíbula.

4

Nessa noite, Kogito descobriu que as impressões que Goro revelou após se deitarem, a respeito do "Adieu" de Rimbaud na tradução de Hideo Kobayashi, foram incluídas no roteiro e nos *storyboards*. Na visão de Kogito, Goro procurou escrever o roteiro para seu último filme em um estilo comum, por odiar os métodos do "cinema de arte" e do "cinema de vanguarda". Mesmo assim, em alguns pontos, usava técnicas cinematográficas pouco comuns. Como leitor, Kogito percebeu que as duas versões para a última cena possuíam idêntico valor e ambas mostravam um desenvolvimento natural, algo bem peculiar a Goro.

Como escritor, sempre que chegava a um impasse na reconstituição de um acontecimento passado, Kogito sentia necessidade de mudar o eixo temporal. Por isso, era fácil para ele entender por que Goro tinha escrito a conversa mantida sobre Rimbaud, como uma cena em que recordam aquela noite, um diante do outro, quarenta anos mais tarde.

> GORO ATUAL (*dirige-se ao Kogito atual, embora sem obrigação de ter em mente o Kogito existente no mundo real. Pode ser uma impressão, como as costas de um boneco de palha. Em vez de introduzir um ator no papel de Kogito, é possível que Goro fale sozinho de madrugada para registrar as fitas cassete que enviaria mais tarde a Kogito para suas conversas. O próprio diretor fará o papel de Goro*): Naquela noite, na casa do vale em meio à floresta, pressenti nosso futuro escrito no "Adieu" de Rimbaud. Apesar de você não replicar, eu estava certo de que havia me entendido.

Se você deixasse passar de forma cínica algo dito de modo tão inocente, só me restaria talvez me calar, magoado.

"A tradução que tenho comigo agora não é a de Hideo Kobayashi, mas a versão de bolso da editora Chikuma recomendada por você. Ao ler essa nova tradução do "Adieu", constato que nossas vidas desde então são a prova real daquelas palavras minhas. Foram uma previsão quase deplorável.

"Sabia o quanto você gostava da frase inicial. Eu lhe disse que compartilhava o mesmo sentimento. Na época, porém, não possuía a visão de um futuro tão magnífico, induzido pelo que Rimbaud escrevera. Pensando bem, minha vida foi sincera, não? A frase era a seguinte:

'*Outono. Nossa barca se eleva nas brumas imóveis rumo ao porto da miséria, a enorme cidade sob o céu manchado de fogo e lama.*'

"E, na sequência, já na cidade, você lembra? '*Revejo-me, a pele corroída pela lama e pela peste, uma profusão de vermes nos cabelos e sob as axilas, e vermes ainda maiores rastejando para dentro do coração, esticados entre desconhecidos sem idade, sem sentimento... Eu poderia morrer ali...*'

"Garanto ser essa a previsão do futuro, de maneira precisa e concreta. Não sei quanto a você, mas quando penso em meu próprio futuro próximo, sinto que a previsão está corretíssima. Cedo ou tarde acabarei mergulhando de algum local alto em direção à morte. É um método infalível, impossível de desistir no meio do caminho. Ademais, durante a queda, não é possível flutuar de volta, como quando se retrocede um filme ou se congela uma cena. Não há margem para hesitação.

"E se meu corpo morresse em segredo debaixo do sofá, como o homem metamorfoseado em inseto da história de Kafka (lembra que interpretei o inseto como sendo um pulgão? Era um tempo em que não tínhamos vocábulos agourentos como 'barata'). E se ninguém o encontrasse?... Fantasio coisas assim quando, do alto de um prédio no centro da cidade, contemplo os becos lá embaixo, meu corpo caído com estrépito em meio a uma montanha de caixas de papelão amontoadas ali. 'Minha vida poderia acabar como descrito no poema, apodrecendo exatamente daquele jeito.

"Não apenas isso, mas quando chego à frase seguinte, me pego pensando nos filmes que produzi. *'Eu criei todas as festas, todos os triunfos, todos os dramas. Tentei inventar novas flores, novos astros, novas carnes, novas línguas. Acreditei deter poderes sobrenaturais.'*

"Há pessoas que o ridicularizam com os clichês habituais. Chamam-no de idiota por se voltar a um estilo literário ultrapassado e à arte pura, discriminando a subcultura. Mas eu não penso assim. Toda literatura, inclusive a que você escreve, ou melhor, toda a arte, é *kitsch* em sua essência, e é impossível que durante tanto tempo escrevendo romances, você não esteja ciente disso. Assim, desde o início, envolvi meus filmes, que atraem legiões de espectadores, com uma aura *kitsch*. '*Eu criei todas as festas, todos os triunfos, todos os dramas.*' Mesmo me ufanando disso, você não rirá de mim, certo?

"Como novelista, você não teve épocas em que desejou dizer '*tentei inventar novas flores, novos astros, novas carnes, novas línguas*'? Nos últimos tempos, uma força sobrenatural aparece de forma esporádica em suas obras. De qualquer modo, amigos desde os dezesseis ou dezessete anos como nós não podem, até certo ponto, ter o reconhecimento mútuo do que realizaram? Afinal, essa é uma conversa apenas entre nós dois.

"Então, Rimbaud disse o seguinte: *'Bem, devo enterrar minha imaginação e minhas lembranças! Uma bela glória de artista e de narrador arrebatada! Enfim, pedirei perdão por ter me alimentado de mentiras. E vamos.'*

"Essa estrofe me emociona de verdade agora. O mesmo não ocorre com você, Kogito? Do ponto de vista de pessoas com profissões como as nossas — da perspectiva de quem vende em pedaços as novas flores *kitsch*, os novos astros *kitsch* —, com pouco tempo nos restando, temos que atingir esse tipo de preparação para o que vier. Como terá sido com Takamura?

"Você não perguntou o que ele achava disso quando estava hospitalizado devido ao câncer? Decerto não disse que a música dele, mais do que qualquer outra, é arte pura, sem relação com o *kitsch* ou algo similar. Ele ficaria desgostoso se você, em um surto de sentimentalismo, insistisse nisso!

"Desde quando o conheci, em seus dezesseis anos, sempre o aconselhei a não mentir. Dizia para não mentir mesmo que fosse para alegrar ou confortar as pessoas. Não foi o que lhe falei recentemente? Mas o *'por me ter alimentado de mentiras'* de Rimbaud não poderia ser mais verdadeiro. Nós dois precisamos pedir perdão por algo e seguir em frente. *'E vamos.'*

"Desnecessário dizer que, desta vez, partirei sozinho. E quando se chega à idade em que estamos, se alguém decide partir sozinho, não há como fazê-lo mudar de ideia. Óbvio que outras pessoas também não podem evitar. Se nem a própria pessoa o faria! O *'vamos'* — no fim desta primeira metade do poema — não estaria se referindo a esse tipo de *'partida'*? *'Porém, nem uma mão amiga! E onde obter socorro?'*

"Sendo sincero, Kogito, só consigo entender o poema 'Adieu' até esse ponto. Posso compreender o que está ligado a minha vida de agora e, mesmo assim, sinto que só entenderei a última metade daquele poema em sua completude depois de minha '*partida*'. Sabe a sequência de fotos tiradas com flash a curtos intervalos entre elas? Houve um tempo em que era moda encenações teatrais utilizarem aquele tipo de recurso. Sinto que já estou vendo cenas após minha '*partida*', como flashes instantâneos. Dessa forma, talvez eu venha a compreender de verdade as poucas linhas da última metade do poema.

"Por exemplo, esta passagem: '*Dura noite! O sangue ressequido fumega em meu rosto, e tenho atrás de mim apenas este horrível arbusto!*'

"Vendo desse modo, diria que Rimbaud exalta *aquilo* que nós dois experimentamos! É como se eu descobrisse meu passado retratado por essa estrofe do poema."

Kogito ficou impressionado por, nessa parte do roteiro, Goro falar em se atirar de algum lugar alto, algo que afinal acabou realizando. E, enquanto lia, sentiu-se tomado por um *déjà vu* que o levou direto ao desenho deixado por Goro — como se um *storyboard* desse roteiro — no qual ele flutuava horizontalmente no ar segurando o Tagame. Sentiu ter ouvido nas fitas essas palavras na voz de Goro. Enrubesceu e se levantou, agitado.

O roteiro e os *storyboards* haviam sido entregues a Kogito por Chikashi após a morte de Goro. Porém, Kogito não podia deixar de pensar, perturbado: "Se eu tivesse ouvido antes as fitas do pequeno baú, gravadas para o Tagame, e descoberto aquela em que ele insinuava suas intenções, ainda que de forma imprecisa, teria falado com Chikashi, que, por sua vez, consultaria Umeko. Então ambas sem dúvida teriam levado Goro ao hospital onde trabalhava o famoso médico que ele conheceu quando rodava um filme sobre morrer em hospitais e que o teria deixado sob os cuidados de um especialista em demência senil."

Kogito retirou o pequeno baú de duralumínio e avançou as fitas até as partes desejadas, guiando-se pelas anotações das etiquetas coladas em cada uma delas, de forma que pôde ouvir todo o conteúdo em meio dia. Para poder ler as anotações, precisou ouvir na sala de estar devido à iluminação. Chikashi se surpreendeu ao vê-lo com os fones de ouvido do Tagame, e Akari ficou apreensivo ao ver a cena incomum do pai atarefado com as fitas. No final, Kogito não conseguiu encontrar a gravação que rememorava como um *déjà vu*. Mesmo assim, ressurgiu nele a culpa que sentira após a morte de Goro, quando imaginou que a ideia do Tagame em si fosse um pedido de ajuda...

Em um nível diferente, no entanto, uma frase do "Adieu" citada no roteiro voltou a emocioná-lo: "*Dura noite! O sangue ressequido fumega em meu rosto e tenho atrás de mim apenas este horrível arbusto!...*"

E Goro havia dito a Kogito: "Vendo desse modo, até parece que Rimbaud exalta *aquilo* que nós dois experimentamos!"

5

Passava do meio-dia quando Goro e Kogito acordaram na casa do vale. A irmã veio tirá-los da cama avisando que a mãe estava de saída para o trabalho. Quando os dois apareceram no pátio junto à porta — não aquela diminuta que a irmã abrira para eles na noite anterior, mas a grande, agora escancarada —, a mãe os esperava sentada na varanda, vestida com roupas próprias para o trabalho no campo.

— Seja bem-vindo. Fico alegre em receber um amigo de Kogito em casa. — A mãe cumprimentou bem-humorada.

— Peço desculpas por incomodá-la de madrugada.

Goro a saudou com um sorriso discreto e elegante, mesura que Kogito jamais havia visto em alguém de sua idade.

Sem dizer mais nada, a mãe saiu pela grande porta. Foi suficiente para Goro exclamar em voz alta, sem cerimônias:

— Ela estava de turbante!

Como na noite anterior, ouviu-se o som das três buzinadas da caminhonete, e Chu, o irmão mais novo de Kogito, acompanhou a mãe. Até então, ele discretamente espiava Goro, escondido à sombra da irmã que preparava o desjejum ao lado do forno na cozinha, logo além do corredor de terra batida.

O jovem do centro de treinamento apareceu, trazido por Chu, e permaneceu de pé na parte sem piso. Puxou conversa com Kogito e Goro, que começavam o desjejum. Seu comportamento devia ser o mesmo usado pelo pai e pelo avô ao se dirigir ao dono da residência e sua família. Seu jeito de falar também era confuso, misturando cerimônia e súplica.

— Daio está preocupado em saber como os senhores voltarão para Matsuyama! Ele comentou que hoje não há problemas por ser domingo, mas se o senhor Kogito se ausentar das aulas amanhã, a patroa irá se enfurecer... E, ontem à noite, notou que o amigo que o acompanhava estava embriagado. Por isso, me mandou vir buscá-los... Se vierem comigo até o centro de treinamento, o senhor Peter, que voltou à base, retornará à noitinha para que regressem juntos naquele carro importado para Matsuyama. Daio disse que, apesar de sua mãe ter ouvido do senhor acerca do ocorrido ontem à noite e o proibir de frequentar lugares onde servem saquê a menores de idade, ela não se intromete pelo fato de seu amigo ser um forasteiro. E, afinal, estamos em uma democracia!

"Também achei que a senhora ter ido trabalhar na parte da tarde, mesmo sendo domingo, foi por estar furiosa com o senhor... Desculpe-me por me meter onde não sou chamado."

A mãe tinha ido à horta de plantas medicinais, na subida da bacia do vale, do outro lado do vilarejo. Segundo lendas locais, o campo teria sido cultivado pelo fundador do vilarejo. Agora não passava de um lote de terra coberto de arbustos, sem ter mais nenhuma erva medicinal cultivada, mas a mãe costumava selecionar algumas plantas selvagens úteis entre as remanescentes nesse local. Desde que começou a frequentar o local durante a guerra, ela se deparava com uma planta chamada *daio*, que na região era conhecida como *gishi-gishi*, e assim acabou apelidando Daio, o jovem que então costumava visitar sua casa.

Ouvindo a conversa entre o motorista da caminhonete e Kogito durante o desjejum, Goro manifestou seu desejo de retornar ao centro de treinamento. E estranhou a hesitação de Kogito.

Ao chegarem ao local já passadas as quatro da tarde, depois de atravessarem a ponte suspensa e subirem pela inclinação da planície, Kogito se lembrou de outra expressão desconfiada no rosto de Goro. Imaginou que uma nova festa começara mais cedo. Apesar de não distinguir nenhum som em particular, teve a impressão de haver certa agitação no centro de treinamento.

O motorista da caminhonete avisou a Kogito e Goro que Daio os esperava na sede. Se fosse em seu vilarejo, o edifício corresponderia ao templo da seita budista Tenrikyo, com seus degraus altos na entrada. Ao adentrarem, foram recepcionados de forma totalmente diversa da noite anterior. Imaginaram de início que o escritório estivesse deserto até notarem Daio recostado em um sofá junto à parede ao fundo. Nesse momento, ele se servia da garrafa de saquê artesanal posta sobre o chão. Dirigiu aos rapazes uma expressão sombria e melancólica, inibindo-os a se aproximarem dele, bem diferente da postura alegre da noite anterior. Apesar disso, suas palavras foram afáveis:

— Que tal um trago? Goro, você é forte para bebidas! — instou Daio. — A esposa de mestre Choko me enviou uma carta censurando bastante... Por isso, não convido Kogito a beber!

— O sol está ainda alto no céu — recusou Goro, com um modo de falar incompatível com sua idade.

Segurando a taça de saquê, Daio se ajeitou em um canto do sofá e acomodou os pés descalços no chão. Goro ocupou o espaço livre na outra extremidade, e Kogito, sem lugar no sofá, virou e sentou na cadeira de madeira ao lado. Depois de observar Kogito com um ar insolente, Daio o ignorou e continuou a conversar apenas com Goro.

— Estou feliz que tenha voltado!

"Antes de retornar à base hoje pela manhã, disse a Peter que vocês precisavam estar de volta até o entardecer. Ele é muito astuto. Se viesse carregado de armas defeituosas e Goro não aparecesse, não seria enganado como ontem à noite e iria embora sem nem mesmo tirar as armas do carro!

"Ao ouvirem isso, os jovens, informais e animados no final da festa, devem ter perdido a cerimônia. No fundo, estavam apenas com o sangue quente e, sem refletirem direito, revidaram enunciando: 'Você pode dizer que não vai nos entregar o que trouxe, mas nós não o aceitaremos.'

"Então, Peter mostrou quem era de verdade. Ele respondeu: 'Isso é uma ameaça. E mais que um direito, é meu dever, como militar das tropas de ocupação, fuzilá-lo! Voltarei com uma pistola que realmente funcione para que possa me defender!'

"Mas sendo também jovem, teria Peter necessidade de declarar algo assim? Ao ouvirem aquilo, os rapazes se excitaram com a possibilidade de ter nas mãos uma arma que poderiam usar de verdade. Por certo ele não traria um rifle, e, diante de alguém com apenas uma pistola, bastaria que cinco se lançassem sobre ele. Ainda que um fosse abatido, seria possível detê-lo com facilidade. Alguns aqui são soldados com experiência no campo de batalha. Peter também disse algo que não devia.

"Acreditando ter intimidado os rapazes, Peter partiu com feição séria. Mas os gritos de júbilo dos jovens poderiam ser ouvidos até do Cadillac! Achei que seria melhor Peter desistir da ideia de voltar depois de ouvir esse brado e sentir que a situação tinha mudado...

"Os rapazes fizeram uma reunião de emergência e definiram uma estratégia. Se Peter voltasse trazendo uma pistola, planejavam tomá-la à força. Sendo, contudo, um oficial das tropas de ocupação, ele não poderia se calar caso lhe tirassem a pistola e as balas! Ele seria punido, e nós, investigados pelos militares americanos, acabaríamos todos conduzidos a Okinawa para trabalhos forçados. As coisas se complicariam também para Peter, pois era algo bem diferente de apenas vender armas quebradas a comerciantes de metal do mercado clandestino!

— O plano que você nos contou não passava de uma brincadeira? — Kogito não conteve a pergunta a Daio, cujo rosto voltou a ensombrecer como antes de notar a chegada dos dois.

— É claro que para nós não se tratava de brincadeira. — Daio tomou de uma vez o saquê da taça, exalou um suspiro e lançou um olhar realmente frio a Kogito. — Sua mãe nos proibiu de transmitir a você as ideias de mestre Choko e, apesar de nos tratar como insetos venenosos prestes a corromper seu filho, não é essa em absoluto a nossa intenção. Mas custo a acreditar que possa estar questionando se o plano traçado com tanta seriedade seria uma brincadeira!

"Como já lhe disse antes, quando o nosso país foi ocupado pela primeira vez na história, resolvemos não aceitar a assinatura de um tratado de paz sem reação armada do povo japonês. Apesar disso, em um país com um sistema policial organizado como o nosso, é impossível formar grupos armados. Se fosse possível, por que ninguém fez até agora? Por isso, ponderei acerca de uma alternativa melhor. Dez de nós, munidos de fuzis automáticos que ninguém perceberá à primeira vista estarem quebrados, avançaremos pelo portão principal do acampamento militar. E seremos dizimados pelas balas dos soldados americanos.

"Quando, após morrermos honradamente, descobrirem que o ataque fora realizado com armas avariadas e que os japoneses fuzilados estavam na realidade desarmados (mesmo que o Exército de Ocupação não divulgue, os sobreviventes do centro de treinamento se encarregarão de transmitir a informação, forçando o fim da censura por parte do Exército de Ocupação!), mesmo em um Japão como o de agora, isso não despertaria uma fúria gigantesca por toda a nação? Acreditamos que assim será definido o destino deste país após a efetivação do acordo de paz! Esse é o raciocínio seguido por nós até o momento!

"E não estaria esse raciocínio condizente com a filosofia de mestre Choko, que foi morto a tiros ao invadir o banco desarmado? Eu não ensino os jovens a matar. 'Mesmo morrendo, vamos reviver o espírito nacionalista que os japoneses perderam.' É o que digo a eles!

"Portanto, qual o problema em tomar à força uma pistola? Ademais, e se ocorrer de, por acidente, você acabar matando seu adversário? E se ele for um militar da tropa de ocupação e jovem oficial pró-Japão capaz de falar japonês? Que acha que irá acontecer? Os japoneses pacíficos de hoje expressariam simpatia por tal ato? Os jovens perderiam a cabeça e não ouviriam minhas palavras! Usurpar uma pistola e matar o oponente em combate não seria como exterminar um soldado das tropas de ocupação antes da efetivação do tratado de paz? Um idiota chegou a dizer isso e foi ovacionado! Outro, com ar de inteligente, sugeriu que seria melhor matar de início o dono da pistola tomada, pois se ele fugisse, voltaria trazendo junto o Exército de Ocupação.

"Um deles declarou se sentir mais seguro atacando com uma pistola do que com rifles automáticos defeituosos…

"Em resumo, os rapazes não entenderam absolutamente nada do que eu disse. Um bando de caipiras tolos é o que são!

Ao terminar de falar, Daio encheu de novo a taça erguida com saquê e, com a mão trêmula, a levou até a boca, sorvendo tudo de um só gole. Molhou do queixo até o pescoço e, por mais que tentasse enxugar-se com o dorso da mão, não obtinha bom resultado. Daio virou-se para Goro e começou a falar em um tom como se esperasse gratidão por um favor feito, como se Goro devesse agradecer pelo esforço dele para salvá-lo de Peter, mesmo que não tivesse obtido sucesso.

— Se Peter pressentir algo anormal e não voltar, nada acontecerá... Porém, será que ele está agora dirigindo seu Cadillac, ansioso por se encontrar com Goro?

Ao dizer isso, Daio virou a nuca bastante bronzeada em direção a Kogito, tentando evitar seu olhar. Kogito lhe perguntou:

— Desde o início, você usou Goro para atrair Peter para cá e acabou de dizer que se alegraria com a volta dele? Você é igual a esses jovens que esperam para matar Peter! Você agora não está apenas criando um álibi para depois, se ele for morto, dizer: "Eu era totalmente contra, mas os rapazes me puseram de lado"? E está nos usando como testemunhas!

— Não. Eu me alegrei por Goro ter voltado... e, como planejado, espero que Peter não traga a pistola e possa reencontrar Goro... Desejo somente que ele deixe os dez fuzis automáticas quebrados para nós — disse Daio, mostrando a Kogito uma expressão sombria e melancólica. — Assim como ontem, preparei água quente para o banho e um jantar... e hoje, os jovens mataram um bezerro para a ocasião. Apenas isso. Se Peter e Goro estiverem se entendendo bem e decidirem deitar juntos, tenho um quarto preparado para os dois.

"Meu plano é, na essência, pacífico. Se tudo correr a contento, Peter voltará para casa satisfeito, e teremos os dez rifles automáticos quebrados para, pela primeira vez, agir como verdadeiros filhos do Japão."

Ao se levantar, Kogito deu um pontapé que atingiu a parte inferior do olho direito de Daio, que caiu ruidosamente no chão, parecendo até premeditado. Com seu único braço, procurou se levantar, porém sem se empenhar muito...

— Kogito, por que você logo se enfurece? De que adianta fazer algo assim? — questionou Goro também se erguendo.

Goro temia que Kogito pudesse continuar chutando a cabeça ou a lateral do tronco de Daio, caído de forma lamentável, e procurava impedi-lo com suas palavras. Na realidade, Kogito foi tomado por uma nova fúria ao ver a debilidade de Daio procurando a custo se levantar, talvez com deliberado exagero. Goro passou o braço por cima de seu ombro e impeliu Kogito em direção à saída, mesmo que este não tivesse a intenção de resistir ao amigo.

Kogito e Goro, desanimados como se tivessem perdido a disputa com Daio — ou, pelo menos, como se não tivessem vencido —, se agacharam no alto dos degraus da entrada da sede, calçaram os sapatos e seguiram andando pela ampla encosta onde ervas verdejantes se curvavam ao sabor do vento.

6

O céu estava claro, e tanto a encosta quanto a floresta caducifólia eram banhadas por uma tênue luz amarelada, apesar de faltar ainda algum tempo até o crepúsculo. Um vento frio soprava da direção do rio. No meio da ladeira havia algo semelhante a um cavalo de ginástica, feito de troncos recém-cortados com o diâmetro de um punho.

Goro e Kogito caminharam até lá. Sentaram na parte mais alta com os pés apoiados na barra abaixo, olhando para a ladeira.

— Goro, vamos embora — propôs Kogito.

— Por quê? Está divertido aqui.

— Acho uma idiotice ter interesse naquele tipo de coisa.

— O que exatamente você está chamando de "aquele tipo de coisa"?

— Mas afinal, por que você quer permanecer aqui?

— Peter está se arriscando ao voltar para cá. Não ganha absolutamente nada com isso.

— É só por ter ouvido que você retornaria.

— Por isso mesmo seria ainda pior se eu não estiver aqui quando ele voltar.

— Pior para quem?

— Para Peter. E também para minha autoestima. Detestaria saber que o envelope com minha marca contenha um engano.

— Então você irá se oferecer em sacrifício?

— Não farei nada contra minha vontade.

— Você pode acabar sendo ameaçado com uma pistola.

Kogito se sentiu muitíssimo infantil, mas foi tudo o que pôde dizer.

— Mesmo ameaçado por uma pistola, não tenho intenção de fazer algo que não desejo. Se não quero fazer algo...

— Não acha desnecessário se colocar em uma posição em que terá que fazer esse tipo de escolha? Há alguém esperando para nos levar de caminhonete até Matsuyama.

— Talvez deixem você passar para ir até a caminhonete. Afinal, este é o esconderijo criado pelos discípulos de seu pai... Mas será que me permitiriam atravessar a ponte com tranquilidade?

Kogito voltou a atenção para a entrada da ponte suspensa, na extremidade direita da ladeira. Ali se concentrava um grupo de jovens correligionários, como Daio costumava chamá-los. O tempo passava enquanto Goro e Kogito trocavam breves palavras entre pausas. Era impossível distinguir a expressão no rosto dos rapazes reunidos, mas Kogito se preocupou ao perceber, no movimento do corpo deles, certo exagero comum aos bêbados da região. No jantar da noite anterior, até onde pôde observar, nenhum deles tinha tomado saquê. Mais para o final, as coisas se animaram. Fosse por estarem compensando a abstinência inicial, fosse por deixarem de lado as formalidades, hoje os rapazes bebiam desde antes do anoitecer, depois do confronto com Daio, passando o saquê artesanal de mão em mão, escondido em garrafas de cerveja... Não seria isso? O próprio Daio também bebia sem parar. Talvez ambas as partes necessitassem beber devido à carga psicológica que carregavam. Kogito se inquietou ao imaginar o que poderia ocorrer se todos se embebedassem.

No lado esquerdo ao final da ladeira, havia densos arbustos com brotos marrom-avermelhados. Dali surgiram cinco ou seis jovens que pareciam executar algum trabalho às escondidas.

De início, encheram baldes grandes e fundos, e então seguiam até a margem e despejavam o conteúdo no rio cuja superfície não se via do alto da ladeira. Alguns carregavam volumes grandes que não cabiam nos baldes e os atiravam nas águas. Vindos do outro lado dos arbustos, dois cães pretos saltaram agitados sobre os rapazes que, depois de esvaziarem o conteúdo, limparam os baldes com ervas arrancadas. Os animais foram logo enxotados e saíram correndo por um caminho vale abaixo.

Kogito percebeu então que o número de rapazes tinha aumentado, e vários subiam a ladeira carregando baldes que voltavam a ser enchidos. Dois jovens de compleição mais robusta chegaram trazendo nos ombros algo semelhante a um tapete enrolado. Avançavam com dificuldade, e aos poucos Kogito notou que tinham a cabeça, o rosto, os ombros e o peito sujos. Seu estado de embriaguez era evidente.

Caminhavam com vagar intencional até se aproximarem de onde Goro e Kogito estavam sentados, como se por acaso passassem por ali. Kogito pôde então ver que carregavam nos baldes a carne e os órgãos do bezerro abatido que Daio havia mencionado antes, e o que parecia um tapete era na realidade a volumosa pele do animal.

Os rapazes que levavam a carga, seja nos baldes, seja sobre os ombros, pareciam crianças do povoado saindo para a rua principal do vale durante as festas, sorrindo muito bem-humoradas. Calados, era impossível saber o que lhes passava pela mente. Depois de algum tempo, aquele que aparentava ser o mais popular entre eles e carregava com facilidade o balde maior e mais fundo exclamou, sem deixar claro se dirigia as palavras a Goro ou a Kogito:

— Que inveja! Rapazes bonitos têm suas vantagens!

Depois de uma pausa, Goro retrucou com serenidade:

— Quais exatamente? — Mesmo a pergunta sendo sincera, parecia haver nela um leve tom de menosprezo pelos rapazes.

— Você quer saber quais?... Nós trabalhamos duro, nos sujamos de sangue e gordura, e nem sequer nos permitem tomar banho em uma banheira com água quente. Depois de entregarmos esses baldes pesados à cozinha, temos que descer novamente até o vale e lá embaixo nos lavarmos com água fria! Ao lado dos cães comendo as sobras!

"Que enorme diferença com vocês, não? Apenas se banhando nas termas, bem asseados, bebendo e comendo à vontade. Ter até o cu limpo não é realmente *wonderful, thank you, very very much*?"

Os jovens, incluindo o que falara, mostravam-se ao mesmo tempo desafiantes e envergonhados, rindo de uma maneira pueril. Kogito sentiu que os comentários jocosos e as risadas eram parte da vileza característica de sua terra natal. Embora tremesse de raiva e tensão, Goro não perdeu a postura serena. Kogito não se conteve e revidou:

— Se essa é sua situação na vida, vão lavar sua sujeira junto aos cães! Por que estão aqui como se quisessem algo? Se é tão difícil para vocês carregar tanto peso, larguem de uma vez!

Os jovens caíram na gargalhada. Kogito sentiu que achavam engraçado que, em sua excitação, ele tivesse usado o mesmo dialeto natal, enfurecendo-o ainda mais. Que bando de infames! Kogito se sentiu envergonhado perante Goro pelos rapazes estarem relacionados a ele. Os dois que carregavam a pele enrolada também riam, mas reagiram de outra forma. Logo depois de passarem bem ao lado de Goro e Kogito, pararam e replicaram:

— Realmente é duro, mas… o cavalete de que precisamos para nosso trabalho sujo está sendo ocupado pela bunda limpa de certas pessoas!

Em um movimento muito ágil, os rapazes desenrolaram a pele do bezerro e cobriram a cabeça de Kogito e Goro. Procurando não perderem o equilíbrio sobre o cavalete e envolvidos pela escuridão com o tépido odor de sangue, seus braços pesavam, e de nada adiantava tentarem chutar a pele… Como do outro lado de uma grossa parede, eram atingidos por uma grande onda de risadas que se aproximava para, em seguida, se distanciar…

"*Dura noite! O sangue ressequido fumega em meu rosto e tenho atrás de mim apenas este horrível arbusto!*"

O que aconteceu logo depois de os dois por fim se livrarem da pele de bezerro não se mostrava claro na memória de Kogito, mas era descrito de maneira correta no roteiro de Goro.

KOGITO: Vamos atravessar a ponte.
GORO: Sujos desse jeito? Nesse caso, é melhor tomarmos um banho primeiro.
Na penumbra, os rapazes rodeiam os dois, às gargalhadas.
GORO: (*ignorando os rapazes*) Vou tomar banho. Preciso lavar também minha camisa e as calças que se sujaram. Desse jeito, não poderei vesti-las de novo.
Os rapazes continuam a rir e, estendendo o pescoço, procuram ouvir a conversa dos dois.
KOGITO: (*cada vez mais furioso*) Vou embora (*dito isso, começou a descer a ladeira. Voltou-se, Goro não o acompanha*)

Kogito caminha a passos rápidos e vigorosos, tropeçando e cambaleando. O campo de visão de Goro segue Kogito e aos poucos se estende para além da pradaria e capta toda a cena do crepúsculo. Neblina se ergue do fundo do vale. Sem encontrar resistência dos rapazes, Kogito cruza a ponte suspensa. Do lado oposto da pradaria, há arbustos densos, cerrados, negros. Por fim, a caminhonete começa a se movimentar na parte alta no fundo da tela, aparecendo e desaparecendo entre as árvores. Música. Pode ser usada sem cortes "Tristeza N° 2", de Akari Choko (dois minutos e dez segundos).

Goro sempre escrevia cenas que haviam sido de fato vivenciadas por ele. Sua estrita técnica de documentário fora notabilizada em *Funeral*, sua primeira obra de sucesso. Se esse roteiro tivesse realmente se transformado em um filme, a carreira cinematográfica de Goro se encerraria de forma idêntica àquela com que começara.

Kogito decidiu reproduzir sua conduta depois de ter saído do campo de visão de Goro — ou seja, as partes não descritas pelo amigo — usando para isso as técnicas de escritor que haviam se tornado habituais ao longo de sua vida.

Quando Kogito atravessou a ponte e seguia em direção à rodovia provincial, o jovem da caminhonete, como se tivesse previsto que ele viria sozinho, tomou o banco do motorista sem hesitar e deu a partida. Kogito subiu na caçamba vazia e se segurou na estrutura metálica atrás do motorista. Se Goro filmasse utilizando lentes teleobjetivas capazes de capturar imagens mesmo com baixa luminosidade, sem dúvida mostraria um jovem em estado lastimável, de pé sobre a caçamba da caminhonete, segurando firme com ambas as mãos e resistindo ao balanço do veículo. Por um instante, ele apareceria por entre as árvores de folhas ainda esparsas, para desaparecer e logo ressurgir, repetidas vezes...

A caminhonete rodou por vinte minutos até chegar a meio caminho da bifurcação ao lado do túnel, onde Kogito notou a luz de um carro descendo na direção deles. O motorista desviou e estacionou em uma clareira com madeira da floresta, cortada e empilhada, para esperar a passagem do grande carro que vinha de frente. Era o Cadillac dirigido por Peter.

A luz dos faróis dianteiros do carro banhou Kogito com um implacável exame físico. O Cadillac estacionou ao lado da caminhonete no acostamento da estrada. Kogito notou o rosto de Peter despontado pela janela do carro, mas a escuridão não permitia discernir sua expressão. Por certo, o olhar investigativo de Peter percorria ambos os lados do assento da caminhonete e a caçamba na qual Kogito estava.

Em seguida, ouviu-se a voz de Peter perguntando:

— O que você faz aqui? Onde está Goro?

Kogito ergueu seu braço direito e apontou um ponto a distância, sentindo-se envergonhado por parecer imitar o gesto exagerado dos americanos. Peter entendeu e deu partida no carro. Quando a caminhonete voltou à estrada, um vento forte soprou nos olhos de Kogito, que começaram a lacrimejar. Ele se viu obrigado a admitir que as lágrimas se deviam não só ao temor que sentia por Goro, mas também por ter sido ignorado por Peter.

Quando a caminhonete parou na bifurcação diante do túnel, Kogito saltou para a beira da plantação repleta de resíduos de verduras da última colheita.

— Pode me deixar aqui — gritou em direção à cabine do motorista.

O rapaz estava calado, mas quando Kogito se voltou, após subir até o alto de uma encosta íngreme, viu o veículo parado em um exíguo espaço ao lado da estrada que seguia pelo vale. O motorista estava sentado na armação traseira da caçamba.

Kogito também se sentou à beira do campo e estendeu a vista para além do escuro vale. Apenas a silhueta das montanhas sobrepostas estava levemente azulada. O céu se tingia de um denso marrom-amarelado e, conforme se contemplava a paisagem, toda a claridade de antes gradualmente se esvanecia a ponto de se pensar se não teria sido somente ilusão.

Cerca de duas horas haviam se passado quando Goro apareceu subindo às pressas em meio à escuridão, pelo caminho destacado debilmente das árvores ao redor. Kogito desceu correndo, fazendo a terra deslizar, e apesar do rosto bronzeado de Goro se voltar para ele, sem dizer uma palavra, dirigiu-se à caminhonete iluminada pelo facho da entrada do túnel.

— Aonde você vai? — gritou Kogito. Ouviu a própria voz como a de alguém furioso, infantil, de coração encerrado em si mesmo.

— Não há outra opção a não ser voltar para Shindate, não? — Goro disse o nome do vilarejo na região onde se localizava o templo.

— Peter não nos seguirá?

Goro voltou o rosto, e apenas a borda das orelhas emanava um brilho prateado. Kogito não iria se esquecer disso por muito tempo. Apesar de já ser madrugada quando a caminhonete encostou no muro de barro que circundava o recinto do templo, Goro gritou em direção ao santuário para acordar Chikashi. Goro e Kogito tiraram as roupas e se lavaram atrás do edifício. Chikashi preparou toalhas de banho e roupas de baixo para os dois, deixando-as na varanda. Quando, depois de se arrumarem, Kogito e Goro entraram no santuário, Chikashi estava deitada sobre o futon estendido ao lado do oratório budista, seu suposto território habitual, coberta até a cabeça. Do outro lado do cômodo, mais espaçoso, havia dois futons alinhados, nos quais os rapazes se deitaram, tremendo de cansaço e frio, sem trocar palavra entre si. O mesmo tinha ocorrido nas duas horas de trajeto sobre a caçamba da caminhonete.

7

Por mais contraditório que pudesse parecer, já que os filmes se baseavam em suas experiências reais, Goro deixou dois roteiros inteiramente diferentes para descrever as cenas principais da vivência dos dois rapazes. Kogito não poderia afirmar qual deles correspondia ao que ocorrera de fato. As cenas contam o que sucedeu depois de Kogito ter partido de caminhonete do centro de treinamento.

O primeiro roteiro, com *storyboards* anexos, dizia o seguinte:

Goro sentado no escuro degrau de pedra em frente à entrada da edificação anexa onde se localiza a sala de banhos. Ele espera por algo. Aparentemente está ali há algum tempo, furioso. Os jovens sobem pelo canto inferior direito da pradaria, rodeando Peter de um jeito pacífico e se dirigem ao centro de treinamento. Goro se ergue resoluto, determinado a retornar à sede. De súbito, diante dele aparece Daio, impedindo-lhe a passagem, acompanhado de duas moças e dois rapazes que vemos pela primeira vez.

DAIO: Que estado lastimável o seu! (*em contraste com a embriaguez sombria e introspectiva de pouco antes, havia recobrado o ânimo, sem chegar a ser inconveniente ou indelicado.*)

Por outro lado, as moças e os rapazes demonstram uma reação sincera diante da aparência imunda de Goro. A atitude deles é semelhante à de crianças ignorantes, de visível altivez. Depois de indicar aos quatro que seguissem na frente até o anexo da sala de banhos, Daio se explica a Goro.

DAIO: Você veio buscar a chave da sala de banhos? Creio que não tinha lhe entregado antes. Mas a situação agora é outra. Seria um caso sério se você usasse a banheira nesse estado! Apesar de serem banhos de fonte termal, temos um mecanismo de aquecimento da água, e não seria possível trocá-la rapidamente! Vamos esperar um pouco. Se Peter insistir que quer a todo custo tomar banho com você, pensaremos em algo! Até lá, por favor aguarde no escritório. Fique à vontade para beber o nosso saquê artesanal.

Interior de um cômodo escuro. Goro, pensativo, sentado em uma cadeira de madeira. Por estar sujo de sangue e gordura de bezerro, deve ter receado sentar no sofá. (Daio entra sem cerimônias, ergue a garrafa de cerca de dois litros posta no chão e se serve do saquê em uma taça de chá. Bebe de um gole. Nada resta de sua expressão sombria. Seu bom humor é repleto da malícia de um camponês trapaceiro indigno de confiança.)

DAIO: Tanta preocupação para nada. Peter parece ter gostado tanto das moças quanto dos rapazes. Não aguentou espiar apenas do teto e desceu para se juntar a eles na sala de banhos! Mestre Choko era realmente um homem de visão! (*Daio diz coisas incompreensíveis. Confuso, Goro se vê incapaz de responder.*)

DAIO: (*dirigindo-se a Goro sem cerimônia*) Você já pode ir embora! O problema é que se descer agora será atormentado à exaustão pelos rapazes! Se sair pelos fundos do escritório e seguir a trilha na montanha, chegará a um charco antes de adentrar o interior do bosque. Depois de margear o córrego, haverá um rio paralelo à estrada. Os cães ainda devem estar por lá à caça dos restos imundos do animal abatido. Desde que não mexa com eles, poderá subir até a estrada sem ter o que temer!

Goro sobe a passos rápidos por entre as árvores sombrias, descendo em seguida com dificuldade pelo charco na escuridão.

O segundo roteiro é o seguinte:

Goro está na sala de banhos lavando braços e pernas com total diligência e tem a seu lado a camisa e as calças já lavadas. Há um ruído do lado de fora. Ele se levanta e olha pela janela. O seu rosto de perfil reflete incredulidade e solidão. Mudança de câmera mostra Peter subindo correndo a ladeira na pradaria. Como em um jogo, os rapazes o perseguem. Peter para, volta-se, aponta em direção a eles uma pistola. Os rapazes se atiram ao chão como em súplica. Peter recomeça a subir correndo. Os rapazes voltam a persegui-lo. Peter para e aponta a pistola. A cena se repete inúmeras vezes. Em determinado momento, Peter de fato atira. Um estrondo inesperado ressoa, e os rapazes estão de novo deitados de bruços no chão. Um instante depois, Peter aparece com ar triunfante na sala de banhos segurando a pistola.

GORO: (*De pé, nu, pergunta sem medo*) O que você pretende fazer me intimidando com uma pistola?

PETER: (*Em uma atitude gentil, quase reverente*) Calma, meu caro Goro, eu não faria nada semelhante!

Goro está na banheira. Peter, não mais carregando a pistola, de pé diante dele — nu, o corpo todo muito branco. É possível ouvir o som da porta da sala de banhos sendo derrubada. Num abrir e fechar de olhos, rapazes invadem o local em número capaz de preenchê-lo. Braços erguem Peter e o carregam como se fosse o palanquim em um festival xintoísta, descendo correndo pela pradaria. Um dos rapazes tropeça. Isso provoca a queda dos demais, e Peter é arremessado ao solo. Já exausto, Peter é levantado pelos rapazes que correm, mas acabam caindo de novo, e ele é lançado ao chão. Esse jogo divertido, quase bárbaro, se repete cada vez com mais violência até que o grupo adentra pelos densos arbustos na parte baixa da ladeira. Um instante depois, reverbera um forte grito, como um lamento agonizante. Goro, ainda com a camisa e as calças molhadas, desce pela pradaria em meio à penumbra, onde não há mais sinal dos rapazes.

Quando Kogito terminou de ler o roteiro com o *storyboard* anexo e o devolveu à pasta de couro vermelha, Chikashi perguntou algo que decerto havia ruminado por longo tempo:

— Quando vocês se lavaram atrás do santuário, Goro também estava bastante sujo, mas seria apenas por ter suado de novo? E o mais estranho é que, depois daquilo, nunca mais vi vocês dois juntos. Quando minha mãe soube de sua admissão na Universidade de Tóquio, cismou que você teria tempo de sobra e lhe pediu para procurar alguns livros em sebos de Kanda, está lembrado? Até aquela época, você e Goro tinham interrompido o contato?

Havia sido assim, de fato. Pouco depois *daquilo*, Chikashi se mudou para a casa da mãe, que tinha se casado de novo, e Goro ficara sozinho no santuário que Kogito visitou apenas uma única noite. Naquele 28 de abril, Kogito e Goro se puseram diante do rádio, sintonizaram a NHK e, durante uma hora a partir das dez e meia da noite, permaneceram sentados em completo silêncio. Mas nenhuma transmissão extraordinária foi ao ar. Esperaram mais uma hora, e Goro, chegando à conclusão de que nada tinha ocorrido, sugeriu a Kogito que tirassem uma foto de recordação. Trouxe a Nikon que ganhara de presente do padrasto. Havia inúmeras folhas com as traduções de Kogito e outras com explicações de textos que Goro transcrevera em vez de usar um quadro-negro. Goro sugeriu tirar uma foto do perfil de Kogito refletido em um espelho posto em meio às folhas alinhadas. Quase alvorecia quando terminou a tarefa. Kogito propôs tirar uma também, mas Goro recusou dizendo:

— Creio que vou ganhar a vida fazendo cinema, mas você por certo será mais bem-sucedido com uma caneta-tinteiro. Assim, é melhor escrever algo como recordação.

Epílogo

O livro ilustrado de
Maurice Sendak

1

Ao desfazer a grande mala usada por Kogito em sua viagem à Alemanha, Chikashi se deparou com dois livros um pouco diversos daqueles que o marido costumava trazer ao voltar de suas estadias no exterior. Sobretudo quando a trabalho em uma universidade fora do Japão, Kogito adquiria muitos livros. Em Berlim, por não ler alemão, comprara menos, mas assim mesmo enviou mais de vinte pequenos pacotes pelos correios. Em sua mala sempre havia manuscritos e cadernos, ternos e camisas, roupas de baixo, canetas-tinteiro e um par de óculos sobressalentes, entre outras coisas. Em geral, os dicionários eram os únicos livros guardados na bagagem.

Desta vez, no entanto, Kogito tinha colocado na mala, envoltos pelos ternos, dois livros finos de brochura.

Eram de Maurice Sendak, autor de algumas obras que Chikashi havia lido no passado. Um dos livros, *Outside Over There* [*O que está lá fora*], era ilustrado de um jeito diferente daqueles que ela conhecia. O outro, *Changelings*, um livreto não comercializado, possuía o inconfundível estilo de Sendak, com um adorável monstro ilustrando a capa. Essa brochura era o registro de um seminário organizado por um instituto de pesquisas da Universidade de Berkeley na Califórnia e, além de Sendak, trazia impresso o nome de mais três acadêmicos. Se um deles era amigo de Kogito, devia se tratar de um presente comemorativo, ofertado por ocasião do reencontro dos dois no Centro de Pesquisas Avançadas de Berlim — e, de fato, foi exatamente o que aconteceu.

Chikashi abriu o livro com uma ponta de curiosidade e, ao ver a ilustração da contracapa, foi tomada de uma clara e estranha impressão. Voltou a olhar e se sentiu, aos poucos, arrebatada por essa ilustração. Chikashi leu o livro até o fim e, ao terminar, permaneceu pensativa.

Depois de muito tempo nesse estado, declarou para si própria:

— Ida, a menina deste livro, sou eu.

Virou as páginas do livro várias vezes e, na ilustração da menina, ainda antes mesmo do início da história, descobriu o que a impactava tão profundamente. Eram os pés descalços que podiam ser vistos saindo sob a barra de seu longo vestido: o centro de atenção de todo o desenho!

As únicas partes do corpo que não apareciam cobertas pelo vestido azul-claro eram a cabeça, com seus longos cabelos presos por um laço de fita da mesma cor, o pescoço envolto pelas rendas brancas da gola, as mãos e os pés descalços que sobressaíam de uma prega na barra da roupa...

Eram pés vigorosos e grandes, impensáveis em uma menina. Talvez essa sensação se exacerbasse pela semelhança com os de uma mulher madura e por eles se revelarem sob a borda do vestido infantil. Os graciosos músculos da panturrilha eram suportados pelo osso do grosso tornozelo, e o tendão de Aquiles se mostrava particularmente forte e tenaz. Os dedos dos pés se plantavam com firmeza ao solo, e os calcanhares de carne macia e elástica, como *mochi*⁶, estabilizavam todo o corpo.

Ao tentar comparar os pés da menina aos dos outros personagens no livro, Chikashi encontrou o dorso delicado e alvo dos pés da mãe, calçando sapatos pequenos e planos. Os pés do bebê eram iguais aos de qualquer outro, e os dos *goblins* — leu no dicionário que *goblin* era um pequeno demônio (duende feio e nanico que perpetra malvadezas contra os humanos) —, fugindo pela janela ao sequestrarem o bebê, eram minúsculos e débeis.

Devia haver um motivo para Chikashi ser incapaz de desgrudar os olhos dos vigorosos pés descalços da menina! Estava prestes a olhar os próprios pés, mas hesitou e foi vasculhar algo entre os livros e cadernos de esboços amontoados no chão, junto a uma parede do cômodo.

Houve um tempo antes da guerra em que seu pai havia se dedicado a fotografias tiradas com uma câmara Leica, presente de um diretor alemão a quem ajudara nas filmagens de uma coprodução internacional. Ao morrer, o pai deixou dois álbuns repletos de contatos dos negativos, colados lado a lado em todas as páginas. Chikashi procurou e encontrou uma foto em que, ainda menina, aparecia trepada em uma espécie de carvalho. Apesar da posição um tanto aventureira, suas feições apresentavam traços adultos e, a julgar pela aparência de Goro de pé a seu lado, devia ter cinco ou seis anos de idade. A imagem serviu de base para estimar a idade da menina do livro ilustrado, de expressão também precocemente

---

6. Tradicional da culinária japonesa, é uma massa elástica feita com arroz glutinoso, ou *mochigome*, que se torna pegajoso após cozido. A massa é geralmente moldada em forma de bolinhos. [N.E.]

madura. Mas o que mais lhe chamou a atenção foram seus pés descalços, bem visíveis ao estar de ponta-cabeça balançando no galho de uma árvore alta, e que eram idênticos aos da menina do livro.

2

Na primeira página, o autor afirma que a história relatada no livro acontece quando o pai estava ausente, velejando. A mãe portava um chapéu de aba larga, e seu vestido, que a envolvia até a ponta dos pés, deixando entrever somente a extremidade da mão esquerda, esvoaçava com languidez em direção ao veleiro que do lado oposto da enseada zarpava para o mar. Junto dela, Ida segurava no colo o bebê, bem-comportado e de rosto bastante peculiar e olhar voltado para nós, pisando com os fortes pés a superfície de grandes pedras enquanto contemplava o barco do pai se distanciar.

Na página seguinte, oposta à da mãe e das duas crianças, aparecem dois personagens no canto esquerdo que também observam a embarcação zarpar. Trajando casacos com largos capuzes que lhes cobrem o corpo inteiro, estão sentados em um barco que é puxado para terra firme, tendo a seu lado uma significativa escada de mão.

Na grande ilustração que abarca as duas páginas seguintes, o texto narra que a mãe, tendo retirado o chapéu, senta-se distraída no jardim em frente da casa, à sombra de uma pérgula coberta por parreiras. A palavra *arbor* (pérgula) está ligada a memórias importantes da infância de Sendak, como o próprio autor revela no texto do seminário e mais tarde Kogito irá explicar a Chikashi.

Ida está de pé, um pouco afastada da mãe. Com o bebê choramingando muito nos braços, demonstra perplexidade, resignação e um claro senso de responsabilidade. Apesar de ainda ser um bebê, sua cabeça é um pouco maior que a de Ida, e o comprimento de seu corpo, quase metade do dela. No canto esquerdo da página, vê-se o par vestido de casaco com capuz carregando a escada de mão.

Havia algo de inquietante na composição do desenho, mas Chikashi sentiu particular estranheza diante do enorme pastor-alemão ao centro, desenhado de maneira realística e que não aparentava ter relação com a história. Ao ser perguntado sobre esse cão, Kogito se deu conta do enorme interesse da esposa por esse livro ilustrado de Sendak.

Embora tivesse colocado aqueles dois livros na mala por sentir um certo interesse especial por eles, Kogito não se importou quando Chikashi os levou para o quarto. Não só isso, ele também deixou na sala de estar outras obras relacionadas a Sendak dentre os livros que tinha enviado da Alemanha pelos correios. Abriu e mostrou alguns deles a Chikashi, fornecendo várias explicações. Começou pelo sequestro do bebê do casal Lindbergh, que devia ter causado em Sendak um impacto psicológico ainda na infância, sendo o livro inspirado em suas recordações do incidente. Na página inicial, o rosto do bebê que olha na direção do leitor como se estivesse se autoapresentando era parecido ao de Lindbergh.

Havia um maravilhoso pastor-alemão na residência do casal Lindbergh, mas que, apesar de proteger a família, não impediu o sequestro. Segundo Sendak contara, ele imaginou ainda criança que, sendo um filho de imigrantes pobres, não teria escapatória caso fosse alvo de semelhante ação.

O que incomodava Chikashi era um aspecto técnico da ilustração. Era incapaz de compreender por que havia adotado um estilo super-realista apenas para desenhar o cão. Ao ouvir a dúvida da esposa, Kogito pegou um livro de grande formato, com muitas fotos coloridas e monocromáticas, no qual, em uma delas, Sendak aparecia passeando com seu pastor-alemão. Talvez a resposta fosse o artista ter um modelo próximo de si.

Algo mais nesse livro ilustrado tinha impressionado Chikashi, mas ela não contou a Kogito.

— A mãe de Ida é a minha mãe! —- foi o que constatou.

Assim como a mãe de Ida, pensativa sob a pérgula, a de Chikashi era alguém de expressão vaga. O texto não explicava os motivos para a mãe estar tão absorta e em profunda tristeza apenas pela partida do barco do pai ao mar. Contudo, a deslumbrante ilustração denotava bem a grande melancolia que se apoderava daquela mulher e da qual era incapaz de se livrar.

Ida não compreendia a razão, mas aceitava o fato de a mãe ter momentos em que permanecia distraída sob a pérgula, sem nada que pudesse fazer. Ela tomava conta do bebê e, mesmo que ocorressem problemas, não pedia ajuda à mãe.

E então aconteceu o incidente.

Para apaziguar o inquieto bebê, Ida toca uma trompa. Aos poucos, fica tão concentrada no instrumento que passa a não prestar atenção em nada mais. A menina toca com ardor, voltada para a janela de onde se avistam grandes girassóis, e o bebê parece encantado com a música. Nesse momento, aparecem dois seres, envoltos nas sombras de seus casacos, após terem subido pela escada de mão e passado pela janela ao fundo.

São os *goblins*. Levam o bebê e, em seu lugar, deixam um boneco de gelo. Espantado, o bebê não tem forças para gritar ao ser carregado janela afora, enquanto um substituto branco e grotesco fica no berço.

Sem se dar conta do que havia ocorrido, a pobre Ida abraça o *changeling*, tema do livro discutido no seminário, e balbucia: "Como eu amo você!"

Com a face encostada no gorro amarelo sempre usado pelo bebê, Ida se deixa levar por seus pensamentos, abraçando o boneco de gelo destituído de expressão. A janela pela qual os *goblins* fugiram se transforma em uma tela que mostra uma paisagem distante, um veleiro que se inclina no mar bravio…

Nessa página, Chikashi se impressionou dolorosamente ao ver, pela janela em cujo peitoral Ida deixara a trompa, que tanto as flores quanto as folhas dos girassóis pareciam ter crescido e aumentando de forma quase agressiva. Mesmo sendo impossível para ela expressar como os girassóis refletiam as emoções da personagem, sentiu compreender a pintura.

Ida estava ajoelhada com o bebê nos braços e havia nela uma expressão de remorso, ainda que não tivesse notado ter em seus braços o substituto… Era o que Chikashi imaginava. Ao tocar a trompa, não teria se libertado emocionalmente, talvez refletindo o desejo de que o bebê não estivesse ali.

Chikashi recordou ter experimentado um remorso semelhante. Quando criança, e mesmo depois de moça, tinha a pele do rosto moreno como a cor da semente de caqui. Goro, por sua vez, era uma linda criança que enchia sua irmã mais velha de orgulho.

Natural que não fosse apenas orgulho o que Chikashi sentia. Ainda que não se interessasse por psicologia como o irmão, sabia que existiam crianças que desejavam que seus irmãos ou irmãs menores não tivessem nascido ou simplesmente desaparecessem. Goro não era seu irmão menor; na verdade, fora Chikashi quem nascera para usurpar o direito de seu irmão mais velho. Mas, antes mesmo de completar três anos, entendeu que fracassava na usurpação desse direito...

Ida logo entendeu o ocorrido. O bebê de gelo gotejava e tinha o olhar todo o tempo voltado para o chão. Segundo a narrativa, a menina se enfureceu ao perceber que os *goblins* haviam estado ali. Expressou sua cólera ameaçando com o punho erguido o bebê que começava a derreter. O mar que aparecia pela janela se agitava em tormenta, e o veleiro permanecia imóvel sob os raios que cortavam os céus.

Ida se mostrava resoluta, com seus grandes pés fincados ao chão, enquanto os girassóis pareciam observar a cena como rostos reunidos diante da janela. O texto trazia as palavras de Ida: "Roubaram minha irmãzinha para a casarem com um sórdido *goblin*." E a página terminava com "Ida se apressou...".

Chikashi espantou-se novamente. O bebê, que até então se supunha ser do sexo masculino, era na verdade uma menina. Que crueldade ser obrigada a se casar com um sórdido *goblin*!

Ao virar a página, o motivo de Ida estar apressada é esclarecido. Ela tinha corrido para pegar a capa de chuva amarelo-dourada da mãe que parecia ser dotada de poderes mágicos. Envolvendo-se nela, enfiou no bolso a trompa e então cometeu um sério engano.

Ida saiu pela janela voando de costas! Flutuava no ar com o rosto para cima, como se pairasse sobre a superfície da água.

Voava envolta na capa de chuva da mãe, tendo ao redor o céu enluarado e limpo. O bebê tinha sido levado pelos *goblins* para uma distante caverna na praia. Kogito explicou com prazer essa cena e a seguinte, baseado em um livro de análise estrutural de mitos e contos populares. O segredo da vida e da morte residia nas trevas do subsolo e não na claridade do céu. Era errado voar olhando para o alto. É preciso voar olhando para baixo para testemunhar segredos.

Ida ouviu a voz do pai que, cantando, lhe ensinou a corrigir a posição e voar na direção correta. Foi assim que pôde entrar na cova dos *goblins*. Ali dentro havia muitos bebês, mas todos de formas e rostos idênticos. Como distinguir a sua irmã entre eles?

Com sentimento, Ida tocou a trompa. Os bebês começaram a andar, dançar de um modo nada sereno. Os que bailavam logo se sentiam mal e, mesmo querendo se deitar, não conseguiam parar. Apesar do ar de sofrimento dos bebês, Ida continuava a tocar a trompa de forma implacável, de olhar severo e pisando firme o chão.

Na cena seguinte, os *goblins* entravam por engano na água repleta de espuma e se afogavam. Quando parou de tocar, Ida observava tranquila, segurando a trompa em uma das mãos. Com ternura, contemplou a irmãzinha sentada em uma grande casca de ovo com os braços estendidos na direção dela.

Agora bastava voltar para casa. Carregando o bebê nos braços, Ida seguia pelo caminho do bosque ladeado por um riacho. Em uma casinha na margem oposta, Mozart tocava piano!

Chikashi observava a cena, aliviada como Ida, porém com certa perplexidade. Não era estranho que Mozart de súbito aparecesse do lado oposto do rio tocando piano em uma casa de telhado vermelho, já que sua música nos vem à mente em várias ocasiões na vida, Chikashi pensou. Contudo, o que significariam os galhos baixos impedindo a passagem de Ida no retorno para casa com o bebê nos braços? E as cinco borboletas?

    Chikashi teve a sensação profunda de que o livro falava muito sobre sua vida. Ela se convenceu de que deveria continuar a lê-lo daquele momento em diante e se concentrar, mais do que no texto em si, na interpretação das ambíguas metáforas dos detalhes das ilustrações. Era como se sentia em relação ao livro.

    Quanto mais lia, mais Chikashi reconhecia que Ida descrita de modo curioso no livro era na verdade ela mesma. Desde que aprendera o alfabeto até o momento, já com mais de cinquenta anos, havia lido muitos livros, mas nunca encontrado uma personagem com a qual se identificasse dessa forma. Mirando o vazio com o livro sobre o colo, não pôde deixar de sentir que também devia se parecer com a mãe de Ida, sentada sob a pérgula, imersa em pensamentos...

3

O irmão de Chikashi, de grande talento, belo e admirado por muitas pessoas — mesmo quando criança, era amado com certa reverência —, tornara-se outra pessoa que, a partir de dado momento, passou a se comportar de modo um tanto enigmático.

Mesmo após essa transformação, Goro continuava a ser para a irmã motivo de orgulho, alguém gentil em quem podia confiar. No entanto, por vezes, sentia que aquele não era o Goro verdadeiro — e, pela primeira vez, foi capaz de expressar a sensação com clareza através da palavra aprendida na leitura do livro de Sendak: *changeling*.

Após casar com Kogito e enquanto esperava pelo nascimento do primeiro filho, Chikashi — aqui também desejando se conduzir bravamente como Ida, do livro de Sendak — pensou em fazer Goro retornar ao que sempre havia sido. "No lugar de nossa mãe, darei à luz aquele lindo menino. Farei com que o verdadeiro Goro, desaparecido após a troca, nasça como uma nova criança..."

Mesmo não expressando em palavras, Chikashi se deu conta de que naquele instante tinha decidido assim. "Que papel representava Kogito no meu plano?", ela se questionou, sem obter resposta. Sentiu-se admirando uma paisagem misteriosa, sempre envolvida por névoa. "Mas se era a paisagem que guardava dentro de mim... por que elegi Kogito como pai da nova criança que, ao nascer, recuperaria Goro?"

Ao pensar no passado, Chikashi se dava conta de que Kogito sempre tivera certa aura de mistério. Sem nunca ser de todo independente, estava ligado a Goro e parecia se empenhar em atender a suas expectativas. Entre os amigos do irmão, Chikashi tinha em Kogito alguém especial. "Mas Goro se opôs ferozmente quando surgiu a conversa sobre me casar com Kogito. Por fim, casei-me com ele, mas sinto que na realidade não entendi bem o que me levou a tomar essa decisão..."

"Agora parece surgir uma solução inesperada para o problema. Usando o livro de Sendak como pista, eu não estaria sentindo em meu âmago que ter me casado com Kogito era como voar durante a noite janela afora para recuperar o verdadeiro Goro? Voar de costas era uma maneira equivocada, mas eu precisava saltar com rapidez pela janela à noite. Não poderia perdê-lo por ter sido ele quem esteve junto daquele belo Goro até o final.

"Lembro quando Kogito e Goro, adolescentes de quase mesma idade, foram a um lugar, *outside over there*, onde algo terrível aconteceu, voltando de madrugada depois de uma incrível experiência. Pensando bem, Goro já vinha passando por um moroso processo de transformação. Creio, no entanto, que naquela noite tenha alcançado um ponto sem volta...

"Goro voltou após passar dois dias no local sigiloso. À noite, deve ter chamado em voz baixa uma ou duas vezes do jardim em frente ao santuário; meu temor era de que uma luz pudesse se acender no quarto da primogênita do monge, na edificação ligada ao pavilhão principal do templo. Tanto naquela noite quanto na precedente, permaneci com os ouvidos atentos ao exterior do santuário."

Chikashi abriu com cuidado o portão de madeira evitando perturbar a quietude noturna e viu sob a luz tênue os dois rapazes de pé, de aparência miserável, mesmo aos seus olhos de adolescente. As duas lastimáveis e frágeis figuras lhe provocaram uma desagradável sensação, apesar de não ser do tipo de reagir emocionalmente. Não tinha memória precisa do que sentiu, mas podia relembrar como os rapazes se comportaram e como ela tentou ajudá-los diante da situação. Ambos faziam o necessário, mas com extrema lentidão. Mais do que se irritar, Chikashi se limitou a observá-los com perplexidade.

A SUBSTITUIÇÃO OU AS REGRAS DO TAGAME

Os dois rapazes deram a volta no santuário, e Chikashi abriu as portas traseiras para permitir que a luz os iluminasse e fechou as voltadas ao jardim da frente. Sabia que o irmão e o amigo precisavam se esconder dos olhares alheios. Na base do caule do lilás-da-índia, semelhante a um animal desnudo, havia uma bacia de pedra que recebia água por um tubo de bambu. Chikashi deixou na varanda mudas de roupa e toalhas de banho. A mãe tinha comprado essas toalhas, raras na época, prevendo a escassez de produtos, para uso do pai em tratamento de tuberculose e Goro ficava mal-humorado se fossem outras.

Apenas Goro se virou para ver o movimento da irmã. Cabisbaixo, o amigo lhe dava as costas. Chikashi observava de pé dentro da casa, enquanto Goro despia e lavava a parte superior do corpo. De pé ao lado dele, Kogito fez o mesmo em seguida. Com um pano de formato estranho, ambos esfregavam os torsos miúdos e esquálidos, desde os ombros delgados até seus pescoços e abdomens semelhantes a cilindros marcados por sulcos. Seriam aqueles panos suas próprias camisetas de baixo? As roupas despidas jaziam amontoadas no chão, a seus pés. Junto um do outro, pareciam diabinhos negros de cabeça pontiaguda, com uns dez centímetros de diferença de altura. Ao se lavarem, tinham enfiado a cabeça na água da bacia de pedra, deixando os cabelos espetados. Imperturbável, Goro despiu as calças, e o amigo o imitou. Chikashi imaginou que, de tão cansados, não sentiam constrangimento. Seus olhos haviam se acostumado à escuridão, e ela pôde ver as pequenas nádegas, os testículos que lembravam um punho fechado de bebê e os pênis que surgiam do baixo-ventre como um dedo. Goro e o amigo se enxugaram com as toalhas de banho e foram se vestir na varanda, com o rosto enrijecido pela friagem. Chikashi voltou para o seu futon estendido à sombra do altar budista, enfiando-se até a cabeça sob as cobertas, ouvindo o som da própria respiração. Voltou a sentir pena dos dois subindo com vagar até o santuário.

4

Antes de se casar com Kogito e algum tempo depois da noite dos pobres rapazes no templo de Matsuyama, Chikashi iniciou com ele uma correspondência que durou cinco anos, tendo inclusive lhe pedido para procurar em um sebo *Pooh, o ursinho* e *Ursinho Pooh constrói uma casa*. Ela respeitava Kogito por ser um "leitor de livros" e de forma vaga imaginava que ele acabaria trabalhando em uma profissão relacionada. Sentia nele também a simplicidade infantil de um "leitor de livros". À parte a oposição de Goro, foi esse o motivo para continuar a hesitar, embora avançassem em direção ao casamento. Sua impressão geral em relação a ele não mudou depois de casados.

Mesmo após a morte de Goro, Chikashi por vezes sentia em seu âmago que o marido era o mesmo dos tempos da juventude: um "leitor de livros" que costumava conversar à mesa de jantar sobre a excitação por alguma nova obra lida.

Foi o caso de um estudo do Evangelho segundo Marcos escrito por um pesquisador de textos sagrados muito estimado por Kogito. Se perguntassem a Chikashi se considerava o marido um ser humano justo no que se refere à vida social, ela talvez admitisse algumas reservas na resposta. No entanto, em relação a livros, concordasse ou não com o que estava escrito, Kogito jamais simplificava a intenção do autor. Houve uma vez que o professor Musumi, mentor e mediador de seu casamento, repreendeu sua atitude crítica, fazendo com que a mera recordação do incidente lhe causasse sofrimento, mesmo sem voltar a falar sobre o assunto.

Nessa noite, Kogito teceu seus comentários após ler o trecho problemático da nova versão do grupo de estudos liderado pelo autor do livro. Tratava-se da passagem em que Maria Madalena, Maria de Jacó e Salomé se dirigem ao local para ungir o corpo de Jesus. Raramente Chikashi emitia opiniões precipitadas, mas desta vez comentou que a tradução lhe permitia entender de forma natural o sentimento por trás da ação das mulheres.

— Para nós, mulheres, diante da morte de uma pessoa querida, seja assassinada, seja enterrada em uma gruta, se for preciso realizar o duro trabalho de ir até o local para ungir... Digo isso, mas ignoro como é realizada a unção de um cadáver...

— Tampouco conheço os detalhes — retrucou o esposo, bem-humorado.

— De qualquer forma, elas reuniram coragem e saíram, e creio que deviam conversar entre si no caminho. Mas logo após terem uma experiência tão terrível, elas deviam andar apressadas e cabisbaixas, olhando para o solo, não acha? Em relação à passagem "Porém, ao erguerem os olhos, veem que a pedra fora retirada da entrada", creio de verdade que as coisas sucederam desse modo.

— É provável. Porém, não as julgo mulheres comuns. E você, que se identifica com elas, também não deve ser.

"Falando nisso, quando o irmão Gii se afogou, Asa puxou sozinha o cadáver para fora da água e o protegeu da aproximação de curiosos até a chegada da polícia..."

— Você e Goro deviam se sentir afortunados, podendo contar com mulheres incomuns como Asa e eu.

Sem dar importância ao tom irônico da esposa, Kogito continuou a ler em voz alta a passagem em que o anjo espera pelas mulheres dentro do sepulcro. Retomou a reflexão do autor sobre o ocorrido: se o anjo ordena que avisem Pedro sobre a ressurreição de Jesus e que ele deve ir antes à Galileia, por que as mulheres teriam, pelo contrário, se calado, temerosas, e o Evangelho de Marcos se encerraria dessa forma?

Kogito comentou ser também interessante depreender com clareza a relação entre o texto do Evangelho e aqueles que o leriam. Despertava o interesse, em particular, de pessoas de sua profissão. Embora não acreditasse que o pensamento de um escritor pudesse dotar de significado a interpretação do Evangelho, julgava que a forma como a história terminava possuía uma técnica eficiente e de elevada qualidade, tanto para o narrador quanto para os leitores que apareceriam dali em diante...

O estudo em si era um trabalho primoroso que, de início, apresentava em detalhes as diferenças de metodologia, algo raro no Japão, e em seguida analisava de maneira pormenorizada as teorias do autor e de terceiros.

Absorta, Chikashi ouvia os comentários de Kogito com ar distraído. Aquelas mulheres acompanharam Jesus desde o princípio de suas atividades, e cada uma havia passado por duras provações. Após a fuga dos discípulos, elas continuaram observando Jesus crucificado com toda a atenção.

A SUBSTITUIÇÃO OU AS REGRAS DO TAGAME

Sendo assim, por que não haveria sentido na fuga dessas mulheres, caladas e com medo? Não era possível entender a menção no final do Evangelho apenas no sentido negativo de que as palavras do anjo não tenham sido transmitidas aos discípulos?

Se Jesus não tivesse aparecido para seus discípulos na Galileia devido à falha das mulheres em transmitir a mensagem, haveria menção sobre o silêncio no Evangelho, e decerto elas seriam criticadas para todo o sempre. Contudo, Jesus não surgiu ressuscitado diante de seus discípulos, mesmo que as mulheres tenham tornado ocas as palavras do anjo?

Chikashi continuou: "Tive medo naquela noite escura, à espera de meu irmão que não retornava havia dois dias. Quando ele voltou acompanhado do amigo, me assustei com o aspecto lastimável de ambos, estando a ponto de perder a razão. Não comentei sobre isso com ninguém. Tive medo…

"Apenas isso, medo… Mesmo agora, ainda sinto ressoar o medo que se apoderou de mim antes daquele escuro amanhecer. E não teria sentido nele? Sei que o medo não proporciona nada de positivo a meu falecido irmão, a meu marido ou a mim, mas que sentido haveria então se aquela noite não tivesse existido?"

Chikashi imaginava a cena de dois mil anos atrás, os discípulos procurando Jesus ressuscitado na Galileia enquanto as mulheres, após terem fugido apavoradas, se escondiam em suas casas, em silêncio e com medo. Segundo o Evangelho de Lucas, os discípulos souberam do ocorrido e caminhavam em direção ao vilarejo de Emaús, mantendo uma animada conversa com um estranho que a eles se reunira no caminho. Não sabiam que esse acompanhante era Jesus. Pensando nesses discípulos e nas mulheres caladas por medo, Chikashi sentia alguma tranquilidade em se juntar ao grupo delas...

Logo se lembrou do livro ilustrado que Kogito havia trazido de Berlim e que tanto a emocionara. A mãe de Ida parecia uma mulher impotente, todo o tempo apenas sentada sob a pérgola com o olhar perdido, mas poderia ser a representação desenhada por Sendak daquelas mulheres do Evangelho de Marcos, caladas e amedrontadas. Ao ler pela primeira vez o livro ilustrado, antes de mais nada, sentiu simpatia por aquela mãe sentada sob a pérgola...

"Eu fugi e me calei quando, em uma experiência terrível, dei à luz um bebê anormal. Para além de minhas pernas nuas erguidas, a enfermeira emitiu uma expressão de espanto ao retirar o recém-nascido. Aquela voz continua ecoando no escuro recôndito de meu peito. Chego a imaginar se não seria essa voz a que contive em minha garganta ao ver Goro e o amigo retornando de madrugada. Naquele dia, ao recobrar a consciência, senti a estranheza de acordar no quarto de uma maternidade e não no frio e escuro santuário."

5

Durante muitos anos, as visitas de Goro não tinham como objetivo apenas se encontrar com Kogito. Assim mesmo, costumava aparecer quando filmava, próximo à casa em Seijo Gakuen, nas antigas instalações em Tamagawa que haviam se transformado em um estúdio alugado desde a recessão da indústria cinematográfica.

Chikashi achava interessante que Kogito, apesar de não apreciar que mexessem nos livros de sua biblioteca, não só permitisse a Goro acessá-la livremente, como não se importava se à revelia levasse livros que ele próprio ainda não tinha lido. Além do mais, por ser hábito de Goro ler um livro com atenção até entendê-lo por completo, não esperava que os devolvesse tão cedo.

Nesse dia, a tradução em inglês da edição revisada de *Der Mann ohne Eigenschaften* [O homem sem qualidades] chegou em uma chamativa caixa. Segundo Kogito, a forma de organização das partes inéditas do falecido Musil diferia das edições anteriores, e ele comentou que, ao ler a tradução original, sentiu-se estimulado pelo nível dos estudos, esboços iniciais, rascunhos e anotações. Pensou até em criar uma obra cuja estrutura fosse composta apenas por esses elementos...

Goro não tinha tempo para ler romances em inglês e, após verificar a capa com um interessante tratamento da foto de rosto do autor, contemplou pela janela o corniso em suas primeiras colorações outonais e o desabrochar tardio das roseiras de flores vermelho-escuras. Chikashi recordou que essas rosas tinham o pomposo nome de "William Shakespeare" e que os cabelos de Goro eram ainda muito negros. Umeko lhe confidenciou, no entanto, que a cor provinha de eventuais tingimentos...

Após um tempo, Goro disse a Kogito:

— A primeira vez que você leu *O homem sem qualidades* foi por volta do ano em que Akari nasceu, não foi? Lembro-me de você ter comentado que, se usasse o estilo de Musil, poderia escrever sobre temas que até então tinha sido incapaz de tratar em seus livros. Mas você nunca fez isso.

Chikashi não percebeu nas palavras do irmão nenhum tipo de crítica. Kogito, porém, revidou como se estivesse sendo pressionado:

— Irei reler com cuidado a parte dos esboços e anotações desta edição e vou analisar o que me levou a crer que poderia escrever com base nesse estilo. Li o livro há vinte anos e, como aperfeiçoei meu estilo literário durante esse tempo, talvez agora consiga algo.

Em resposta, Goro comentou em um tom conciliatório, algo incomum ao irmão, na opinião de Chikashi:

— Quero que descubra esse estilo de expressão. Pois, afinal, ele nos é comum.

Sem refletir, Chikashi interveio na conversa dos dois e só mais tarde se deu conta de que não suportava mais aquele jogo de cartas marcadas.

— Mas para você, meu irmão, a forma de expressão é o cinema...

— Ora, ora, as coisas não são tão simples — respondeu ele, continuando a fitar as rosas outonais, com seus longos caules, balançando com vagar para além da janela.

Anos depois, quando Goro já havia morrido, Chikashi, aproveitando a atração pelo livro ilustrado de Sendak trazido de Berlim pelo esposo, começou a refletir sobre coisas que se passavam em seu íntimo. Kogito disse algo diretamente relacionado àquela conversa com Goro, sendo que, nessa época, Chikashi já lhe pedira que escrevesse sobre os acontecimentos daquela noite.

— Você mesma não teria encontrado um estilo para exprimir tudo aquilo sobre o que sempre pensou? É um campo completamente diferente do meu e de Goro... E acredito que Goro teria gostado se você publicasse um livro ilustrado.

Chikashi não respondeu. Desde pequena, estava consciente das diferenças de temperamento e talento entre si e o irmão. Aceitava também não compartilhar com o irmão nenhuma semelhança. Mesmo assim, muitos amigos da família observavam que ambos tinham aptidão para desenhar. Para Chikashi, o seu tipo de desenhos e o de Goro difeririam bastante. Foi então inesperado quando Goro, já no fim da vida, passou a elogiar os desenhos da irmã, sem que ela própria se imaginasse capaz de criar um livro ilustrado que fosse relevante para Goro e Kogito.

Uma das características de Kogito percebidas por Chikashi após o casamento foi que o esposo não era capaz de ficar quieto ao ser questionado. Ela e Goro, mais do que argumentar verbalmente, achavam natural permanecerem em silêncio, e, sem dúvida, esse era um raro ponto em comum entre os dois. Muitas vezes ao dia, Chikashi não respondia às perguntas do marido. Desde o começo do relacionamento, e mesmo muito tempo depois de casados, ela não entendia bem o que o esposo dizia. Quando Kogito e Goro conversavam, presenciou várias vezes o irmão se calar em resposta aos questionamentos do marido. Mesmo que nessas horas Kogito não reclamasse, mostrava-se amuado, mas Chikashi, por mais que se preocupasse, nada podia fazer.

Chikashi começou a refletir com seriedade no assunto desde que se deparara com aquele livro ilustrado, curiosamente tão familiar e sugestivo, sem imaginar ser possível pôr suas ideias em desenhos e mostrá-los a Kogito. Goro não poderia dizer o mesmo em relação ao filme que pretendia rodar?

Chikashi pensou que talvez houvesse algo em comum — de fato, raro — entre o silêncio dela e o de Goro diante de Kogito.

6

Era tarde da noite quando Chikashi entrou na biblioteca onde Kogito tinha posto uma cama, após receber a notícia, dada por Umeko, de que Goro se atirara do alto de um edifício. O incidente ocorrera no início da noite, e a cunhada deveria se apresentar de imediato à polícia. Desde o casamento, essa era a segunda vez que Chikashi adentrava o cômodo com a expressa intenção de acordar o esposo. A primeira fora bem cedo pela manhã.

— Kennedy foi assassinado — anunciou Chikashi.

Naquela manhã, Chikashi ouvia o noticiário extraordinário logo após acordar e foi tomada de grande comoção. Como alguém de bela aparência e caráter superior, bem-sucedido na aplicação de seus talentos e amado pela sociedade, podia ser aniquilado com um só golpe por um repugnante miserável? Ela percebeu estar bem próxima daquela "realidade". Sentiu certo paralelo com a ocorrência de Goro na juventude. Se a ouvisse, o irmão por certo teria indagado com um sorriso forçado: "Então você está me comparando a Kennedy?" E quando Chikashi se viu diante do livro de Sendak, também pensou já conhecer tudo nele escrito. O sequestro do bebê

Lindbergh teria servido de inspiração a Sendak, mas da mesma forma não seria o assassinato de Kennedy uma mistura de luzes e sombras? Chikashi refletiu que, na manhã em que tomou conhecimento do assassinato do presidente, começou a se consolidar o núcleo mais importante de tudo o que agora sabia.

Na época, Kogito habitualmente só dormia após ler um livro até de madrugada, tomando meio copo de uísque. Ao ouvir a notícia, pôs o rosto para fora da coberta, exibindo um semblante desolado e, sem nada dizer, voltou a cobrir o rosto. Chikashi esperava uma resposta como "Um tipo de pessoa como ele leva tudo às últimas consequências e acaba se dando mal". Se naquele momento Kogito tivesse dito algo, quando Chikashi lhe contou que Goro se suicidara, ela se lembraria. Se ela tivesse que formular em palavras, seria justamente algo como ser Goro uma pessoa que terminaria sua vida assim...

Cerca de uma semana havia se passado desde que Kogito comentara acerca do novo estudo sobre o Evangelho de Marcos. Chikashi olhou para ele, que parecia assustadoramente sombrio em contraste com a boa disposição anterior. O esposo contemplava o jardim mantendo a cabeça grisalha pressionada contra o vidro da janela da sala de estar. Apesar de estar de costas, ela percebeu nele um aspecto atípico e voltou para o quarto sem lhe dirigir palavra. Ao retornar à sala de estar, quase uma hora mais tarde, Kogito permanecia na mesma posição. Não parecia o tipo de atitude comum a um homem de idade avançada. Chikashi sentiu pena ao pensar que, quanto mais ele envelhecia, mais refletia sobre os arrependimentos que tivera na vida. Não havia ninguém que pudesse passar os dedos por sua cabeça de cabelos brancos, apagando todas as lembranças dolorosas.

Não se poderia dizer o mesmo de Goro? Se também ele, como muitos outros, tinha vivido experiências das quais se arrependia, quão difícil deve ter sido se lembrar delas em seus pormenores, como atestavam seus filmes. Goro falava com frequência sobre a capacidade de memorização de Kogito, mas se um se recordava de palavras, o outro possuía um talento notável para reproduzir cenas do passado. E o ser humano possui métodos não muito complexos para destruir com violência uma memória precisa...

Chikashi se sentou atrás de Kogito, inerte por cerca de duas horas na mesma posição não natural, difícil de ser comtemplada. Ele não era esportista, mas um homem dinâmico que, quando não estava lendo ou escrevendo, não costumava ficar parado por longo tempo. A partir de quando teria entrado naquele estado de passividade? De súbito, notou que Akari estava de pé a seu lado. Após concluir que o comportamento estranho não se limitava ao pai, mas havia contaminado também a mãe, o filho exclamou, movendo a cabeça de um lado para o outro:

— Gente! O que há com vocês?

Chikashi sentiu profunda tristeza pois, assim como nada pôde fazer para se opor à autodestruição de Goro, não podia proteger Kogito de um ato semelhante, equiparando-se mesmo a Akari. Ida, pelo menos, fora capaz de se mover de forma correta após ouvir a música do pai...

Mais tarde nesse dia, quando Akari já havia se recolhido a seu quarto, Chikashi sentou no sofá ao lado da cadeira de braços onde o marido trabalhava, de costas para o jardim. Kogito tinha no colo a única coisa que comprara em Berlim, à parte os livros: uma prancheta negra de desenho com moldura de madeira cáqui. De repente, ergueu o rosto com a barba por fazer, que crescia mais depressa desde que os pelos brancos começaram a sobressair, e lançou uma expressão inquisitiva a Chikashi. Nessas ocasiões, como se esperasse sempre pela oportunidade, Kogito trazia à baila algo que tinha lido durante o dia. O fato de continuar calado mostrava o profundo abatimento em que se encontrava.

— Hoje você passou toda a tarde contemplando o jardim, não foi? Algo que nunca tinha feito antes.

— Notei que você me observava, mas seria exaustivo mudar de posição — respondeu Kogito.

— O que aconteceu?

— Lembra-se de um rapaz chamado Arimatsu? O que aparentava ser um bajulador de Goro, ou talvez não... Hoje, depois de você e Akari irem ao hospital buscar remédio, recebi uma carta expressa registrada... ou costumam chamar de carta simples registrada? Deve ser uma variação mais rápida dos avisos de recebimento, especialidade de nosso notável jornalista. É um procedimento de precaução para que possa ser acrescentado a um texto de denúncia que uma carta por ele enviada foi entregue. Algo que se aprende com os veteranos, pelo visto. Desde o início, não vi muito sentido em fazer caso das propostas dele. Mesmo ciente disso, ele menciona no preâmbulo da carta que ignorei de propósito a "polida" missiva anterior.

"Ao menos nesse ponto, a carta de Arimatsu era honesta, sendo uma cópia de uma original escrita em folhas de duzentos caracteres cada."

— Tinha relação com Goro?

— Não fica claro a qual revista semanal se refere. De qualquer forma, a mulher mencionada no artigo, que tinha fugido para o exterior, cansou-se da vida no exílio e está de volta ao Japão.

Arimatsu pergunta se não sinto obrigação de encontrá-la e ouvir sua história. Menciona também ter ouvido de inúmeros jornalistas que, apesar de eu superproteger minha família, em particular Akari, ignoro os fracos e desconhecidos...

— Embora não acredite que você tenha nenhum tipo de obrigação, que vantagem haveria em encontrar com essa mulher?

— Com certeza, Arimatsu pretende criar uma "história" por eu ter ignorado sua proposta. Se essa mulher existe de verdade, duvido que ela o tenha incumbido de algo.

— Por isso você estava tão pensativo?

Chikashi não tinha nenhuma intenção dissimulada na pergunta. No entanto, Kogito expressou um visível e desproporcional embaraço em seu rosto com a barba branca por fazer.

— É uma suposição sem fundamento, mas penso que Goro conheceu uma moça na Berlinale há três anos e que surgia por um tempo em suas conversas; se ela estiver em uma situação que mesmo um homem como Arimatsu pode chamá-la de mulher lastimável...

— Mas se você mesmo crê em algo do gênero, é sinal de que não deve ser de todo destituído de fundamento, não? Não estaria relacionado às informações que você obteve em Berlim?

— Sim, ouvi rumores. Mas tenho a impressão de ser um caso diferente do mencionado por Arimatsu. Outra coisa que me vem à mente é a moça que Goro comenta em suas fitas cassete. Aquela pintura que enviou a você com alguém ao lado dele... não seria essa moça? Pelo que ouvi, o conteúdo das fitas parece ser uma amostra de incomum alegria deixada por Goro no mundo de cá. Ao pensar que ele teve semelhante relacionamento no final da vida, sinto que isso pode nos servir como um incentivo positivo. Mas agora chega o veneno impregnado na carta de Arimatsu.

— Custa-me dizer isto, pois afinal eu pedi que parasse as interlocuções com Goro por meio dessas gravações, mas eu também gostaria de ouvir as fitas. Como você havia se calado até o momento, achei que continham algo que Goro desejava comunicar apenas a você.

"Mas se de fato foi um sinal da alegria experimentada por Goro ao fim da vida, eu também gostaria de ouvi-las…"

Diante das palavras da esposa, Kogito não respondeu de pronto, algo que lhe era raro. Porém, ao se levantar na manhã seguinte, Chikashi viu sobre a mesa da copa várias fitas cassete com etiquetas numeradas e indicando resumidamente seu conteúdo. Ao lado, estava o Tagame com pilhas. Chikashi postergou os preparativos do café da manhã e voltou ao quarto. Havia três fitas cassete, e cada uma delas estava posicionada para começar a reprodução a partir de uma parte específica.

"Com minha idade e passado, que você conhece até certo ponto, essa jovenzinha me proporcionou uma nova experiência acerca do 'mundo sexual'… uma nova compreensão. Será que sua expressão se tornará confusa ao me ouvir dizer isso? Mas não me refiro a perversões deploráveis. É um 'mundo sexual' aberto e saudável. E só posso me orgulhar de estar experimentando o que lhe conto agora!

"Em primeiro lugar, e do princípio ao fim, foi o beijo. Nós nos beijamos. De início, imaginei que essa moça nunca teria experimentado senão o beijo que se dá na mãe. Foi o que me ofereceu e, do mesmo modo, correspondi. A maneira de beijar, no entanto, progrediu com rapidez. O que é natural, pois passávamos metade do dia apenas nos beijando. Possuía uma capacidade inata para aprender a beijar com ardor e o fazia com criatividade. Com todas as partes de seus lábios, a maneira de usar a língua, enfim, com a boca inteira. Variações e repetições, novas descobertas. O uso dos dentes. Em pouco tempo, eu também tinha aprendido a beijar com paixão. E até me tornei criativo. Logo eu, com minha reputação de veterano sexual. Uma, duas horas, só nos beijando; a mente e o corpo inteiro ardendo de desejo. Segundo seu jeito de dizer, após um longo tempo meu sexo fora 'ativado'. Enfio o dedo na extremidade esquerda de seus lábios entreabertos. Ela o mordisca com seus dentes brilhantes, molhados de saliva. O tempo todo me beija com o lado direito de sua boca. Abro de leve os meus lábios e movo a língua. De súbito, ela inclina a cabeça para trás e começa a rir com o rosto avermelhado, como se tivesse acabado de se exercitar...

"— Isso não. É sedução demais!

"Ela devia conhecer a palavra sedução em japonês, mas talvez a estivesse usando pela primeira vez. Foi a minha impressão. Contudo, havia seriedade em seu emprego, mesmo que um pouco erroneamente! Não era chique? Chegava a ser elegante, cândido, até mesmo viril... No sentido do vocábulo *chic*, como definido pelo professor Musumi.

"Nós nos beijávamos com ela montada sobre meus joelhos, quando enfiei as mãos sob suas calças, acariciando desde a cintura até as nádegas pequenas e sem gordura, lisas. Um erotismo puro e cristalino. Pouco depois, minha mão direita deslizou até seu ventre plano. Ao cabo de alguns dias, meus dedos avançaram até o baixo-ventre. Tocaram a margem de seus pelos púbicos. Ela não se opõe. A partir de então, torna-se uma rotina tocar esse local. Uma vez conquistado um território, não pode ser retomado. Porém, ela não permite que meus dedos avancem mais abaixo. Uma recusa com nítida afabilidade, sem ferir meus sentimentos. Os limites estão definidos, como na medição de um terreno.

"Abraçados, nos estendemos sobre o sofá. A mão introduzida dentro de suas calças não percorre a extensão da calcinha, mas explora desde a parte inferior da pélvis até a base das coxas, como se acompanhasse a borda de um biquíni imaginário. Se eu tocar por acidente seu órgão genital, haverá uma sumária recusa. E talvez não seja oferecida uma nova chance. Com cautela, minha mão prossegue em direção à parte externa das coxas como se um contrapeso mantivesse meus dedos dentro dos limites. Ao mesmo tempo, saboreio um intenso erotismo no avançar dos dedos. Meu instinto sexual de macho só se realiza por meio dos beijos e da excitação do pênis ao roçar, através da calça, a coxa da jovem. Nosso beijo continua indefinidamente.

"Em seu aniversário de dezoito anos, eu lhe dei de presente um vestido leve de cor creme para que usasse durante o jantar de celebração — peça escolhida em um centro comercial em Berlim, quando fomos atendidos com dedicação e seriedade —, ocasião em que me beijou com ardor, inebriada após meia taça de Sauternes. Não se importou que o vestido amassasse sobre o sofá. Meus dedos seguiram pela base da coxa e, em determinado momento hesitaram, rumo à borda da roupa íntima. Durante o tempo em que roçávamos violentamente as pernas, deve ter torcido sua calcinha elegante e fina. Titubeio, e quando busco retornar ao terreno já permitido, a ponta do dedo indicador toca uma protuberância carnuda e sinto sua extremidade úmida. Com a polpa do dedo, aperto com vigor os pelos grossos e encrespados, diferentes daqueles macios, à borda do púbis. De modo categórico, a moça arqueou o ventre e repeliu da coxa não apenas o dedo, como toda a mão.

"— Você não deve infringir a regra e o prometido — ela me advertiu com voz cheia de coragem. Naquele instante, sua vagina estava úmida e transbordava para a periferia externa, e a alegria da descoberta fazia meu pulso disparar. O erotismo de apenas beijar tinha transformado todo o meu corpo com tenacidade.

"Como pode o simples ato de beijar nos levar a experimentar algo tão rico, complexo e, embora queira evitar a palavra, tão profundo?

"A moça respondeu à minha pergunta retórica:

— Porque você tenta chegar ao orgasmo apenas beijando! — afirmou ela, como se tivesse refletido de antemão sobre o assunto. — Lembra que um dia eu parei de beijá-lo dizendo que era sedução em demasia? Você disse que eu não havia usado a palavra de forma adequada. Porém, eu só disse aquilo pela vergonha de estar prestes a cruzar uma 'determinada linha'. Pensei que só eu estava me sentindo daquele jeito. Depois você disse: 'Se você continuar, sinto que vou gozar.' De tão feliz, eu gritei: 'Vamos, goze!'

"Procurando retomar o fio da conversa original, a moça então acrescentou com seriedade:

— Sei que não posso fazer sexo com você, por isso deixo os beijos me levarem até o fim, o mais longe possível.

"Como o dia da minha volta ao Japão se aproximava, ela concordou em tirar as calças uma única vez. Estávamos deitados na cama e, sem querer, tirou a calcinha junto. Não vi sua vagina, mas vislumbrei a fina gordura ao redor de seu umbigo, como uma massa de arroz, e seus pelos púbicos perfeitamente arredondados. Ela disse:

— Deite-se sobre mim e pode meter entre minhas coxas essa coisa grossa — hoje ainda mais intumescida — apertada dentro de suas calças.

"Aparentando ter experiência (ou talvez justamente em razão de sua falta), levantou os joelhos bem alto, mas meu pênis não a penetrou. Ela me deixou ejacular em sua mão. Segundo disse, não tínhamos feito sexo, apesar de sê-lo. Depois confessou que, embora tivesse sido o momento mais agradável que já experimentara, não havia chegado ao orgasmo. Recordando tudo aquilo, posso assegurar que foi uma das experiências mais eróticas da minha vida.

"Por que eu não pude ter relações sexuais com essa moça? O motivo é por ela se parecer muito comigo quando jovem. Embora eu e Chikashi nos pareçamos muito, essa moça, mais do que minha irmã, era a imagem de mim em uma época da infância quando era difícil distinguir se eu era menino ou menina. Eu seria incapaz de manter relações sexuais com uma moça que se assemelhava a mim quando criança. Havia ali algo muito arriscado. Além do mais, nossas experiências eróticas prosseguiram até se tornar excessivas."

Chikashi pausou o Tagame nesse ponto. Akari tinha se levantado e estava na sala de estar ouvindo baixo o programa de música clássica de Hidekazu Yoshida em uma rádio FM. Nos últimos vinte e cinco anos, ele não o perdera uma só vez. Era domingo. Chikashi sentia o efeito da voz alegre de Goro. Decidiu preparar um bom café da manhã. Não pretendia devolver as fitas a Kogito; ficaria com elas. Sentia até uma excitação sexual desde muito tempo não experimentada.

Pelo que tinha ouvido até então do relato de Goro, Chikashi estava segura de que a moça não se tornaria uma "mulher lastimável", como nos termos do jornalista.

7

Ainda não haviam se passado três meses quando a moça comentada com tanta paixão por Goro veio se encontrar com Chikashi.

Primeiro, a jovem telefonou. A ligação em si foi muito aprazível. Após a morte do irmão, Chikashi tinha tomado pavor de atender ao telefone devido ao aumento brusco no número de chamadas de estranhos. Em certo sentido, os telefonemas eram mais cruéis que os de caráter político provocados pelo trabalho de Kogito em outras épocas. Não obstante, a voz e a maneira de falar de sua interlocutora levaram Chikashi a perceber o telefonema como algo bom, mesmo ainda sem saber quem era e o motivo da ligação. Por que teria esquecido quão tranquilizante é o sistema que une pessoas desconhecidas por débeis correntes elétricas no fluxo das linhas telefônicas? Mesmo que de forma passageira, a chamada a livrou do sentimento de solidão que a tomava havia tanto tempo que nem ela estava mais ciente dele.

— Há três anos, trabalhei com Goro Hanawa em Berlim, e foi ele quem me passou este número de telefone. É a senhora Chikashi? Gostaria de conversar por um momento... Eu me chamo Ura Shima.

A voz ao telefone era do tipo que agora se ouvia com frequência nas jovens: o tom monocórdio, não impositivo e sem qualquer matiz de emoção, mas que ainda assim causava uma impressão agradável. Por se tratar de uma moça que Goro conhecera em Berlim, uma sensação de terno consolo pareceu envolver Chikashi de imediato.

— Fale, por favor — instou com sinceridade.

— Obrigada. Logo de início, gostaria de lhe pedir um favor um tanto inesperado. Durante a Berlinale de 1997, Goro lhe enviou uma aquarela por correio. Seria possível eu obter uma cópia colorida dessa obra? Enquanto ele a pintava, eu estava a seu lado na função de intérprete e assistente. Voltei da Alemanha para uma estada curta e cismei em conseguir uma cópia colorida daquela pintura. Apreciaria muito se atendesse a esse meu pedido.

— Você a chama de aquarela, mas na realidade ele utilizou uma técnica de desenho com lápis de cor diluído com pincel umedecido, não foi? A paisagem com árvores no inverno de Berlim...

— Sim, isso mesmo. Goro passeava pela Kudamm, o equivalente a Ginza de Tóquio, quando um conjunto de lápis de cor lhe chamou a atenção. Comprou para fazer esboços quando estivesse à procura de locações para filmagens.

Chikashi podia visualizar o irmão entusiasmado, era hábil com compras.

— No momento, essa pintura decora meu quarto. Irei fazer uma cópia colorida em uma papelaria na vizinhança.

— Muito obrigada. Quando eu poderia retirá-la?

— No final desta semana ou no início da próxima... Na quarta-feira vou ao hospital visitar minha mãe, mas à tardinha devo estar de volta.

— Poderia então visitá-la depois de amanhã, sábado, às duas da tarde? Ficaria muito feliz se pudéssemos conversar um pouco... Mas se isso interferir no trabalho de seu esposo, não passarei sequer da entrada.

— Sábado à tarde meu marido vai à piscina com nosso filho. Não haverá problema.

Após desligar o telefone, Chikashi foi ao quarto buscar o quadro. Em sua opinião, a técnica que tinha acabado de descrever era realmente de difícil execução. Pouco antes de Kogito partir para Berlim, tinham conversado sobre Goro e juntos admirado o quadro. Ela então retirou a pintura da moldura que Kogito tinha inserido e olhou para a inscrição indistinta junto à data, no canto inferior direito da tela. Na parte superior, pintada com lápis de cor e o pincel umedecido, não havia a assinatura de Goro, mas se lia: "Com Urashima Taro, em Wallostrasse."

A intérprete e atendente, que no Japão é chamada Shima Ura, em Berlim se apresenta como Ura Shima, conforme o estilo ocidental de nome seguido de sobrenome. Desde jovem, Goro com frequência brincava com as palavras e então apelidou a jovem de Urashima Taro.[7]

Chikashi pôs a aquarela entre as páginas de seu caderno de esboços e pegou a bicicleta para ir às pressas até perto da estação aproveitando para comprar ingredientes para o jantar. Pensando um pouco, recordou ter ouvido de Goro sobre uma moça de nome Ura, que se escrevia com um ideograma arcaico japonês, a partir de Ulla, nome feminino alemão.

Ura chegou um pouco atrasada. Depois de se despedir de Kogito e Akari que iam à piscina de Nakano, Chikashi foi para o jardim e passou o tempo organizando os vasos de rosas, a maioria já sem flores. Em um intervalo em meio à estação das chuvas, o sol brilhava tímido. Das rosas inglesas, entre as plantadas em vasos e as diretamente na terra, o exíguo jardim somava cento e vinte tipos. Enquanto mudava de lugar os vasos com rosas altas e frondosas,

---

7. Personagem principal de uma famosa lenda do folclore japonês. [N.T.]

percebeu que o cuidado excessivo dedicado às flores após a morte súbita de Goro, aumentando a quantidade delas com rapidez, era um substituto ao que desejaria fazer de verdade.

Para além da profusão de cornisos e da sebe onde brilhavam as densas folhas das camélias, Chikashi notou que um discreto carro verde se aproximava e se dirigiu ao portão caminhando ao longo da estreita passagem. Uma moça alta — bem ao gosto de Goro —, trajando um vestido creme de tecido macio e com os cabelos castanho-escuros presos à altura da nuca, subia a passos firmes e com o olhar voltado para baixo.

— Veio de carro? Eu poderia ter enviado por fax um mapa em vez de explicar como chegar até aqui a pé a partir da estação — declarou Chikashi. — Foi difícil?

— Nem um pouco. Sou Ura Shima — cumprimentou a moça contemplando Chikashi com seus grandes olhos.

Ura era dez centímetros mais alta e se estivesse de salto em vez dos casuais tênis de lona, a diferença seria ainda mais marcante. Quando Chikashi começou a sair com Kogito, Goro ainda não via o relacionamento deles com bons olhos e comentou numa ocasião: "Vocês dois têm quase a mesma altura. Você não poderá mais usar salto alto." Em geral, Goro gostava de mulheres altas.

Ao contemplar os vários vasos de rosas reunidos em um local estreito, Ura ficou constrangida em entregar a Chikashi o ramalhete envolto em papel pardo.

— Trouxe algumas das rosas que recebi de presente, mas não é algo adequado para alguém que as cultiva em casa.

— Como você pode ver, a época da floração já passou — respondeu Chikashi em voz alta ao buscar um vaso para colocar as flores de veios rosados, talvez da espécie Vick's Caprice, graciosas como pequenos confeitos de açúcar.

 Quando Chikashi retornou à sala de estar, Ura observava fixamente o quadro que tivera Goro e Chikashi, ainda crianças, como modelos. O menino usava uma boina e tinha o rosto apoiado em sua grande mão. O desenho tinha sido comprado por Kogito do professor que ensinara pintura aos dois e que passara a se dedicar exclusivamente à arte.

 — A senhora e Goro se parecem muito — afirmou Ura, voltando-se na direção de Chikashi. Seus olhos, um pouco distanciados e separados por seu firme nariz, imprimiam-lhe um aspecto entre cômico e bonito que devia ter atraído Goro.

 — Não éramos tão parecidos quando crianças. Goro costumava dizer que, depois de certa idade e com o passar dos anos, iríamos parecer um casal de idosos — explicou Chikashi a Ura, que se manteve em silêncio. — Tirei uma cópia colorida da aquarela de Goro, está sobre a mesa. Veja, por favor. Vou preparar um chá para nós.

 Assim começou a conversa entre Ura e Chikashi. Em seguida, passaram para que tipo de árvores desfolhadas seriam aquelas na aquarela e que agora deviam estar com uma folhagem verdejante, aparência tão distinta da do inverno, mas que deviam impedir de avistar o prédio na margem oposta. Após algum tempo, Ura se endireitou no assento como se houvesse tomado uma decisão. Ambas estavam tensas, e Ura procurou iniciar outro assunto.

 — Fui convidada a trabalhar com Goro no inverno em que completei dezoito anos. Tinha passado nos exames para a Universidade de Hamburgo... E antes de começar os estudos, pensei em trabalhar por um ou dois anos. Logo após começar o trabalho de meio período no Centro Japão-Alemanha de Berlim, tive a sorte de ser selecionada como assistente de Goro que vinha participar da Berlinale. Não sei se, afinal, fui muito útil como intérprete ou não...

"Eu era feliz durante o tempo que passei com ele, pois não me sentia mais desajeitada, feia e de pés grandes, mas uma jovem cheia de vida."

— Creio ter sido uma época feliz também para meu irmão... Você estava junto quando ele pintou este quadro, não? Por isso a pintura é tão radiosa e transmite sua alegria ao criá-la, apesar de retratar uma soturna paisagem de inverno.

Ura enrubesceu, como se a pele de aparência jovial sob os grandes olhos recebesse o calor emanado de seu interior.

— Meus pais sempre diziam que eu era uma moça desajeitada, feia e de pés grandes. Mas como eu recebia notas altas na escola, eles me estimulavam a aproveitar o que aprendia, e também acabei me convencendo disso. E então Goro comentou que meu rosto e corpo iriam se transformar de forma tão brusca que meus conhecidos acabariam rindo sem querer. Ele explicou que a fábula do patinho feio provavelmente teria se originado da observação de moças como eu, mais do que da psicologia. Disse também que a transformação já estava começando...

Ura ruborizou de novo até os olhos.

— Goro... ele me contou — afirmou Chikashi, sem sentir que mentia. — Não diretamente, mas por meio de fitas cassete. E não apenas isso: disse também com seriedade que se você fosse feminista, julgaria machista o comentário dele.

— Sim, eu sei. Estava ao lado dele quando gravou as fitas. Eu ouvia, imaginando ser uma forma de ele me educar.

Ura falou cabisbaixa, com vergonha, e Chikashi admirou seu rosto de real beleza, também por seus traços de cômica irregularidade. As duas se calaram, e Chikashi se lembrou do trecho de uma das fitas, sem que se sentisse estar sendo indiscreta: "Era diferente do órgão sexual de uma mulher madura, estava às raias do selvagem. Um local rico, amplo, úmido, abundante. Do ponto de vista anatômico e com base em minha experiência até hoje, não se pode designar suas partes. De extensa monotonia, muitíssimo úmido. Uma forte castidade aliada a um saudável desejo. A independente efusão sexual de uma jovem. Em suma, impossível chamar de sexo a um processo anterior ao ato."

Com vagar, Chikashi e Ura retomaram a conversa. Goro tinha indicado a Ura um livro que descrevia, através de uma série de desenhos, as reais modificações das feições, desde o urso e o macaco até o atual rosto humano. Quando a jovem quis procurar o livro em um sebo, Goro a acompanhou. A partir de fotografias dela quando criança — o pai tirara muitas fotos, o que para Goro provava que, mesmo sendo considerada desajeitada, feia e de pés grandes, ela não deixara de ser amada pela família —, Goro desenhou o rosto cômico de uma menina e o desenvolveu até que a transformação de Ura fosse uma realidade...

Pouco depois, surgiu algo insólito na expressão e nos acanhados movimentos de Ura. Parecia não estar relacionado a suas emoções, mas algo mais físico. Ela se levantou de súbito e pediu: "Eu poderia usar o toalete? Sei que é um pedido indelicado para uma primeira visita, mas não me sinto bem." Chikashi indicou-lhe o lavabo ao lado do vestíbulo, e Ura, ajoelhada com o corpo curvado sobre o vaso sanitário, se pôs a vomitar. Chikashi sentiu dó ao ver os ombros largos e musculosos da jovem e fechou a porta.

8

Embora previsível, Chikashi ficou impressionada ao vislumbrar a palidez do jovem rosto de Ura, como se estivesse com uma máscara de esgrima.

— Sei que é indiscrição de minha parte, mas você está grávida?

— De quatro meses — confessou Ura, prestes a chorar.

— Você voltou ao Japão para ter o bebê na casa de seus pais?

— Não, para abortá-lo. O cara me disse que é mais fácil no Japão...

Chikashi sentiu novo choque devido ao uso da palavra "cara" pela moça cuja expressão do rosto mostrava que a menina desajeitada e feia tinha apenas crescido.

— Que maneira irresponsável de falar.

— Ele não pretendia continuar o relacionamento, mas ao lhe comunicar isso, disse que assumiria a responsabilidade. Não sinto mais nada por ele. Apenas fui atraída pelo fato de seu rosto se assemelhar ao de Goro. Desde o início, sua conversa não me interessava. Sempre que nos encontrávamos era apenas pelo sexo.

— Você continua decidida a abortar?

— Na realidade, não. Na volta para cá, em um voo barato com escala em Hamburgo, li um texto de seu marido em um jornal do sul da Alemanha, na revista de domingo do *Süddeutsche Zeitung*. Isso me animou a ter o bebê.

— Agora que você comentou, Kogito contou ter escrito um artigo durante a estada em Berlin e que foi traduzido para o alemão. Deve tê-lo redigido em inglês para facilitar encontrar um tradutor. Se tivesse escrito em japonês, teria pedido que eu lesse...

Ura puxou para perto de si a grande bolsa de mão, do tipo destinado a "mulheres executivas" segundo os anúncios nos balcões de *duty free* de aeroportos e retirou dela algumas páginas de papel de uma revista semanal.

— Gostaria de lê-lo?

— Não leio alemão.

— Ouviria se eu fosse traduzindo? É uma história inusitada, escrita no formato de resposta à pergunta: "Por que as crianças devem ir à escola?" Conta a infância e o período até a formatura de Akari na escola para crianças com necessidades especiais... A primeira metade é particularmente interessante. Começa logo após o término da guerra, quando, em vez de ir à escola, ele entrava todos os dias no bosque levando sua enciclopédia ilustrada de botânica e estudava as plantas.

"Em pleno outono, entrei no bosque em um dia de chuva forte. Continuou a chover com cada vez mais intensidade, e por toda parte novas correntes se formavam, destruindo o caminho. Quando anoiteceu, eu não podia descer para o vale. Além disso, comecei a ter febre. Passei dois dias inconsciente dentro do tronco oco de uma grande castanheira até que uma brigada de bombeiros do vilarejo viesse em meu socorro.

"Mesmo após voltar para casa, a febre não abrandou, e o médico veio da cidade vizinha — eu ouvia tudo isso como se sonhasse — e informou antes de partir que não havia mais nenhum tratamento ou remédio para o meu caso. Minha mãe não perdeu as esperanças e continuou cuidando de mim. Certa madrugada, apesar de febril e debilitado, acordei envolto por um ar tépido próprio do mundo dos sonhos e notei que minha mente estava de novo desanuviada.

"Eu dormia sobre o futon estirado diretamente sobre o piso de tatame, segundo o costume das casas japonesas já extinto nos dias de hoje, mesmo no interior. Minha mãe, que não devia dormir havia várias noites, estava sentada me observando. Devagar e com a voz baixa, soando estranho para mim mesmo, perguntei a ela:

— Mamãe, eu vou morrer?

— Eu acho que não. Oro para que isso não aconteça.

— Mas o médico disse que eu morreria, que não tinha mais nada a fazer. Eu ouvi. Deve ser o meu fim.

"Minha mãe calou-se por um tempo antes de continuar:

— Mesmo se você morrer, eu voltarei a pari-lo. Não se preocupe.

— Mas esse menino será diferente de mim, que estarei morto, não é?

— Não, será o mesmo — insistiu ela. — Eu contarei ao seu novo eu tudo o que você viu, ouviu, leu e fez. E como o seu novo eu também falará todas as palavras que você conhece, os dois serão idênticos.

"Eu não entendia bem. Mesmo assim, pude dormir de coração apaziguado. A partir da manhã seguinte, fui me recuperando aos poucos, muito devagar. No início do inverno, já podia voltar à escola.

"Quando estudava na sala de aula ou jogava beisebol no ginásio — esporte que tinha se tornado popular após o fim da guerra —, notava por vezes estar distraído, refletindo. Não seria possível que o eu daquele momento fosse a nova criança gerada por minha mãe, depois de aquela outra, febril, ter morrido? Desde o começo, eu não sentiria como se fossem lembranças minhas tudo o que me contaram sobre o que a outra criança tinha visto, ouvido, lido e feito? Não estaria eu pensando e falando com as palavras usadas pela criança morta a mim legadas?

"E todas as outras crianças na sala de aula e no ginásio de esportes não poderiam ser substitutas daquelas crianças que nunca irão se tornar adultas, para quem, como eu, contaram sobre tudo o que elas viram, ouviram, leram e fizeram? A prova disso é que nós falamos usando as mesmas palavras herdadas.

"E não viríamos ao colégio justamente para ter certeza de assimilar bem essas palavras? Não apenas a língua, mas ciências, matemática e até mesmo ginástica devem ser necessárias para herdar as palavras das crianças mortas! Entrar sozinho no bosque e comparar as árvores diante dos olhos às da enciclopédia não é suficiente para ser uma nova criança, substituir um menino morto. É por isso que frequentamos a escola e juntos estudamos e brincamos...

"Todos devem achar estranho o que acabei de narrar. Agora que sou adulto e trago à memória experiências há muito esquecidas, sinto que não estou tão certo daquilo que compreendi claramente naquele início de inverno, quando por fim me recuperei de minha enfermidade e recomecei a frequentar a escola com serena alegria.

"Por outro lado, narrei lembranças nunca antes postas no papel na esperança de que todos vocês, agora crianças, as novas crianças, possam entender."

— Esse é o texto, a primeira metade dele, ou melhor, um terço... Creio ser bastante diverso do estilo em que seu esposo costuma escrever em japonês.

— Não, discordo de você — declarou Chikashi com seriedade. — Deve ter escrito dessa forma como se sua intenção fosse se dirigir a crianças. Creio que a minha sogra conversava com ele, quando pequeno, no dialeto do interior, e apenas nessa parte o tom da narrativa me parece mais realista. Mesmo assim, por que esse texto ajudou a fazê-la decidir dar à luz seu filho? Na verdade, sinto que posso entendê-la, mas você mesma poderia explicar?

Para ler as páginas recortadas da revista, Ura tinha posto óculos de armação quadrada e grossa, de estilo masculino. Olhava para Chikashi com uma expressão de inteligência, sem traços de estar prestes a chorar. De sua pele radiante e transparente, parecia emergir um novo rubor, dessa vez, de algo positivo.

— Desejo gerar uma nova vida por uma criança que morreu; contar a ela tudo o que essa criança morta viu, leu e fez... Pretendo ser uma mãe que ensine à nova criança as palavras que a morta costumava usar.

— Quer dizer que vai dar à luz uma criança para substituir Goro...

— Deve julgar que é muita petulância para alguém tão jovem quanto eu.

— Não, nem cogitei algo semelhante — replicou Chikashi com sinceridade. — Nem minha mãe, nem Umeko, nem eu poderíamos dar a Goro uma nova vida.

Ura fitava Chikashi com um olhar incisivo, ao mesmo tempo suplicante e desafiador.

— A senhora não esteve presente à cerimônia de entrega do título de doutor *honoris causa* concedido a seu esposo pela Universidade de Harvard. Imaginei que seria devido ao luto por Goro. Entendi com isso que era alguém em quem eu poderia confiar.

Dizendo isso, Ura desatou a chorar sem procurar esconder seu rosto ruborizado. Chikashi não conseguia evitar o incômodo quando alguém chorava diante dela, não importando quem fosse. Também tinha se sentido assim ao ver Umeko falar com bravura e aos prantos diante das câmeras de TV após a morte de Goro. Mas, naquele momento, Chikashi pôde manter seu coração sereno, mesmo sem compreender que significado Harvard poderia ter para Ura. Teve compaixão pelo choro sincero, de uma pessoa madura e independente. Ecoando as palavras de Goro ditas em outro contexto, Chikashi sentiu em Ura a harmonia natural e saudável entre a contenção intencional e a efusão de sentimentos. E pensou ainda: "Se está determinada a levar adiante seu desejo de ter a criança, apesar da situação difícil imposta pela gravidez, então farei o que estiver ao meu alcance para ajudá-la."

Depois que conteve as lágrimas e retomou a serenidade, Ura contou a seguinte história a Chikashi, que a ouviu, séria.

No início, quando telefonou de Berlim aos pais para lhes comunicar sobre sua difícil situação, eles se mostraram complacentes com o erro cometido pela filha. Concordaram que retornasse a Tóquio para realizar a cirurgia de aborto e lhe ofereceram ajuda. O que estava feito, feito estava. Após consertar o erro, ela deveria tomar juízo e continuar a licenciatura iniciada na Universidade Livre de Berlim, avançando para o mestrado. Desejavam que seguisse adiante até o doutorado.

— Você estuda na Universidade Livre de Berlim? Sabia que o meu marido lecionou lá no último semestre, durante o inverno?

Ura respondeu à indagação de Chikashi em um tom de justificativa:

— Eu estava me preparando para seguir o curso de antropologia econômica. O prédio do departamento era afastado do campus. Como o cara com quem eu me relacionava era estudante do Departamento de Língua Japonesa, ele se inscreveu para as aulas de seu esposo. Achou que o curso seria ministrado em japonês. Porém, não era, e alegando que o inglês do senhor Choko era de difícil compreensão, deixou de frequentar as aulas. Mesmo assim, queria obter os créditos e foi procurá-lo no horário reservado para consultas dos alunos. Voltou reclamando porque seu esposo teria dito a ele que os relatórios dos estudantes japoneses deviam ser escritos em um idioma estrangeiro. Logo depois nós nos separamos, e não sei como o assunto terminou...

Os pais de Ura eram colegas de classe na universidade, onde teriam se conhecido e almejado seguir a carreira de pesquisadores. Por terem se casado cedo, precisaram logo começar a trabalhar, afastando-se da vida acadêmica. O pai era executivo de uma empresa de comércio exterior, podendo ser considerado bem-sucedido na vida. A mãe, no entanto, desejava com ardor que a filha alcançasse a posição de professora universitária para compensar os sonhos irrealizados dos pais. Para isso, preferia que aguentasse o sofrimento de um aborto, não esquecesse a dura lição e terminasse a faculdade, em vez de se casar. Ura sentia que a magnanimidade dos pais vinha dessa forma de cálculo.

Desse ponto de vista, era a reação natural, mas, no momento em que Ura informou sua decisão de não abortar e voltar com o bebê para a Alemanha, a atitude dos pais mudou de maneira drástica. Obrigada a criar sozinha um filho no exterior, seria impossível se distinguir nos estudos. Não admitiam a ideia caprichosa de dar à luz na casa dos pais nem a medida extrema de voltar à Alemanha e ter o bebê lá. O pai cortou sua mesada e anunciou que venderia o apartamento de sua propriedade, onde ela morava, à empresa para a qual trabalhava para que se tornasse residência para seus representantes em Berlim. A intenção dos pais era pressioná-la a abortar em Tóquio o quanto antes. E nem mesmo Ura teria passagem de volta a Berlim.

Depois de três horas de conversa, Ura fez menção de partir. Chikashi pegou de volta a cópia colorida que tinha entregado a Ura e a presenteou com a aquarela original. Fez a jovem prometer que voltaria a visitá-la na semana seguinte no mesmo horário. Orientou-a a não ceder à pressão e a ameaças dos pais.

Ao ficar sozinha e antes que Kogito e Akari voltassem do clube, Chikashi abriu o *Outside Over There*, de Sendak, e contemplou por longo tempo a cena em que Ida voa pela janela, de início em uma postura equivocada, a fim de procurar por sua irmãzinha. Chikashi também deveria agir de maneira correta e com prudência.

9

No centro dos intensos sentimentos experimentados por Chikashi com o livro ilustrado de Maurice Sendak estava a ideia de que ela era a própria Ida. Na medida em que lia o livro até memorizá-lo por inteiro, Chikashi acabou por fazer uma tradução pessoal.

Quando a mostrou a Kogito, ele a devolveu com anotações feitas a caneta vermelha de ponta fina por não conseguir ler um texto sem fazer correções. Ao constatar que o interesse dela por Sendak se mantinha constante, deu para a esposa de presente o livreto do simpósio e um grande livro intitulado *Angels and Wild Things: The Archetypal Poetics of Maurice Sendak*, no qual uma das fotos mostrava o autor passeando com seu pastor-alemão. Desse modo, ela poderia sublinhar ou fazer as anotações que quisesse.

Aos poucos Chikashi avançava na leitura do livro ilustrado de Sendak e outros sobre ele, como se recordasse a "história" da própria vida. Com o passar dos dias, percebeu que, apesar de sua própria "história" e a da personagem do livro se entrelaçarem em profundidade, havia nelas pontos divergentes. Não significava que acabassem por se tornar histórias separadas, mas, ao contrário, as diferenças pareciam potencializar o sentido que as unia.

No livro *Técnica do romance* — revisado em uma nova edição e sobre o qual havia comentado em uma série de uma TV educativa —, Kogito desenvolvia o conceito de "repetição com desvio", ideia que interessava a Chikashi. Segundo sua análise, quando o desenvolvimento narrativo do romance coincidia com o transcorrer do tempo, os desvios adquiriam um significado especial. Chikashi supôs constatar um princípio semelhante nos livros de Sendak e na "história" da própria vida, que não era escrita, mas lembrada de forma repetitiva. Para compreender melhor, procurou organizar os elementos em temas concretos. No pequeno caderno de esboços para aquarelas, anotou as similitudes e divergências entre o conceito do *changeling*, proposto por Sendak no seminário e mencionado em seus ensaios, e sua ideia de *substituto* em relação a Goro e Akari:

1. Os *goblins* vieram raptar a irmã de Ida — Por que não a própria Ida? Sabia que não precisava me preocupar com isso, estando ciente de que não havia risco de eu ser raptada por eles — e deixaram em seu lugar um bebê feito de gelo. Ida se sente profundamente responsável e parte de imediato para salvar a irmã, mas, logo de início, comete um erro. Envolta na capa de chuva amarelo-dourada de sua mãe, voa pela janela para o vazio da noite, só que de costas. Como texto e ilustração descrevem de forma impecável a aventura e o dilema de Ida!

2. Ao entregar o roteiro e os *storyboards* deixados por Goro em sua pasta de couro vermelha, Kogito logo os ordenou tomando por referência as gravações deixadas no Tagame que descreviam os planos de filmagem e me devolveu o material.

Após reler o roteiro, perguntei a Kogito qual dentre as duas versões da última cena do filme Goro teria escolhido. Não perguntei qual das cenas era mais fiel ao ocorrido, pois se ele não estivera presente, não teria como saber.

— Para ter desenhado as cenas de forma tão minuciosa nos *storyboards*, creio que Goro tencionava filmar ambas — concluiu.

Eu esperava uma resposta menos ambígua. Mas, em vez de insistir, comecei a perguntar, com base nessas cenas, o que Kogito de fato sabia e tinha visto. Percebi que meu esposo até hoje não estava a par do que havia acontecido de verdade com Goro naquela época.

Durante a semana após ter apresentado Goro a Peter, Kogito acreditou desempenhar sempre o papel de intermediário entre os dois, ou seja, que eles não se encontrariam a sós. Contudo, recordo que alguns dias antes de seu desaparecimento por aqueles dois dias, Goro matou aulas pela manhã, indo de bonde ao CIE para ver um material relacionado a cinema no escritório em que Peter trabalhava. Na ocasião, Peter aconselhou Goro a estudar cinema na Ucla, onde ele mesmo tinha estudado, para se tornar um cineasta como o pai. O que, ao voltar, Goro me contou isso com um entusiasmo que beirava a inocência.

Eu me inquietava bastante com a ideia de Goro ter oportunidade de estudar nos Estados Unidos. Não seria meu irmão sequestrado por aquele país?

No dia seguinte, ou talvez dois dias depois, disse que sairia a passeio de carro com Peter. Fui tomada pela mesma apreensão de antes, porque eles iriam para o interior da montanha em que Kogito crescera. Em tom sarcástico, Goro contou sobre as pessoas e as curiosas cerimônias religiosas que ainda existiam no lugar.

Fiquei atemorizada durante os dois dias em que ele permaneceu fora viajando de carro. Pensava que poderia ter sido feito refém em uma fortaleza escondida de um vilarejo nas montanhas, ou raptado e forçado a ir para os Estados Unidos em um navio de guerra. Próximo ao amanhecer do terceiro dia, Goro voltou acompanhado do amigo, com aparência lastimável e estranha, causando-me um medo enorme...

3. O que teria acontecido na fortaleza escondida depois de Goro e Kogito voltarem? Fui incapaz de compreender pelo roteiro com as duas versões dos *storyboards* de Goro. A mesma dúvida aparentemente também assaltava a ambos.

Quando se tornou diretor de cinema e sobretudo a partir do sucesso de *Dandelion* nos Estados Unidos, Goro passou a viajar para lá com frequência. Tantas eram as viagens que chegou a estabelecer um escritório de produção em Los Angeles.

Mesmo que o sangrento incidente não tivesse chegado a ocorrer, Peter poderia sem dúvida ser deportado a seu país por ter retirado as armas, ainda que defeituosas, do arsenal militar. Após cumprir pena e retornar à sociedade, ele continuaria acompanhando as informações sobre o cinema japonês e algum dia apareceria diante de Goro, então um renomado diretor de cinema... Não teria Goro sonhado com um semelhante final feliz? Mas, por trás desse sonho, haveria também pesadelos, sombras atrozes que o atormentariam durante toda a vida.

4. Cada vez com mais força, senti que desde aquelas duas noites Goro mudara de maneira radical para jamais voltar a ser o mesmo.

Eu me emocionei com o *Outside Over There* de Sendak desde o momento em que vi, sem nada saber, a ilustração da capa, e conforme o lia repetidas vezes, fui despertada para algumas realidades. Naquela madrugada, apesar da alegria de ver Goro voltar, também senti um temor, como se o meu verdadeiro irmão tivesse sido trocado por um *changeling*. Se o Goro daquele instante era mesmo o meu irmão, isso representaria um desvio em relação ao livro de Sendak. De qualquer forma, se eu expressar o que senti naquele momento com as palavras de Sendak, diria que o Goro que tinha voltado arrastava com ele o ar de *outside over there*. Desde então, o ar de *outside over there* permaneceu nele para sempre.

No livro de Sendak, há a ilustração de uma árvore estendendo os galhos à frente, semelhante a braços impedindo a passagem de Ida quando ela caminha pelo bosque com a irmã, salva das mãos dos *goblins*. À sombra da árvore voam sinistras borboletas. Ida continua tensa.

Durante as discussões do seminário, o próprio Sendak comentou sobre a natureza profética e sombria dessa cena:

"A cena mostra como o momento de paz conquistado por Ida era fugaz. Toda a ilustração é repleta de sinais indicativos dos perigos adiante. A tranquilidade dela irá durar apenas por um breve momento."

— Verdade? — questionou um colega de seminário, e Sendak explicou em mais detalhes.

"Sim, mesmo agora a árvore tenta capturá-la, e as cinco borboletas que voltejam pressagiam o mesmo número de *goblins*."

Quando Goro sofreu a emboscada e a agressão dos yakuzas, o que mais me apavorou — apesar de ainda não conhecer essa palavra — foi sentir que ele fora apunhalado pelos que estavam *outside over there*. No dia em que Kogito teve o polegar esquerdo do pé esmagado por desconhecidos, eu o acompanhei ao hospital. Enquanto ouvia o médico dizer que meu marido se recusava a contar a verdade sobre o que acontecera, não tive a sensação de que seu pé fora esmagado pela violência ocorrida *outside over there*? E não foi a única vez que isso ocorreu.

5. Desde o início, havia uma parte de meu marido que era incompreensível para mim. Ainda assim, o motivo de me casar com ele, embora não fosse o único, não poderia ter sido por haver acompanhado Goro *outside over there* quando o levaram?

Quando Kogito era jovem, conheceu Wole Soyinka em um congresso literário no Havaí; quando o escritor veio ao Japão, fui assistir a um colóquio público dos dois. Interessei-me por Kogito ter dito que a peça de teatro *A morte e o cavaleiro real,* de Soyinka, tratava do guia que conduz o rei morto ao outro mundo.

Tive a convicção de que Kogito era o guia que conduzira Goro *outside over there*. E então a virulenta oposição de Goro a meu casamento com Kogito teria sido por não desejar que alguém relacionado com *outside over there* se intrometesse na vida de sua irmã.

6. Akari nasceu com uma protuberância na região occipital semelhante a uma segunda cabeça. A difícil passagem dela pelo estreito caminho deve ter causado a aparência estranhamente alongada e repleta de rugas de seu rosto. Quando Goro veio me visitar no hospital e comentou que o bebê parecia uma avó, fiquei indignada. Eu desejava ter dado à luz um bebê tão lindo como Goro quando criança. Agora eu me dou conta de que, bem no fundo, queria recuperar o Goro perfeito e inocente que havia perdido.

Sabendo do interesse que o *changeling* me despertava, Kogito obteve vários tipos de enciclopédias relacionadas a espíritos e ninfas. E todas as ilustrações desses livros mostravam o *changeling* como um bebê com o rosto de um astuto idoso.

Quando, apesar de seu impedimento mental, Akari cresceu e começou a compor, senti que recobrara sua mais perfeita beleza por meio da música. Em referência à cena em que Ida retorna atravessando o apavorante bosque, Sendak explicou ter desenhado uma pequena casa do outro lado do córrego, à semelhança de um palco de ópera, e inserido Mozart ali dentro compondo *A flauta mágica* para que servisse de incentivo à personagem.

7. Quando Goro estreou *Uma vida tranquila* e ouviu os aplausos contínuos na escuridão da sala, eu me alegrei ao ver que Goro, por meio da produção desse filme, tinha recobrado sua

antiga inocência. Pouco tempo depois, no entanto, ele se atirou do alto de um prédio. Que maneira horrível de ir *outside over there*!

Akari compôs uma peça para violoncelo e piano intitulada *Goro*, em memória do tio. Graças a sua composição, Akari conseguiu se recobrar da tristeza e do medo que não podia entender bem. A morte de Goro atormentou Kogito e o levou a se entregar ao Tagame, mas por fim não poderá também meu marido escrever honestamente sobre o que se passou *outside over there*?

Isso decerto irá lhe revelar o verdadeiro significado, como escritor, de se aproximar da morte. Jamais disse a Kogito que o amava. Creio que por eu ser quem sou. Ações falam mais do que palavras. Doeu-me ver sua cabeça de cabelos brancos apoiada durante horas no vidro da janela, mas, por muito que seja o tempo de convivência, não nos tornamos parecidos. Só me resta zelar por ele enquanto executa seu último trabalho com liberdade.

"E o que acontecerá comigo? Como deverei me preparar? O que Ida faria em meu lugar?" — pensou Chikashi. Sabia ainda que fazer a si mesma essas perguntas era uma maneira de tomar coragem para assumir a responsabilidade da resposta.

Chikashi transmitiu sua decisão a Ura, com quem se encontrou várias vezes depois daquela conversa, e obteve seu consentimento. O plano de Chikashi era usar o dinheiro dos direitos autorais das ilustrações que fizera para os dois volumes de ensaios escritos por Kogito sobre Akari para cobrir o aluguel de um apartamento para a jovem em Berlim. Chikashi decidiu não só comprar a passagem de Ura de volta à Alemanha, mas também outra para si, para ajudá-la quando desse à luz.

Caso Kogito perguntasse algo, Chikashi diria que era para evitar que os *goblins*, não importando sob qual forma, se aproximassem para roubar o bebê de Ura. Diria também que seu pensamento se encontrava bem expresso na fala final de *A morte e o cavaleiro real*, traduzido por Kogito e citado no colóquio público.

Depois de a tragédia se intensificar com vigor e chegar com rapidez a um desfecho, a matriarca Iyaloja se dirige às mulheres do mercado que balançam seus corpos, entoando elegias:

"Esqueçam os mortos, esqueçam até mesmo os vivos. Voltem seu coração apenas aos ainda não nascidos."

ESTE LIVRO FOI COMPOSTO EM ADOBE GARAMOND PRO CORPO 12 POR
16 E IMPRESSO SOBRE PAPEL AVENA 80 g/m² NAS OFICINAS DA RETTEC
ARTES GRÁFICAS E EDITORA, SÃO PAULO – SP, EM FEVEREIRO DE 2022